# 宋本《伤寒论》

（明）赵开美／校刻
钱超尘／校注

扫一扫
更懂宋本《伤寒论》

北京科学技术出版社

**图书在版编目（CIP）数据**

宋本《伤寒论》/（明）赵开美校刻；钱超尘校注．—北京：北京科学技术出版社，2020.3（2025.1 重印）

ISBN 978-7-5714-0098-9

Ⅰ．①宋…　Ⅱ．①赵…　②钱…　Ⅲ．①《伤寒论》　Ⅳ．①R222.2

中国版本图书馆 CIP 数据核字（2019）第 016713 号

**校　　刻**：（明）赵开美
**校　　注**：钱超尘
**责任编辑**：吴　丹　杨朝晖
**责任校对**：贾　荣
**责任印制**：李　茗
**出 版 人**：曾庆宇
**出版发行**：北京科学技术出版社
**社　　址**：北京西直门南大街 16 号
**邮政编码**：100035
**电话传真**：0086-10-66135495（总编室）　0086-10-66113227（发行部）
**网　　址**：www.bkydw.cn
**印　　刷**：河北鑫兆源印刷有限公司
**开　　本**：850 mm×1168 mm　1/32
**字　　数**：256 千字
**印　　张**：12.5
**版　　次**：2020 年 3 月第 1 版
**印　　次**：2025 年 1 月第 3 次印刷
ISBN 978-7-5714-0098-9/R·2592

**定　　价：69.00 元**

# 前　言

宋本《伤寒论》原指北宋治平二年（1065）刊行的大字本《伤寒论》及北宋元祐三年（1088）刊行的小字本《伤寒论》。金大定十二年（南宋乾道八年，即1172年，见金代王鼎《注解伤寒论后序》）成无已《注解伤寒论》刊行，注释详明，便于使用，逐渐取代北宋无注大字本《伤寒论》、小字本《伤寒论》。南宋及元，宋本《伤寒论》未再刊行。明万历年间仅有元祐三年小字本《伤寒论》一线单传，此版本为著名藏书家赵开美发现，翻刻于《仲景全书》中，后底本亡佚。北宋原刻《伤寒论》今已不存。赵开美刻本逼真原刻（唯每卷首页增“宋林亿校正　明赵开美校刻　沈琳仝校”十五字为藏书家诟病），赵开美称翻刻本《伤寒论》为“宋板《伤寒论》”，其实为赵开美刻本也。“宋板《伤寒论》”之称始见于赵开美序，今人通称之“宋本《伤寒论》”，实为赵开美本《伤寒论》。二者是同一概念。赵开美刻《仲景全书》收书四部，依次是：翻刻北宋小字本《伤寒论》、成无已《注解伤寒论》、宋云公《伤寒类证》、张仲景《金匮要略》。

赵开美翻刻《伤寒论》，使之流传后世，具有存亡继绝的伟大历史功绩，故学者对赵开美，当有所了解。

赵开美（1563—1624），又名琦美，字玄度，一字如白，号清常道人，江苏常熟人，万历中以父荫授刑部郎中，官太仆丞。其父赵用贤（1535—1596），字汝师，号定宇，万历中官至吏部左侍郎，性喜读书，精校雠，著有《赵定宇书目》（1957 年古典文学出版社出版）。赵开美继父业，藏书愈富，网罗古今典籍，诠次甲乙，以期实用。其所藏书，见所撰《脉望馆书目》。

钱谦益与赵开美同里，为撰墓表，见钱谦益《牧斋初学集》。此墓表对了解赵开美大有裨益。全文如下。

刑部郎中赵君墓表

神宗之末年，建州夷躏我辽左。赵君官太仆寺丞，有解马之役。匹马出山海关，周览阨塞要害，遇废将老卒，从容访问我所以败、夷所以胜者，感激挥涕，慨然奋臂出其间。归而上书于朝，条上方略。君之意，以谓天子将使执政召问从何处下手，庶几倾囊倒度，以自献其奇，仅如例报闻而已。君自此默然不自得，以使事归里，用久次再迁刑部郎中。裴徊久之，过余而叹曰："已矣，世不复知我，而我亦无所用于世矣！生平好兵家之言，思以用世；好神仙之术，思以度世。今且老而无所成矣。武康之山，老屋数间，度书数千卷，吾将老焉。子有事于宋以后四史，愿以生平所藏，供笔削之役，书成而与寓目焉，死不恨矣！"是年八月君还朝，寓书于余者再。明年其家以讣音来，则君以病没于长安之邸舍，天启四年（1624）之正月十八日也。君讳琦美，字玄度，故广参议、讳承谦之孙；赠礼部尚书、谥文毅、讳用贤之子。君之历官，以父任也。天性颖发，博闻强记，落笔数千言。居恒厌薄世之儒者，以谓自宋以来，九经之学不讲，四库之书失次，学者皆以治章句、取富贵为能事，而不知其日趋于卑陋。欲网罗古今载籍，甲乙铨次，以待后之学者。损衣削食，假借缮写三馆之秘本、兔园之残册，刓编齾翰，断碑残壁，梯航访求，朱黄雠校，移日分夜，穷老尽气，好之之笃挚与读之之专勤，盖近古所未有也。而君之于书，又不徒读诵之而已，皆思落其实，而取其材，以见其用于当世。诸凡天官、兵法、谶纬、算历，以至水利之书、火攻之谱、神仙药物之事丛杂荟蕞，见者头目眩晕，君独能闇记而悉数之。官南京都察院照磨，修治公廨，费约而工倍。君曰："吾取宋人将作营造式也。"升太常寺典簿，转都察院都事，厘正勾稽，必本旧章，及其丞太仆印烙之事，人莫敢欺。君曰："吾自有相马经也。"君之能于其官，于所读之书未用其一二，而世已有知之者。至其大志之所存，如戊午所上方略，君所慷慨抵掌，以冀一遇者，其不迂而笑之者亦鲜矣！呜呼！其可悲也！君生为贵公子，而布衣恶食，无绮纨膏粱之色。少年才气横骛，落落不可羁勒，而遇旅人羁客，煦妪有恩礼，精强有心计，时致千金，缘手散去，尽损先人之田产，不以屑意也。尤深信佛氏法，所至以贝叶经自随，正襟危坐而卒。享年六十有二。归葬于武康之茔。而君之子某，状君之生平，属余为传。余尝以谓今人之立传，非史法也，故谢去不为传，而又念君之隧不可以不表也。盖世之大人得志而显于后者，名在国史，信于金石，虽不表可也。若夫庸下薄劣之人，富贵赫奕，死而其人与骨肉俱朽，虽大书深刻，犹泯没耳，表之无益也。如君者，其为人魁雄奇伟，而生不获信其志，死或困于无闻，则不可以不表也。呜呼！表其墓云。

今世宋本《伤寒论》原刻本，皆存于中国，计五部。笔者从1984年4月13日始访宋本《伤寒论》，至2010年8月末才得以目睹之、手抚之、笔记之、拍摄之，前后凡二十六年。中国所藏五部原刻本为：①台北故宫博物院图书文献大楼一部；②中国中医科学院图书馆一部；③上海图书馆一部；④上海中医药大学图书馆一部；⑤中国医科大学图书馆一部。

此五部有初刻本、修刻本之别。第②、③、④是初刻本，有少许讹字；①、⑤是修刻本，将讹字改为正字。①的卷首有著名藏书家徐坊题记，内有大量学术信息，而⑤中无徐坊题记。此五部皆为国宝级文献，而尤以台北故宫博物院图书文献大楼所藏为优。本书所据底本为台北故宫博物院图书文献大楼所藏《伤寒论》。此本的保藏，充满曲折和历史悲痛。

台北故宫博物院本原藏于北平图书馆，1941年为防日寇劫掠，被秘密运往上海，再被运往美国国会图书馆，1965年回归中国台湾。北平图书馆工作人员钱存训冒着生命危险将102箱善本图书运出日本人把持的海关，其中就有宋本《伤寒论》。1942年王重民将宋本《伤寒论》拍摄为缩微胶卷，送给北平图书馆，保存至今。此本卷首有清末著名藏书家徐坊墨笔题记，题记称他家既藏有赵开美本，又藏有北宋治平二年大字本《伤寒论》。大字本《伤寒论》的发现，是一条惊天动地的消息。

大字本《伤寒论》为人间奇珍，无价重宝，今不详所在。若天不丧斯文，其或存人间，必有逢时而出之日！

台北故宫博物院本徐坊题记如下。

《伤寒论》世无善本，余所藏治平官刊大字景写本而外，惟此赵清常本耳。亡友宗室伯兮祭酒曾悬重金购此本不可得，仅得日本安政丙辰覆刻本近蜀中又有刻本，亦从日本本出。今夏从厂贾魏子敏得此本，完好无缺，惜伯兮不及见矣。　坊记。时戊申中秋日戊辰。

北宋人官刻经注皆大字，单疏皆小字，所以别尊卑也。治平官本《伤寒论》乃大字，经也；《千金方》《外台秘要》皆小字，疏也。林亿诸人深于医矣。南宋已后，乌足知此？矩庵又记。

北京师范大学古籍研究所刘乃和教授是徐坊外孙女，写有一篇回忆徐坊藏书的文章，题名《藏书最好的归宿——陈垣书的捐献与徐坊书的散失》，文章说：

徐坊（1864—1916），山东临清人。字士言，又字梧生，号矩庵，三十四岁（光绪廿三年，1897）后号蒿庵，后二年又号别画渔师、止园居士、楼亭樵客，其藏书楼名“归朴堂”，盖取返朴归真之意。藏书雄富，多罕见珍本。缪荃孙《艺风藏书记·藏书缘起》

说："……迩时谈收藏者：潘吴县师、翁常熟师、张南皮师……盛伯羲、王廉生两祭酒，……王茀卿、徐梧生两户部，……互出所藏，以相考订。"徐坊时任户部江南司主事，故称。缪荃孙这里是把徐梧生与潘祖荫滂喜斋、翁同龢、张之洞、盛昱意园相提并论的，可见徐坊的藏书水平。

傅增湘在《双鉴楼善本书目·序》中，也曾提到，他说："历观近代胜流，若盛意园、端匋斋、徐梧生诸公，当其盛时，家富万签，名声显赫，与南瞿北杨齐驱方驾。"盛昱字伯羲，端匋斋端方字午桥，都是清末民初著名藏书家。傅增湘这里甚至认为徐坊可与常熟瞿氏铁琴铜剑楼、聊城杨氏海源阁，并驾齐驱，则徐坊不可不谓为藏书大家了，在近代藏书史上应是屈指可数人物。

台北故宫博物院本有木印牌记，这几枚牌记在考证版本时代上具有重要意义。

卷四末页有"世让堂翻刻宋板赵氏家藏印"木印牌记。

卷五末页至卷十末页均刻有"世让堂翻宋板"木印牌记。

卷十最后一页最后一行刻有"长洲赵应期独刻"牌记。

"世让堂"是赵开美的家堂号，赵应期是当时优秀刻工。

本书为排印本，牌记均未录入。

考察《伤寒论》版本历史，还应注意日本国立公文书馆内阁文库所藏之《仲景全书·伤寒论》。

日本国立公文书馆内阁文库收藏赵开美本《伤寒论》一部，1988 年 10 月日本燎原书店影印发行之。此影印本，影印清晰，高度存真。为便称说，简称内阁本。

该书《凡例》说："本书是国立公文书馆内阁文库所藏明万历二十七年赵开美刊《仲景全书》（枫·10册·子四五函·十三号）。""每半叶框廓高17.9cm，幅约13.0cm。"

今将内阁本与台北故宫博物院本详细校读，同时参阅1997年中医古籍出版社影印本（所据底本为中国中医科学院本）、中国医科大学本、上海中医药大学本、上海图书馆本，发现内阁本与中国所藏五部赵开美本《伤寒论》原刻本有大量不同。这是一件重大的学术公案，应引起学术界高度关注。主要区别如下。

（1）内阁本有墨钉。如内阁本卷七《辨霍乱病脉证并治》第385条"恶寒脉微一作□而复利"，小注"一作"下为一墨钉，而台北故宫博物院本、中国医科大学本、中国中医科学院本、上海中医药大学本、上海图书馆本该墨钉皆作"缓"。

（2）内阁本有讹字。如内阁本卷九《辨可下病脉证并治》"汗出不恶寒者，此表解里未和也。属十枣汤。方三十。芫花熬赤、甘遂、大戟各等分。右三味，各异捣筛科已"之"科已"不辞，"科"系讹字，台北故宫博物院本、中国医科大学本、中国中医科学院本均作"秤"。内阁本卷八《辨发汗后病脉证并治》"虽鞕不可攻之，须自欲大便，宜蜜煎导而通之。若土瓜根及大猪胆计，皆可为导"之"计"字误，当作"汁"。同条，内阁本"家煎方：食蜜七合"之"家"字讹，当作"蜜"。同条服法，内阁本"欲可丸，并手检作挺"之"检"字讹，当作"捻"。同一条竟有三个讹字。中国所藏五部均不误。

（3）内阁本无木印牌记。

（4）内阁本无《伤寒论后序》。中国所藏赵开美本《伤寒论》均有《伤寒论后序》。

（5）内阁本书口黑白交错不一。中国所藏五部赵开美本《伤寒论》书口皆为白口，无黑白书口交错现象。

经过对比，发现内阁本不是赵开美原刻本，而是坊刻本，刊刻草率，亦未精校。

日本安政三年（1856）堀川济以内阁本为底本翻刻，名《翻刻宋本伤寒论》（又称日本安政本），改正内阁本大量讹字。此本是一部较好的翻刻本，翻刻后不久，流入中国，对我国伤寒学之普及有积极意义。

20 世纪 80 年代初，中共中央、国务院发出加强古籍整理的指示。1982 年原卫生部制定“中医古籍整理出版规划”。同年 6 月在“中医古籍整理规划”会议上，经专家讨论，确定十一部中医古籍为卫生部重点中医古籍。这十一部重点中医古籍是：《素问》《灵枢》《难经》《神农本草经》《伤寒论》《金匮要略》《针灸甲乙经》《脉经》《诸病源候论》《中藏经》《黄帝内经太素》。

会议任命北京中医学院（现北京中医药大学）刘渡舟教授为《伤寒论》主编。此次整理所用底本是中国国家图书馆珍藏的宋本《伤寒论》缩微胶卷。原书 1941 年被运往美国国会图书馆保藏以防日本劫掠，1965 年回归中国台湾。刘渡舟教授主编此书时，尚不能见到原书，故以缩微胶卷为底本。从此，宋本《伤寒论》从学者书斋走到广大读者身边。

宋本《伤寒论》原刻本凡“摶”（tuán）（简体作“抟”）字皆作俗体“摶”，与“搏”形体极近，后世铅字排印本、计算机录入本、高等中医院校教材均误作“搏”，本书皆予改正，作简体“抟”。

“卒病论”之“卒”字是俗讹之字，即因俗写而复讹者。“雜”（“杂”的繁体字）的俗体作“亲”，再简之则讹为“卒”。宋代郭雍（字子和，号白云）《伤寒补亡论》卷一《伤寒名例十问》云：

问曰：伤寒何以谓之卒病？雍曰：无是说也。仲景叙论曰“为《伤寒杂病论》合十六卷”，而标其目者误书为“卒病”，后学因之，乃谓“六七日生死人，故谓之卒病”，此说非也。古之传书怠惰者，因于字书多省偏旁，书字或合二字为一，故书“雜”为“亲”，或再省为“卒”。今书“卒病”，则“杂病”字也。汉刘向校中秘书，有以“赵”为“肖”，以“齐”为“立”之说，皆从省文而至于此，与“杂病”之书为“卒病”无以异。

郭说极是，可纠正“卒病”种种臆想误说。

撰写此书的目的是：①将台北故宫博物院图书文献大楼所藏宋本《伤寒论》推向社会，使广大读者看到宋本《伤寒论》确切真实的内容；②卷末附少许版本史知识，以加深读者对宋本《伤寒论》的理解。所附文字不多，欲详细研究、考证张仲景《伤寒论》版本流传史，可以参阅笔者《〈伤寒论〉文献新考》（北京科学技术出版社）。

北宋校正医书局始创子目，从《辨太阳病脉证并治上》始列于各节前，低两格刻印。本书依宋本《伤寒论》体式亦低格录入，并将字体改为楷体，以便与经文相区别。另，某些卷末有“伤寒论卷××”几字，有些卷末无，现仍依原书，无者不加，有者不删。此外，对于书中所存异体字、通假字，为保存宋本《伤寒论》原貌，不予修改。

钱超尘

北京中医药大学

2018 年 10 月 2 日

# 目　录

## ·伤寒论卷第五·



## ·伤寒论卷第六·



## ·伤寒论卷第七·



## ·伤寒论卷第八·



## ·伤寒论卷第九·



## ·伤寒论卷第十·

# 刻仲景全书序

岁乙未，吾邑疫厉大作，予家臧获率六七就枕席。吾吴和缓明卿沈君南昉在海虞，藉其力而起死亡殆徧，予家得大造于沈君矣。不知沈君操何术而若斯之神，因询之。君曰：“予岂探龙藏秘典，剖青囊奥旨而神斯也哉？特于仲景之《伤寒论》窥一斑两斑耳！”予曰：“吾闻是书于家大夫之日久矣，而书肆间绝不可得。”君曰：“予诚有之。”予读而知其为成无己所解之书也。然而鱼亥不可正，句读不可离矣。已而购得数本，字为之正，句为之离，补其脱略，订其舛错。沈君曰：“是可谓完书，仲景之忠臣也。”予谢不敏。先大夫命之：“尔其板行，斯以惠厥同胞。”不肖孤曰：“唯唯。”沈君曰：“《金匮要略》仲景治杂证之秘也，盍并刻之，以见古人攻击补泻、缓急调停之心法。”先大夫曰：“小子识之！”不肖孤曰：“敬哉。既合刻，则名何从？”先大夫曰：“可哉，命之名《仲景全书》。”既刻已，复得宋板《伤寒论》焉。予曩固知成注非全文，及得是书，不啻拱璧，转卷间而后知成之荒也，因复并刻之，所以承先大夫之志欤。又故纸中检得《伤寒类证》三卷，所以隐括仲景之书，去其烦而归之简，聚其散而汇之一。其于病证脉方，若标月指之明且尽，仲景之法，于是粲然无遗矣，乃并附于后。予因是哀夫世之人，向故不得尽命而死也。夫仲景殚心思于轩岐，辨证候于丝发，著为百十二方，以全民命，斯何其仁且爱，而跻一世于仁寿之域也！乃今之业医者，舍本逐末，超者曰东垣，局者曰丹溪已矣。而最称高识者，则《玉机微义》是宗，若《素问》，若《灵枢》，若《玄珠密语》，则嗒焉茫乎而不知旨归。而语之以张仲景、刘河间，几不能知其人与世代，犹觍然曰："吾能已病足矣，奚高远之是务！"且于今之读轩岐书者，必加诮曰："是夫也，徒读父书耳，不知兵变已。"夫不知变者，世诚有之，以其变之难通而遂弃之者，是犹食而咽也，去食以求养生者哉，必且不然矣。则今日是书之刻，乌知不为肉食者大嗤乎！说者谓："陆宣公达而以奏疏医天下，穷而聚方书以医万民，吾子固悠然有世思哉！"予曰："不，不！是先大夫之志也！先大夫固尝以奏疏医父子之伦，医朋党之渐，医东南之民瘼；以直言敢谏，医谄谀者之膏肓，故踬之日多，达之日少。而是书之刻也，其先大夫宣公之志与！今先大夫殁，垂四年而书成，先大夫处江湖退忧之心，盖与居庙堂进忧之心同一无穷矣。"客曰："子实为之，而以为先公之志，殆所谓善则称亲与！"不肖孤曰："不，不！是先大夫之志也！"

万历己亥三月谷旦海虞清常道人赵开美序

# 伤寒论序

夫《伤寒论》，盖祖述大圣人之意，诸家莫其伦拟。故晋皇甫谧序《甲乙针经》云：伊尹以元圣之才，撰用《神农本草》以为《汤液》。汉张仲景论广《汤液》为十数卷，用之多验。近世太医令王叔和，撰次仲景遗论甚精，皆可施用。是仲景本伊尹之法，伊尹本神农之经，得不谓祖述大圣人之意乎！张仲景《汉书》无传，见《名医录》，云：南阳人，名机，仲景乃其字也。举孝廉，官至长沙太守。始受术于同郡张伯祖，时人言，识用精微过其师，所著论，其言精而奥，其法简而详，非浅闻寡见者所能及。自仲景于今八百余年，惟王叔和能学之。其间如葛洪、陶景、胡洽、徐之才、孙思邈辈，非不才也，但各自名家，而不能修明之。开宝中，节度使高继冲曾编录进上，其文理舛错，未尝考正。历代虽藏之书府，亦阙于雠校，是使治病之流，举天下无或知者。国家诏儒臣校正医书，臣奇续被其选。以为百病之急，无急于伤寒，今先校定张仲景《伤寒论》十卷，总二十二篇，证外合三百九十七法，除复重，定有一百一十二方。今请颁行。

太子右赞善大夫臣高保衡

尚书屯田员外郎臣孙奇

尚书司封郎中秘阁校理臣林亿等谨上

# 伤寒卒病论集[1]

论曰：余每览越人入虢之诊，望齐侯之色，未尝不慨然叹其才秀也。怪当今居世之士，曾不留神医药，精究方术，上以疗君亲之疾，下以救贫贱之厄，中以保身长全，以养其生，但竞逐荣势，企踵权豪，孜孜汲汲，惟名利是务；崇饰其末，忽弃其本，华其外而悴其内。皮之不存，毛将安附焉？卒然遭邪风之气，婴非常之疾，患及祸至，而方震栗，降志屈节，钦望巫祝，告穷归天，束手受败。赍百年之寿命，持至贵之重器，委付凡医，恣其所措。咄嗟呜呼！厥身已毙，神明消灭，变为异物，幽潜重泉，徒为啼泣。痛夫！举世昏迷，莫能觉悟，不惜其命，若是轻生，彼何荣势之云哉？而进不能爱人知人，退不能爱身知己，遇灾值祸，身居厄地，蒙蒙昧昧，蠢若游魂。哀乎！趋世之士，驰竞浮华，不固根本，忘躯徇物，危若冰谷，至于是也！

---

① 《伤寒卒病论集》：台北故宫博物院所藏赵开美翻宋本《伤寒论》将此序装订在《注解伤寒论》前，中国医科大学、中国中医科学院、上海图书馆、上海中医药大学所藏赵开美翻宋本《伤寒论》卷首皆有此序。本书所据底本为台北故宫博物院本，现据中国中医科学院本录入此序。“卒”字误，宋代郭雍《伤寒补亡论》有考。“卒”字不是“猝”字的通假字。

余宗族素多，向余二百。建安纪年以来，犹未十稔，其死亡者，三分有二，伤寒十居其七。感往昔之沦丧，伤横夭之莫救，乃勤求古训，博采众方，撰用《素问》《九卷》《八十一难》《阴阳大论》《胎胪药录》，并《平脉辨证》，为《伤寒杂病论》，合十六卷。虽未能尽愈诸病，庶可以见病知源。若能寻余所集，思过半矣。

夫天布五行，以运万类；人禀五常，以有五藏。经络府俞，阴阳会通；玄冥幽微，变化难极。自非才高识妙，岂能探其理致哉！上古有神农、黄帝、岐伯、伯高、雷公、少俞、少师、仲文，中世有长桑、扁鹊，汉有公乘阳庆及仓公，下此以往，未之闻也。观今之医，不念思求经旨，以演其所知；各承家技，终始顺旧；省疾问病，务在口给，相对斯须，便处汤药。按寸不及尺，握手不及足；人迎趺阳，三部不参；动数发息，不满五十。短期未知决诊，九候曾无仿佛；明堂阙庭，尽不见察，所谓窥管而已。夫欲视死别生，实为难矣！

孔子云：生而知之者上，学则亚之。多闻博识，知之次也。余宿尚方术，请事斯语。

国子监

准　尚书礼部元祐三年八月八日符，元祐三年八月七日酉时，

准　都省送下，当月六日

敕中书省勘会，下项医书，册数重大，纸墨价高，民间难以买置。八月一日。奉

圣旨，令国子监别作小字雕印。内有浙路小字本者，令所属官司校对，别无差错，即摹印雕版，并候了日，广行印造，只收官纸工墨本价，许民间请买，仍送诸路出卖。奉

敕如右,牒到奉行。前批八月七日未时，付礼部施行。续准礼部符，元祐三年九月二十日，准

都省送下，当月十七日

敕中书省尚书省送到国子监状，据书库状，准

朝旨雕印小字《伤寒论》等医书出卖，契勘工钱，约支用五千余贯，未委于是何官钱支给，应副使用，本监比欲依雕四子等体例，于书库卖书钱内借支，又缘所降

朝旨，候雕造了日，令只收官纸工墨本价，即别不收息，虑日后难以拨还，欲乞

朝廷特赐应副上件钱数，支使候指挥尚书省勘当，欲用本监见在卖书钱，候将来成书出卖，每部只收息壹分，余依元降指挥。奉

圣旨，依国子监主者，一依

敕命指挥施行。

治平二年二月四日

进呈，奉

圣旨镂版施行。[①]

朝奉郎守太子右赞善大夫同校正医书飞骑尉赐绯鱼袋臣高保衡

宣德郎守尚书都官员外郎同校正医书骑都尉臣孙奇

朝奉郎守尚书司封郎中充秘阁校理判登闻检院护军赐绯鱼袋臣林亿

翰林学士朝散大夫给事中知制诰充史馆修撰宗正寺修玉牒官兼判太常寺兼礼仪事兼判秘阁秘书省同提举集禧观公事兼提举校正医书所轻车都尉汝南郡开国侯食邑一千三百户赐紫金鱼袋臣范镇

推忠协谋佐理功臣金紫光禄大夫行尚书吏部侍郎参知政事柱国天水郡开国公食邑三千户食实封八百户臣赵概

推忠协谋佐理功臣金紫光禄大夫行尚书吏部侍郎参知政事柱国乐安郡开国公食邑二千八百户食实封八百户臣欧阳修

推忠协谋同德佐理功臣特进行中书侍郎兼户部尚书同中书门

---

① 治平二年二月四日进呈奉圣旨镂版施行：此十七字及高官名录是治平二年（1065）国子监牒文。其前文字是北宋元祐三年（1088）国子监牒文，为请求刊行小字本获准之牒文。元祐三年牒文居前，治平二年牒文置后，宋代公文体式如此。

下平章事集贤殿大学士上柱国庐陵郡开国公食邑七千一百户食实封二千二百户臣曾公亮

推忠协谋同德守正佐理功臣开府仪同三司行尚书右仆射兼门下侍郎同中书门下平章事昭文馆大学士监修国史兼译经润文使上柱国卫国公食邑一万七百户食实封三千八百户臣韩琦

知兖州录事参军监国子监书库臣郭直卿

奉议郎国子监主簿云骑尉臣孙准

朝奉郎行国子监丞上骑都尉赐绯鱼袋臣何宗元

朝奉郎守国子司业轻车都尉赐绯鱼袋臣丰稷

朝请郎守国子司业上轻车都尉赐绯鱼袋臣盛侨

朝请大夫试国子祭酒直集贤院兼徐王府翊善护军臣郑穆

中大夫守尚书右丞上轻车都尉保定县开国男食邑三百户赐紫金鱼袋臣胡宗愈

中大夫守尚书左丞上护军太原郡开国侯食邑一千八百户食实封二百户赐紫金鱼袋臣王存

中大夫守中书侍郎护军彭城郡开国侯食邑一千一百户食实封二百户赐紫金鱼袋臣刘挚

正议大夫守门下侍郎上柱国乐安郡开国公食邑四千户食实封九百户臣孙固

太中大夫守尚书右仆射兼中书侍郎上柱国高平郡开国侯食邑
一千六百户食实封五百户臣范纯仁
太中大夫守尚书左仆射兼门下侍郎上柱国汲郡开国公食邑二
千九百户食实封六百户臣吕大防

# 医林列传[①]

## 张　机

张机，字仲景，南阳人也。受业于同郡张伯祖，善于治疗，尤精经方。举孝廉，官至长沙太守，后在京师为名医，于当时为上手。以宗族二百余口，建安纪年以来，未及十稔，死者三之二，而伤寒居其七，乃著论二十二篇，证外合三百九十七法，一百一十二方。其文辞简古奥雅，古今治伤寒者未有能出其外者也。其书为诸方之祖，时人以为扁鹊、仓公无以加之，故后世称为医圣。

## 王叔和

王叔和，高平人也。性度沉静，博好经方，尤精诊处，洞

① 《医林列传》非出自北宋校正医书局，而为赵开美翻刻北宋元祐三年小字本《伤寒论》时所增添。如成无己《注解伤寒论》中的严器之序成于南宋绍兴十四年（1144），其书刊成于金大定十二年（南宋乾道八年，即1172年），传文多采南宋开禧元年（1205）张孝忠《伤寒明理论跋》语。《张机传》《王叔和传》亦为缀合旧文而成，是以知《医林列传》为赵开美增补之文也。

识养生之道，深晓疗病之源，采摭群论，撰成《脉经》十卷，叙阴阳表里，辨三部九候，分人迎、气口、神门，条十二经、二十四气、奇经八脉、五藏六府、三焦四时之疴，纤悉备具，咸可按用，凡九十七篇，又次《张仲景方论》为三十六卷，大行于世。

## 成无己

成无己，聊摄人，家世儒医，性识明敏，记问该博，撰述伤寒，义皆前人未经道者，指在定体分形析证。若同而异者，明之；似是而非者，辨之。古今言伤寒者祖张仲景，但因其证而用之，初未有发明其意义。成无己博极研精，深造自得，本《难》《素》《灵枢》诸书以发明其奥，因仲景方论以辨析其理。极表里虚实阴阳死生之说，究药病轻重去取加减之意，真得长沙公之旨趣，所著《伤寒论》十卷、《明理论》三卷、《论方》一卷，大行于世。

# 仲景全书目录



① 翻刻宋板《伤寒论》全文：此九字为赵开美所增，见赵开美《仲景全书·伤寒论》之目录。赵开美据北宋元祐三年（1088）小字本《伤寒论》翻刻，其板式与宋板基本相同。翻刻后底本亡佚，今所称之宋本《伤寒论》乃赵开美翻宋本《伤寒论》，非宋本《伤寒论》原刻也。

# 伤寒论卷第一

汉　张仲景述①　晋　王叔和　撰次

宋　林　亿　校正

明　赵开美　校刻

沈　琳　仝校②

---

① 张仲景述：有的刻本改“述”为“著”，大误。张仲景“勤求古训、博采众方”为“述”，不为“著”。宋本《伤寒论》作“述”，是。

② 宋林亿校正　明赵开美校刻　沈琳仝校：此十五字为赵开美妄增。元刻本《注解伤寒论》作“仲景述　王叔和撰次”，无“宋林亿校正”，是其证。

# 辨脉法第一

问曰：脉有阴阳，何谓也？答曰：凡脉大、浮、数、动、滑，此名阳也。脉沉、涩、弱、弦、微，此名阴也。凡阴病见阳脉者生，阳病见阴脉者死。

问曰：脉有阳结阴结者，何以别之？答曰：其脉浮而数，能食，不大便者，此为实，名曰阳结也，期十七日当剧。其脉沉而迟，不能食，身体重，大便反鞕音硬，下同，名曰阴结也，期十四日当剧。

问曰:病有洒淅恶寒，而复发热者何？答曰：阴脉不足，阳往从之，阳脉不足，阴往乘之。曰：何谓阳不足？答曰：假令寸口脉微，名曰阳不足，阴气上入阳中，则洒淅恶寒也。曰：何谓阴不足？答曰：尺脉弱，名曰阴不足，阳气下陷入阴中，则发热也。阳脉浮一作微，阴脉弱者，则血虚，血虚则筋急也。其脉沉者，荣气微也。其脉浮，而汗出如流珠者，卫气衰也。荣气微者，加烧针，则血留不行，更发热而躁烦也。

脉蔼蔼如车盖者，名曰阳结也。一云秋脉。

脉累累如循长竿者，名曰阴结也。一云夏脉。

脉瞥瞥如羹上肥者，阳气微也。

脉萦萦如蜘蛛丝者，阳气衰也。一云阴气。

脉绵绵如泻漆之绝者，亡其血也。

脉来缓，时一止复来者，名曰结。脉来数，时一止复来者，名曰促一作纵。脉阳盛则促，阴盛则结，此皆病脉。

阴阳相抟①，名曰动。阳动则汗出，阴动则发热。形冷恶寒者，此三焦伤也。若数脉见于关上，上下无头尾，如豆大，厥厥动摇者，名曰动也。

阳脉浮大而濡，阴脉浮大而濡，阴脉与阳脉同等者，名曰缓也。

脉浮而紧者，名曰弦也。弦者，状如弓弦，按之不移也。脉紧者，如转索无常也。

脉弦而大，弦则为减，大则为芤，减则为寒，芤则为虚，寒虚相抟，此名为革，妇人则半产漏下，男子则亡血失精。

问曰：病有战而汗出，因得解者，何也？答曰：脉浮而紧，按之反芤，此为本虚，故当战而汗出也。其人本虚，是以发战，以脉浮，故当汗出而解也。若脉浮而数，按之不芤，此人本不虚，若欲自解，但汗出耳，不发战也。

问曰：病有不战而汗出解者，何也？答曰：脉大而浮数，故知不战汗出而解也。

---

① 抟：繁体作“摶”，与“搏”形近，后世传本讹为“搏”。台北故宫博物院本、国家图书馆缩微胶卷本、中国中医科学院本、中国医科大学本、1856 年日本堀川济翻刻本及元刻本《注解伤寒论》皆作“抟”之繁体“摶”字。作“摶”是。据正。下同。

问曰：病有不战不汗出而解者，何也？答曰：其脉自微，此以曾发汗、若吐、若下、若亡血，以内无津液，此阴阳自和，必自愈，故不战不汗出而解也。

问曰：伤寒三日，脉浮数而微，病人身凉和者，何也？答曰：此为欲解也，解以夜半。脉浮而解者，濈然汗出也；脉数而解者，必能食也；脉微而解者，必大汗出也。

问曰：脉病，欲知愈未愈者，何以别之？答曰：寸口、关上、尺中三处，大小、浮沉、迟数同等，虽有寒热不解者，此脉阴阳为和平，虽剧当愈。

师曰：立夏得洪一作浮大脉，是其本位，其人病身体苦疼重者，须发其汗。若明日身不疼不重者，不须发汗。若汗濈濈自出者，明日便解矣。何以言之？立夏脉洪大，是其时脉，故使然也。四时仿此。

问曰：凡病欲知何时得，何时愈。答曰：假令夜半得病者，明日日中愈；日中得病者，夜半愈。何以言之？日中得病夜半愈者，以阳得阴则解也；夜半得病，明日日中愈者，以阴得阳则解也。

寸口脉浮为在表，沉为在里，数为在府，迟为在藏。假令脉迟，此为在藏也。

趺阳脉浮而涩，少阴脉如经者，其病在脾，法当下利。何以知之？若脉浮大者，气实血虚也。今趺阳脉浮而涩，故知脾气不足，胃气虚也。以少阴脉弦而浮一作沉才见，此为调脉，故称如经也。若反滑而数者，故知当屎脓也《玉函》作溺。

寸口脉浮而紧，浮则为风，紧则为寒。风则伤卫，寒则伤荣，荣卫俱病，骨节烦疼，当发其汗也。

趺阳脉迟而缓，胃气如经也。趺阳脉浮而数，浮则伤胃，数则动脾，此非本病，医特下之所为也。荣卫内陷，其数先微，脉反但浮，其人必大便鞕，气噫而除。何以言之？本以数脉动脾，其数先微，故知脾气不治，大便鞕，气噫而除。今脉反浮，其数改微，邪气独留心中则饥，邪热不杀谷，潮热发渴，数脉当迟缓，脉因前后度数如法，病者则饥，数脉不时，则生恶疮也。

师曰：病人脉微而涩者，此为医所病也。大发其汗，又数大下之，其人亡血，病当恶寒，后乃发热，无休止时，夏月盛热，欲著复衣；冬月盛寒，欲裸其身。所以然者，阳微则恶寒，阴弱则发热，此医发其汗，使阳气微，又大下之，令阴气弱。五月之时，阳气在表，胃中虚冷，以阳气内微，不能胜冷，故欲著复衣。十一月之时，阳气在里，胃中烦热，以阴气内弱，不能胜热，故欲裸其身。又阴脉迟涩，故知亡血也。

脉浮而大，心下反鞕，有热，属藏者，攻之，不令发汗；属府者，不令溲数，溲数则大便鞕。汗多则热愈，汗少则便难，脉迟尚未可攻。

脉浮而洪，身汗如油，喘而不休，水浆不下，形体不仁，乍静乍乱，此为命绝也。又未知何藏先受其灾，若汗出发润，喘不休者，此为肺先绝也。阳反独留，形体如烟熏，直视摇头者，此为心绝也。唇吻反青，四肢漐习者，此为肝绝也。环口黧黑，柔汗发黄者，此为脾绝也。溲便遗失，狂言，目反直视者，此为肾绝也。又未知何藏阴阳前绝，若阳气前绝，阴气后竭者，其人死，身色必青；阴气前绝，阳气后竭者，其人死，身色必赤，腋下温，心下热也。

寸口脉浮大，而医反下之，此为大逆。浮则无血，大则为寒，寒气相抟，则为肠鸣。医乃不知，而反饮冷水，令汗大出，水得寒气，冷必相抟，其人即䬸音噎，下同。

趺阳脉浮，浮则为虚，浮虚相抟，故令气䬸，言胃气虚竭也。脉滑则为哕，此为医咎，责虚取实，守空迫血。脉浮，鼻中燥者，必衄也。

诸脉浮数，当发热而洒淅恶寒。若有痛处，饮食如常者，畜积有脓也。

脉浮而迟，面热赤而战愓①者，六七日当汗出而解，反发热者，差迟。迟为无阳，不能作汗，其身必痒也。

寸口脉阴阳俱紧者，法当清邪中于上焦，浊邪中于下焦。清邪中上，名曰洁也；浊邪中下，名曰浑也。阴中于邪，必内

① 战愓：中国所藏五部宋本《伤寒论》及成无己《注解伤寒论》均作“战惕”。“愓”音dàng，动也。“惕”者，敬也，与文义不谐。古书“愓”与“惕”经常相混。《灵枢·经脉》“气不足则善恐，心惕惕如人将捕之”之“惕惕”为“愓愓”之形讹。四川老官山天回镇医简“怵怵愓愓，若堕若縢（腾），酣酣悦悦，若□若梦”之“愓愓”二字不误。宋本《伤寒论》“惕”字皆“愓”字之形讹也。

栗也。表气微虚，里气不守，故使邪中于阴也。阳中于邪，必发热头痛，项强颈挛，腰痛胫酸，所为阳中雾露之气。故曰清邪中上，浊邪中下。阴气为栗，足膝逆冷，便溺妄出。表气微虚，里气微急，三焦相溷，内外不通。上焦怫音佛，下同郁，藏气相熏，口烂食断也。中焦不治，胃气上冲，脾气不转，胃中为浊，荣卫不通，血凝不流。若卫气前通者，小便赤黄，与热相抟，因热作使，游于经络，出入藏府，热气所过，则为痈脓。若阴气前通者，阳气厥微，阴无所使，客气内入，嚏而出之，声嗢乙骨切咽塞。寒厥相追，为热所拥，血凝自下，状如豚肝。阴阳俱厥，脾气孤弱，五液注下。下焦不盍一作阖，清便下重，令便数难，齐筑湫痛，命将难全。

脉阴阳俱紧者，口中气出，唇口干燥，踡卧足冷，鼻中涕出，舌上胎滑，勿妄治也。到七日以来，其人微发热，手足温者，此为欲解；或到八日以上，反大发热者，此为难治。设使恶寒者，必欲呕也；腹内痛者，必欲利也。

脉阴阳俱紧，至于吐利，其脉独不解；紧去入安[1]，此为欲解。若脉迟，至六七日不欲食，此为晚发，水停故也，为未解；食自可者，为欲解。病六七日，手足三部脉皆至，大烦而口噤不能言，其人躁扰者，必欲解也。若脉和，其人大烦，目

---

① 入安：《金匮玉函经》作“人安”，是。

重脸[1]内际黄者，此欲解也。

脉浮而数，浮为风，数为虚，风为热，虚为寒，风虚相抟，则洒淅恶寒也。

脉浮而滑，浮为阳，滑为实，阳实相抟，其脉数疾，卫气失度。浮滑之脉数疾，发热汗出者，此为不治。

伤寒咳逆上气，其脉散者死，谓其形损故也。

# 平脉法第二

问曰：脉有三部，阴阳相乘，荣卫血气，在人体躬。呼吸出入，上下于中，因息游布，津液流通。随时动作，效象形容，春弦秋浮，冬沉夏洪。察色观脉，大小不同，一时之间，变无经常，尺寸参差，或短或长，上下乖错，或存或亡。病辄改易，进退低昂，心迷意惑，动失纪纲。愿为具陈，令得分明。师曰：子之所问，道之根源。脉有三部，尺寸及关，荣卫流行，不失衡铨。肾沉心洪，肺浮肝弦，此自经常，不失铢分。出入升降，漏刻周旋，水下百刻，一周循环。当复寸口，虚实见焉，变化相乘，阴阳相干。风则浮虚，寒则牢坚，沉潜水滀，支饮急弦。动则为痛，数则热烦，设有不应，知变所

① 脸：台北故宫博物院本、中国中医科学院本、中国医科大学本、上海中医药大学本、上海图书馆本、日本安政本皆讹为“脸”字，当作“睑”。

缘。三部不同，病各异端，大过可怪，不及亦然。邪不空见，终必有奸，审察表里，三焦别焉。知其所舍，消息诊看，料度府藏，独见若神。为子条记，传与贤人。

师曰：呼吸者，脉之头也。初持脉，来疾去迟，此出疾入迟，名曰内虚外实也。初持脉，来迟去疾，此出迟入疾，名曰内实外虚也。

问曰：上工望而知之，中工问而知之，下工脉而知之，愿闻其说。师曰：病家人请云，病人苦发热，身体疼，病人自卧，师到诊其脉，沉而迟者，知其差也。何以知之？若表有病者，脉当浮大，今脉反沉迟，故知愈也。假令病人云腹内卒痛，病人自坐，师到脉之，浮而大者，知其差也。何以知之？若里有病者，脉当沉而细，今脉浮大，故知愈也。

师曰：病家人来请云，病人发热烦极。明日师到，病人向壁卧，此热已去也。设令脉不和，处言已愈。设令向壁卧，闻师到，不惊起而盻①视，若三言三止，脉之咽唾者，此诈病也。设令脉自和，处言此病大重，当须服吐下药，针灸数十百处乃愈。

师持脉，病人欠者，无病也。脉之呻者，病也。言迟者，风也。摇头言者，里痛也。行迟者，表强也。坐而伏者，短气也。坐而下一脚者，腰痛也。里实护腹，如怀卵物者，心

---

① 盻（xī）：《说文解字》："恨视也。"作"盻"与语言环境不谐，当作"眄（miǎn）"，斜视也。

痛也。

师曰：伏气之病，以意候之，今月之内，欲有伏气。假令旧有伏气，当须脉之。若脉微弱者，当喉中痛似伤，非喉痹也。病人云：实咽中痛。虽尔，今复欲下利。

问曰：人恐怖者，其脉何状？师曰：脉形如循丝累累然，其面白，脱色也。

问曰：人不饮，其脉何类？师曰：脉自涩，唇口干燥也。

问曰：人愧者，其脉何类？师曰：脉浮而面色乍白乍赤。

问曰：经说脉有三菽六菽重者，何谓也？师曰：脉人以指按之，如三菽之重者，肺气也；如六菽之重者，心气也；如九菽之重者，脾气也；如十二菽之重者，肝气也；按之至骨者，肾气也。菽者，小豆也。假令下利，寸口、关上、尺中，悉不见脉，然尺中时一小见，脉再举头一云按投者，肾气也；若见损脉来至，为难治。肾为脾所胜①，脾胜不应时。

问曰：脉有相乘，有纵有横，有逆有顺，何谓也？师曰：水行乘火，金行乘木，名曰纵；火行乘水，木行乘金，名曰横；水行乘金，火行乘木，名曰逆；金行乘水，木行乘火，名曰顺也。

问曰：脉有残贼，何谓也？师曰：脉有弦、紧、浮、滑、沉、涩，此六脉名曰残贼，能为诸脉作病也。

---

① 肾为脾所胜：中国医科大学本同，是。中国中医科学院本、上海中医药大学本、上海图书馆本、日本安政本皆讹作“肾谓所胜脾”。

问曰：脉有灾怪，何谓也？师曰：假令人病，脉得太阳，与形证相应，因为作汤，比还送汤，如食顷，病人乃大吐，若下利，腹中痛。师曰：我前来不见此证，今乃变异，是名灾怪。又问曰：何缘作此吐利？答曰：或有旧时服药，今乃发作，故为灾怪耳。

问曰：东方肝脉，其形何似？师曰：肝者，木也，名厥阴，其脉微弦濡弱而长，是肝脉也。肝病自得濡弱者，愈也。假令得纯弦脉者，死。何以知之？以其脉如弦直，此是肝藏伤，故知死也。

南方心脉，其形何似？师曰：心者，火也，名少阴，其脉洪大而长，是心脉也。心病自得洪大者，愈也。假令脉来微去大，故名反，病在里也。脉来头小本大，故名覆，病在表也。上微头小者，则汗出。下微本大者，则为关格不通，不得尿；头无汗者，可治，有汗者死。

西方肺脉，其形何似？师曰：肺者，金也，名太阴，其脉毛浮也。肺病自得此脉，若得缓迟者，皆愈。若得数者则剧。何以知之？数者，南方火，火克西方金，法当痈肿，为难治也。

问曰：二月得毛浮脉，何以处言至秋当死？师曰：二月之时，脉当濡弱，反得毛浮者，故知至秋死。二月肝用事，肝属木，脉应濡弱，反得毛浮脉者，是肺脉也。肺属金，金来克木，故知至秋死。他皆仿此。

师曰：脉，肥人责浮，瘦人责沉。肥人当沉，今反浮，瘦人当浮，今反沉，故责之。

师曰：寸脉下不至关，为阳绝；尺脉上不至关，为阴绝，此皆不治，决死也。若计其余命生死之期，期以月节克之也。

师曰：脉病人不病，名曰行尸，以无王气，卒眩仆不识人者，短命则死。人病脉不病，名曰内虚，以无谷神，虽困无苦。

问曰：翕奄沉，名曰滑，何谓也？师曰：沉为纯阴，翕为正阳，阴阳和合，故令脉滑，关尺自平。阳明脉微沉，食饮自可。少阴脉微滑，滑者，紧之浮名也，此为阴实，其人必股内汗出，阴下湿也。

问曰：曾为人所难，紧脉从何而来？师曰：假令亡汗，若吐，以肺里寒，故令脉紧也。假令咳者，坐饮冷水，故令脉紧也。假令下利，以胃虚冷，故令脉紧也。

寸口卫气盛，名曰高高者，暴狂而肥，荣气盛，名曰章章者，暴泽而光，高章相抟，名曰纲纲者，身筋急，脉强直故也。卫气弱，名曰惵惵者，心中气动迫怯，荣气弱，名曰卑卑者，心中常自羞愧，惵卑相抟，名曰损损者，五藏六府俱乏气虚惙故也。卫气和，名曰缓缓者，四肢不能自收，荣气和，名曰迟迟者，身体俱重，但欲眠也，缓迟相抟，名曰沉沉者，腰中直，腹内急痛，但欲卧，不欲行。

寸口脉缓而迟，缓则阳气长，其色鲜，其颜光，其声商，毛发长。迟则阴气盛，骨髓生，血满，肌肉紧薄鲜鞕，阴阳相抱，荣卫俱行，刚柔相得，名曰强也。

趺阳脉滑而紧，滑者胃气实，紧者脾气强，持实击强，痛还自伤，以手把刃，坐作疮也。

寸口脉浮而大，浮为虚，大为实，在尺为关，在寸为格，关则不得小便，格则吐逆。

趺阳脉伏而涩，伏则吐逆，水谷不化，涩则食不得入，名曰关格。

脉浮而大，浮为风虚，大为气强，风气相抟，必成隐疹，身体为痒。痒者，名泄风，久久为痂癞。眉少发稀，身有干疮而腥臭也。

寸口脉弱而迟，弱者卫气微，迟者荣中寒。荣为血，血寒则发热。卫为气，气微者心内饥，饥而虚满，不能食也。

趺阳脉大而紧者，当即下利，为难治。

寸口脉弱而缓，弱者阳气不足，缓者胃气有余，噫而吞酸，食卒不下，气填于膈上也一作下。

趺阳脉紧而浮，浮为气，紧为寒，浮为腹满，紧为绞痛，浮紧相抟，肠鸣而转，转即气动，膈气乃下，少阴脉不出，其阴肿大而虚也。

寸口脉微而涩，微者卫气不行，涩者荣气不逮，荣卫不能相将，三焦无所仰，身体痹不仁。荣气不足，则烦疼、口难言。卫气虚者，则恶寒数欠。三焦不归其部，上焦不归者，噫而酢吞；中焦不归者，不能消谷引食；下焦不归者，则遗溲。

趺阳脉沉而数，沉为实，数消谷，紧者病难治。

寸口脉微而涩，微者卫气衰，涩者荣气不足。卫气衰，面色黄；荣气不足，面色青。荣为根，卫为叶，荣卫俱微，则根叶枯槁而寒栗、咳逆、唾腥、吐涎沫也。

趺阳脉浮而芤，浮者卫气虚，芤者荣气伤，其身体瘦，肌肉甲错，浮芤相抟，宗气微衰，四属断绝四属者，谓皮、肉、脂、髓。俱竭，宗气则衰矣。

寸口脉微而缓，微者卫气疏，疏则其肤空；缓者胃气实，实则谷消而水化也。谷入于胃，脉道乃行，水入于经，其血乃成。荣盛则其肤必疏，三焦绝经，名曰血崩。

趺阳脉微而紧，紧则为寒，微则为虚，微紧相抟，则为短气。

少阴脉弱而涩，弱者微烦，涩者厥逆。

趺阳脉不出，脾不上下，身冷肤鞕。

少阴脉不至，肾气微，少精血，奔气促迫，上入胸膈，宗气反聚，血结心下，阳气退下，热归阴股，与阴相动，令身不仁，此为尸厥，当刺期门、巨阙。宗气者，三焦归气也，有名无形，气之神使也。下荣玉茎，故宗筋聚缩之也。

寸口脉微，尺脉紧，其人虚损多汗，知阴常在，绝不见阳也。

寸口诸微亡阳，诸濡亡血，诸弱发热，诸紧为寒。诸乘寒者，则为厥，郁冒不仁，以胃无谷气，脾涩不通，口急不能言，战而栗也。

问曰：濡弱何以反适十一头？师曰：五藏六府相乘，故令十一。

问曰：何以知乘府？何以知乘藏？师曰：诸阳浮数为乘府，诸阴迟涩为乘藏也。

# 伤寒论卷第二

汉　张仲景述　晋　王叔和　撰次

宋　林　亿　校正

明　赵开美　校刻

沈　琳　仝校

# 伤寒例第三

四时八节、二十四气、七十二候决病法：

立春正月节斗指艮　雨水正月中指寅
惊蛰二月节指甲　春分二月中指卯
清明三月节指乙　谷雨三月中指辰
立夏四月节指巽　小满四月中指巳
芒种五月节指丙　夏至五月中指午
小暑六月节指丁　大暑六月中指未
立秋七月节指坤　处暑七月中指申
白露八月节指庚　秋分八月中指酉
寒露九月节指辛　霜降九月中指戌
立冬十月节指乾　小雪十月中指亥
大雪十一月节指壬　冬至十一月中指子
小寒十二月节指癸　大寒十二月中指丑

二十四气，节有十二，中气有十二，五日为一候，气亦同，合有七十二候，决病生死。此须洞解之也。

《阴阳大论》云：春气温和，夏气暑热，秋气清凉，冬气冰列①，此则四时正气之序也。冬时严寒，万类深藏，君子固密，则不伤于寒，触冒之者，乃名伤寒耳。其伤于四时之气，皆能为病，以伤寒为毒者，以其最成杀厉之气也。中而即病者，名曰伤寒。不即病者，寒毒藏于肌肤，至春变为温病，至夏变为暑病。暑病者，热极重于温也。是以辛苦之人，春夏多温热病者，皆由冬时触寒所致，非时行之气也。凡时行者，春时应暖而反大寒，夏时应热而反大凉，秋时应凉而反大热，冬时应寒而反大温，此非其时而有其气，是以一岁之中，长幼之病多相似者，此则时行之气也。夫欲候知四时正气为病，及时行疫气之法，皆当按斗历占之。九月霜降节后宜渐寒，向冬大寒，至正月雨水节后宜解也。所以谓之雨水者，以冰雪解而为雨水故也。至惊蛰二月节后，气渐和暖，向夏大热，至秋便凉。从霜降以后至春分以前，凡有触冒霜露，体中寒即病者，谓之伤寒也。九月十月寒气尚微，为病则轻；十一月十二月寒冽已严，为病则重。正月二月寒渐将解，为病亦轻。此以冬时不调，适有伤寒之人，即为病也。其冬有非节之暖者，名为冬温。冬温之毒与伤寒大异，冬温复有先后，更相重沓，亦有轻重，为治不同，证如后章。从立春节后，其中无暴大寒又不冰雪，而有人壮热为病者，此属春时阳气发于冬时伏寒，变为温病。从春分以后至秋分节前，天有暴寒者，皆为时行寒疫也。

① 列：讹字，当作“冽”。本文“十二月寒冽”，作“冽”，是。

三月四月或有暴寒，其时阳气尚弱，为寒所折，病热犹轻。五月六月阳气已盛，为寒所折，病热则重。七月八月阳气已衰，为寒所折，病热亦微，其病与温及暑病相似，但治有殊耳。十五日得一气，于四时之中，一时有六气，四六名为二十四气。然气候亦有应至仍不至，或有未应至而至者，或有至而太过者，皆成病气也。但天地动静，阴阳鼓击者，各正一气耳。是以彼春之暖，为夏之暑；彼秋之忿，为冬之怒。是故冬至之后，一阳爻升，一阴爻降也；夏至之后，一阳气下，一阴气上也。斯则冬夏二至，阴阳合也；春秋二分，阴阳离也。阴阳交易，人变病焉。此君子春夏养阳，秋冬养阴，顺天地之刚柔也。小人触冒，必婴暴疹。须知毒烈之气，留在何经，而发何病，详而取之。是以春伤于风，夏必飧泄；夏伤于暑，秋必病疟；秋伤于湿，冬必咳嗽；冬伤于寒，春必病温。此必然之道，可不审明之。伤寒之病，逐日浅深，以施方治。今世人伤寒，或始不早治，或治不对病，或日数久淹，困乃告医，医人又不依次第而治之，则不中病，皆宜临时消息制方，无不效也。今搜採仲景旧论，录其证候，诊脉声色，对病真方有神验者，拟防世急也。

又土地温凉，高下不同；物性刚柔，飡居亦异。是故黄帝兴四方之问，岐伯举四治之能，以训后贤，开其未悟者。临病之工，宜须两审也。

凡伤于寒，则为病热，热虽甚不死。若两感于寒而病者，必死。

尺寸俱浮者，太阳受病也，当一二日发。以其脉上连风府，故头项痛，腰脊强。

尺寸俱长者，阳明受病也，当二三日发，以其脉夹鼻络于目，故身热目疼，鼻干，不得卧。

尺寸俱弦者，少阳受病也，当三四日发。以其脉循胁络于耳，故胸胁痛而耳聋。此三经皆受病，未入于府者，可汗而已。

尺寸俱沉细者，太阴受病也，当四五日发。以其脉布胃中，络于嗌，故腹满而嗌干。

尺寸俱沉者，少阴受病也，当五六日发。以其脉贯肾，络于肺，系舌本，故口燥舌干而渴。

尺寸俱微缓者，厥阴受病也，当六七日发。以其脉循阴器，络于肝，故烦满而囊缩。此三经皆受病，已入于府，可下而已。

若两感于寒者，一日太阳受之，即与少阴俱病，则头痛口干，烦满而渴。二日阳明受之，即与太阴俱病，则腹满，身热，不欲食，谵之廉切，又女监切，下同语。三日少阳受之，即与厥阴俱病，则耳聋，囊缩而厥，水浆不入，不知人者，六日死。若三阴三阳五藏六府皆受病，则荣卫不行，藏府不通，则死矣。其不两感于寒，更不传经，不加异气者，至七日太阳病衰，头痛少愈也。八日阳明病衰，身热少歇也。九日少阳病衰，耳聋微闻也。十日太阴病衰，腹减如故，则思饮食。十一日少阴病衰，渴止，舌干已而嚏也。十二日厥阴病衰，囊纵，少腹微下，大气皆去，病人精神爽慧也。若过十三日以上不间，寸尺陷者，大危。若更感异气，变为它病者，当依后坏病证而治之。若脉阴阳俱盛，重感于寒者，变成温疟。阳脉浮滑，阴脉濡弱者，更遇于风，变为风温。阳脉洪数，阴脉实大者，更遇温热，变为温毒，温毒为病最重也。阳脉濡弱，阴脉弦紧者，更遇温气，变为温疫一本作疟。以此冬伤于寒，发为温病，脉之变证，方治如说。

凡人有疾，不时即治，隐忍冀差，以成痼疾。小儿女子，益以滋甚。时气不和，便当早言。寻其邪由，及在腠理，以时治之，罕有不愈者。患人忍之，数日乃说，邪气入藏，则难可制。此为家有患，备虑之要。凡作汤药，不可避晨夜，觉病须臾，即宜便治，不等早晚，则易愈矣。如或差迟，病即传变，虽欲除治，必难为力。服药不如方法，纵意违师，不须治之。

凡伤寒之病，多从风寒得之。始表中风寒，入里则不消矣，未有温覆而当不消散者。不在证治，拟欲攻之，犹当先解表，乃可下之。若表已解，而内不消，非大满，犹生寒热，则病不除。若表已解，而内不消，大满大实坚有燥屎，自可除下之，虽四五日，不能为祸也。若不宜下，而便攻之，内虚热入，协热遂利，烦躁诸变，不可胜数，轻者困笃，重者必死矣。

夫阳盛阴虚，汗之则死，下之则愈。阳虚阴盛，汗之则愈，下之则死。夫如是，则神丹安可以误发，甘遂何可以妄攻？虚盛之治，相背千里，吉凶之机，应若影响，岂容易哉！况桂枝下咽，阳盛即毙；承气入胃，阴盛以亡。死生之要，在乎须臾，视身之尽，不暇计日，此阴阳虚实之交错，其候至微，发汗吐下之相反，其祸至速。而医术浅狭，懵然不知病源，为治乃误，使病者殒没，自谓其分。至令冤魂塞于冥路，死尸盈于旷野，仁者鉴此，岂不痛欤！

凡两感病俱作，治有先后。发表攻里，本自不同，而执迷用意者，乃云神丹甘遂合而饮之，且解其表，又除其里。言巧似是，其理实违。夫智者之举错也，常审以慎；愚者之动作也，必果而速。安危之变，岂可诡哉。世上之士，但务彼翕习之荣，而莫见此倾危之败，惟明者居然能护其本，近取诸身，夫何远之有焉？

凡发汗温暖汤药，其方虽言日三服，若病剧不解，当促其间，可半日中尽三服。若与病相阻，即便有所觉。病重者，一日一夜当晬时观之，如服一剂，病证犹在，故当复作本汤服之。至有不肯汗出，服三剂乃解。若汗不出者，死病也。

凡得时气病，至五六日而渴欲饮水，饮不能多，不当与也。何者？以腹中热尚少，不能消之，便更与人作病也。至七八日，大渴欲饮水者，犹当依证而与之。与之常令不足，勿极意也，言能饮一斗，与五升。若饮而腹满，小便不利，若喘若哕，不可与之也。忽然大汗出，是为自愈也。

凡得病，反能饮水，此为欲愈之病。其不晓病者，但闻病饮水自愈，小渴者乃强与饮之，因成其祸，不可复数也。

凡得病，厥脉动数，服汤药更迟，脉浮大减小，初躁后静，此皆愈证也。

凡治温病，可刺五十九穴。又身之穴三百六十有五，其三十穴灸之有害，七十九穴刺之为灾，并中髓也。

脉四损，三日死。平人四息，病人脉一至，名曰四损。

脉五损，一日死。平人五息，病人脉一至，名曰五损。

脉六损，一时死。平人六息，病人脉一至，名曰六损。

脉盛身寒，得之伤寒；脉虚身热，得之伤暑。脉阴阳俱盛，大汗出不解者死。脉阴阳俱虚，热不止者死。脉至乍数乍疏者死。脉至如转索，其日死。谵言妄语，身微热，脉浮大，手足温者生；逆冷，脉沉细者，不过一日死矣。此以前是伤寒热病证候也。

## 辨痓湿暍脉证第四

痓音炽，又作痉，巨郢切，下同。

伤寒所致太阳病痓湿暍，此三种宜应别论，以为与伤寒相似，故此见之①。

太阳病，发热无汗，反恶寒者，名曰刚痓②。

太阳病，发热汗出而不恶寒《病源》云恶寒，名曰柔痓。

太阳病，发热，脉沉而细者，名曰痓。

太阳病，发汗太多，因致痓。

病身热足寒，颈项强急，恶寒，时头热面赤，目脉赤，独头面摇，卒口噤，背反张者，痓病也。

太阳病，关节疼痛而烦，脉沉而细一作缓者，此名湿痹一云中湿。湿痹之候，其人小便不利，大便反快，但当利其小便。湿家之为病，一身尽疼，发热，身色如似熏黄。湿家，其人但头汗出，背强，欲得被覆向火，若下之早则哕，胸满，小便不利，舌上如胎者，以丹田有热，胸中有寒，渴欲得水，而不能饮，口燥烦也。

湿家下之，额上汗出，微喘，小便利一云不利者死，若下利

---

① 伤寒所致太阳病……故此见之：此二十八字出自王叔和。《辨痓湿暍脉证》原在《辨太阳病脉证并治》篇中，王叔和将之抽取出来独立为一节，写此段文字。孙思邈本《伤寒论》亦有相似文字："伤寒与痓病、湿病、暍病相滥，故叙而论之。"上述之"痓"字均误，当作"痉"。成无己云："痓当作痉，传写之误也。痓者，恶也，非强也。"所论极是。《章太炎全集·论〈伤寒论〉原本及注家优劣》云："叔和于真本有所改易者，唯是方名，如上所举生姜泻心汤等；有所改编者，唯《痉湿暍》一篇。其文曰：伤寒所致太阳痉、湿、暍三种，宜应别论，以为与伤寒相似，故此见之。此则痉、湿、暍等本在《太阳》篇中，叔和乃别次于《太阳》篇外……有所出入，一皆著之明文，不于冥冥中私自改置也。"章太炎之说极是。

② 刚痓："痓"字误，当从成无己说作"痉"。《伤寒论》全书之"痓"字均当作"痉"。

不止者亦死。

问曰：风湿相抟，一身尽疼痛，法当汗出而解①。值天阴雨不止，医云此可发汗，汗之病不愈者，何也？答曰：发其汗，汗大出者，但风气去，湿气在，是故不愈也。若治风湿者，发其汗，但微微似欲出汗者，风湿俱去也。

湿家病，身上疼痛，发热面黄而喘，头痛鼻塞而烦，其脉大，自能饮食，腹中和无病，病在头中寒湿，故鼻塞，内药鼻中，则愈。

病者一身尽疼，发热，日晡所剧者，此名风湿。此病伤于汗出当风，或久伤取冷所致也。

太阳中热者，暍是也。其人汗出恶寒，身热而渴也。

太阳中暍者，身热疼重而脉微弱，此以夏月伤冷水，水行皮中所致也。

太阳中暍者，发热，恶寒，身重而疼痛，其脉弦细芤迟，小便已，洒洒然毛耸，手足逆冷，小有劳，身即热，口开，前板齿燥。若发汗则恶寒甚，加温针则发热甚，数下之则淋甚。

① 一身尽疼痛，法当汗出而解：中国医科大学本同。中国中医科学院本、上海中医药大学本、上海图书馆本讹为“一身尽疼，病法当汗出而解”。

# 辨太阳病脉证并治上第五

合一十六法，方一十四首。

太阳中风，阳浮阴弱。热发汗出，恶寒，鼻鸣干呕者，桂枝汤主之。第一。五味。前有太阳病一十一证。

太阳病，头痛发热，汗出恶风者，桂枝汤主之。第二。用前第一方。

太阳病，项背强几几，反汗出恶风者，桂枝加葛根汤主之。第三。七味。

太阳病下之后，其气上冲者，桂枝汤主之。第四。用前第一方。下有太阳坏病一证。

桂枝本为解肌，若脉浮紧，发热汗不出者，不可与之。第五。下有酒客不可与桂枝一证。

喘家，作桂枝汤，加厚朴杏子。第六。下有服汤吐脓血一证。

太阳病，发汗，遂漏不止，恶风，小便难，四肢急，难以屈伸，桂枝加附子汤主之。第七。六味。

太阳病，下之后，脉促胸满者，桂枝去芍药汤主之。第八。四味。

若微寒者，桂枝去芍药加附子汤主之。第九。五味。

太阳病，八九日如疟状，热多寒少，不呕，清便自可，宜桂枝麻黄各半汤。第十。七味。

太阳病，服桂枝汤，烦不解，先刺风池、风府，却与桂枝汤。第十一。用前第一方。

服桂枝汤，大汗出，脉洪大者，与桂枝汤。若形似疟，一日再发者，宜桂枝二麻黄一汤。第十二。七味。

服桂枝汤，大汗出，大烦渴不解，脉洪大者，白虎加人参汤主之。第十三。五味。

太阳病，发热恶寒，热多寒少，脉微弱者，宜桂枝二越婢一汤。第十四。七味。

服桂枝，或下之，头项强痛，发热无汗，心下满痛，小便不利者，桂枝去桂加茯苓白术汤主之。第十五。六味。

伤寒脉浮，自汗出，小便数，心烦，微恶寒，脚挛急，与桂枝，得之便厥，咽干，烦躁，吐逆，作甘草干姜汤与之。厥愈，更作芍药甘草汤与之，其脚伸。若胃气不和，与调胃承气汤。若重发汗，加烧针者，四逆汤主之。第十六。甘草干姜汤、芍药甘草汤并二味。调胃承气汤、四逆汤并三味。

1. 太阳之为病，脉浮，头项强痛而恶寒。

2. 太阳病，发热汗出，恶风，脉缓者，名为中风。

3. 太阳病，或已发热，或未发热，必恶寒，体痛，呕逆，脉阴阳俱紧者，名为伤寒。

4. 伤寒一日，太阳受之，脉若静者，为不传；颇欲吐，若躁烦，脉数急者，为传也。

5. 伤寒二三日，阳明、少阳证不见者，为不传也。

6. 太阳病，发热而渴，不恶寒者，为温病。若发汗已，身灼热者，名风温。风温为病，脉阴阳俱浮，自汗出，身重，多眠睡，鼻息必鼾，语言难出。若被下者，小便不利，直视失溲；若被火者，微发黄色，剧则如惊痫，时瘛疭，若火熏之。一逆尚引日，再逆促命期。

7. 病有发热恶寒者，发于阳也；无热恶寒者，发于阴也。发于阳，七日愈。发于阴，六日愈。以阳数七，阴数六故也。

8. 太阳病，头痛至七日以上自愈者，以行其经尽故也。若欲作再经者，针足阳明，使经不传则愈。

9. 太阳病，欲解时，从巳至未上。

10. 风家表解而不了了者，十二日愈。

11. 病人身太热，反欲得衣者，热在皮肤，寒在骨髓也；身大寒，反不欲近衣者，寒在皮肤，热在骨髓也。

12. 太阳中风，阳浮而阴弱。阳浮者，热自发，阴弱者，汗自出，啬啬恶寒，淅淅恶风，翕翕发热，鼻鸣干呕者，桂枝汤主之。方一。

桂枝三两，去皮　芍药三两　甘草二两，炙　生姜三两，切　大枣

十二枚，擘

右[1]五味，㕮咀三味，以水七升，微火煮取三升，去滓，适寒温，服一升。服已，须臾啜热稀粥一升余，以助药力。温覆令一时许，遍身漐漐微似有汗者益佳，不可令如水流漓[2]，病必不除。若一服汗出病差，停后服，不必尽剂。若不汗，更服依前法。又不汗，后服小促其间。半日许，令三服尽。若病重者，一日一夜服，周时观之。服一剂尽，病证犹在者，更作服。若汗不出，乃服至二三剂。禁生冷、粘滑、肉面、五辛、酒酪、臭恶等物。

13. 太阳病，头痛，发热，汗出，恶风，桂枝汤主之。方二。用前第一方。

14. 太阳病，项背强几几，反汗出恶风者，桂枝加葛根汤主之。方三。

葛根四两　麻黄三两，去节　芍药二两　生姜三两，切　甘草二两，炙　大枣十二枚，擘　桂枝二两，去皮

右七味，以水一斗，先煮麻黄、葛根，减二升，去上沫，内诸药，煮取三升，去滓。温服一升，覆取微似汗，不须啜粥，余如桂枝法将息及禁忌。臣亿等谨按，仲景本论，太阳中风自汗用桂枝，伤寒无汗用麻黄，今证云汗出恶风，而方中有麻黄，恐非本意也。第三卷有葛根

---

① 右：横排本改为“上”，今依宋本《伤寒论》原书仍作“右”，下同。

② 流漓：上海中医药大学本、上海图书馆本、中国中医科学院本、日本安政本皆作“流離”。作“漓”义长，是。

汤证云，无汗，恶风，正与此方同，是合用麻黄也。此云桂枝加葛根汤，恐是桂枝中但加葛根耳。

15. 太阳病，下之后，其气上冲者，可与桂枝汤。方用前法。若不上冲者，不得与之。四。

16. 太阳病三日，已发汗，若吐，若下，若温针，仍不解者，此为坏病，桂枝不中与之也。观其脉证，知犯何逆，随证治之。桂枝本为解肌，若其人脉浮紧发热，汗不出者，不可与之也。常须识此，勿令误也。五。

17. 若酒客病，不可与桂枝汤，得之则呕，以酒客不喜甘故也。

18. 喘家作桂枝汤，加厚朴杏子佳。六。

19. 凡服桂枝汤吐者，其后必吐脓血也。

20. 太阳病，发汗，遂漏不止，其人恶风，小便难，四肢微急，难以屈伸者，桂枝加附子汤主之。方七。

桂枝三两，去皮　芍药三两　甘草三两，炙　生姜三两，切　大枣十二枚，擘　附子一枚，炮，去皮，破八片

右六味，以水七升，煮取三升，去滓，温服一升。本云[1]，桂枝汤，今加附子。将息如前法。

21. 太阳病，下之后，脉促胸满者，桂枝去芍药汤主之。方八。促，一作纵。

桂枝三两，去皮　甘草二两，炙　生姜三两，切　大枣十二枚，擘

---

① 本云："本"字谓《伤寒论》原本。《金匮玉函经》改"云"为"方"字，误。

右四味，以水七升，煮取三升，去滓，温服一升。本云，桂枝汤，今去芍药。将息如前法。

22. 若微寒者①，桂枝去芍药加附子汤主之。方九。

桂枝三两，去皮　甘草二两，炙　生姜三两，切　大枣十二枚，擘　附子一枚，炮，去皮，破八片

右五味，以水七升，煮取三升，去滓，温服一升。本云，桂枝汤，今去芍药，加附子。将息如前法。

23. 太阳病，得之八九日，如疟状，发热恶寒，热多寒少，其人不呕，清便欲自可，一日二三度发。脉微缓者，为欲愈也；脉微而恶寒者，此阴阳俱虚，不可更发汗、更下、更吐也；面色反有热色者，未欲解也，以其不能得小汗出，身必痒，宜桂枝麻黄各半汤。方十。

桂枝一两十六铢，去皮　芍药　生姜切　甘草炙　麻黄各一两，去节　大枣四枚，擘　杏仁二十四枚，汤浸，去皮尖及两仁者

右七味，以水五升，先煮麻黄一二沸，去上沫，内诸药，煮取一升八合，去滓，温服六合。本云，桂枝汤三合，麻黄汤三合，并为六合，顿服。将息如上法。臣亿等谨按，桂枝汤方：桂枝、芍药、生姜各三两，甘草二两，大枣十二枚。麻黄汤方：麻黄三两，桂枝二两，甘草一两，杏仁七十个。今以算法约之，二汤各取三分之一，即得桂枝一两十六铢，芍药、生姜、甘草各一两，大枣四枚，杏仁二十三个零三分枚之一，收之得二十四个，合方。详此方乃三分之一，非各半也。宜云合半汤。

① 若微寒者：《金匮玉函经》及成无己《注解伤寒论》“寒”字上有“恶”字。

24. 太阳病，初服桂枝汤，反烦不解者，先刺风池、风府，却与桂枝汤则愈。十一。用前第一方。

25. 服桂枝汤，大汗出，脉洪大者，与桂枝汤，如前法。若形似疟，一日再发者，汗出必解，宜桂枝二麻黄一汤。方十二。

桂枝一两十七铢，去皮　芍药一两六铢　麻黄十六铢，去节　生姜一两六铢，切　杏仁十六个，去皮尖　甘草一两二铢，炙　大枣五枚，擘

右七味，以水五升，先煮麻黄一二沸，去上沫，内诸药，煮取二升，去滓，温服一升，日再服。本云，桂枝汤二分，麻黄汤一分，合为二升，分再服。今合为一方，将息如前法。臣亿等谨按，桂枝汤方：桂枝、芍药、生姜各三两，甘草二两，大枣十二枚。麻黄汤方：麻黄三两，桂枝二两，甘草一两，杏仁七十个。今以算法约之，桂枝汤取十二分之五，即得桂枝、芍药、生姜各一两六铢，甘草二十铢，大枣五枚。麻黄汤取九分之二，即得麻黄十六铢，桂枝十铢三分铢之二，收之得十一铢，甘草五铢三分铢之一，收之得六铢，杏仁十五个九分枚之四，收之得十六个。二汤所取相合，即共得桂枝一两十七铢，麻黄十六铢，生姜、芍药各一两六铢，甘草一两二铢，大枣五枚，杏仁十六个，合方。

26. 服桂枝汤，大汗出后，大烦渴不解，脉洪大者，白虎加人参汤主之。方十三。

知母六两　石膏一斤，碎，绵裹　甘草炙，二两　粳米六合　人参三两

右五味，以水一斗，煮米熟汤成，去滓，温服一升，日三服。

27. 太阳病，发热恶寒，热多寒少，脉微弱者，此无阳也，不可发汗，宜桂枝二越婢一汤。方十四。

桂枝去皮　芍药　麻黄　甘草各十八铢，炙　大枣四枚，擘　生姜一两二铢，切　石膏二十四铢，碎，绵裹

右七味，以水五升，煮麻黄一二沸，去上沫，内诸药，煮取二升，去滓，温服一升。本云，当裁为越婢汤桂枝汤，合之饮一升。今合为一方，桂枝汤二分，越婢汤一分。臣亿等谨按，桂枝汤方：桂枝、芍药、生姜各三两，甘草二两，大枣十二枚。越婢汤方：麻黄二两，生姜三两，甘草二两，石膏半斤，大枣十五枚。今以算法约之，桂枝汤取四分之一，即得桂枝、芍药、生姜各十八铢，甘草十二铢，大枣三枚。越婢汤取八分之一，即得麻黄十八铢，生姜九铢，甘草六铢，石膏二十四铢，大枣一枚八分之七，弃之。二汤所取相合，即共得桂枝、芍药、甘草、麻黄各十八铢，生姜一两三铢，石膏二十四铢，大枣四枚，合方。旧云，桂枝三，今取四分之一，即当云桂枝二也。越婢汤方，见仲景杂方中，《外台秘要》一云起脾汤。

28. 服桂枝汤，或下之，仍头项强痛，翕翕发热，无汗，心下满，微痛，小便不利者，桂枝去桂加茯苓白术汤主之。方十五。

芍药三两　甘草二两，炙　生姜切　白术　茯苓各三两　大枣十二枚，擘

右六味，以水八升，煮取三升，去滓，温服一升，小便利则愈。本云，桂枝汤，今去桂枝，加茯苓、白术。

29. 伤寒脉浮，自汗出，小便数，心烦，微恶寒，脚挛急，反与桂枝，欲攻其表，此误也，得之便厥，咽中干，烦

躁，吐逆者，作甘草干姜汤与之，以复其阳；若厥愈足温者，更作芍药甘草汤与之，其脚即伸；若胃气不和，谵语者，少与调胃承气汤；若重发汗，复加烧针者，四逆汤主之。方十六。

### ·甘草干姜汤方

甘草四两，炙　干姜二两

右二味，以水三升，煮取一升五合，去滓，分温再服。

### ·芍药甘草汤方

白芍药　甘草各四两，炙

右二味，以水三升，煮取一升五合，去滓，分温再服。

### ·调胃承气汤方

大黄四两，去皮，清酒洗　甘草二两，炙　芒消半升

右三味，以水三升，煮取一升，去滓，内芒消，更上火微煮令沸，少少温服之。

### ·四逆汤方

甘草二两，炙　干姜一两半　附子一枚，生用，去皮，破八片

右三味，以水三升，煮取一升二合，去滓，分温再服。强人可大附子一枚，干姜三两。

30. 问曰：证象阳旦，按法治之而增剧，厥逆，咽中干，

两胫拘急而谵语。师曰：言夜半手足当温，两脚当伸，后如师言。何以知此？答曰：寸口脉浮而大，浮为风，大为虚，风则生微热，虚则两胫挛，病形象桂枝，因加附子参其间，增桂令汗出，附子温经，亡阳故也。厥逆，咽中干，烦躁，阳明内结，谵语烦乱，更饮甘草干姜汤，夜半阳气还，两足当热，胫尚微拘急，重与芍药甘草汤，尔乃胫伸，以承气汤微溏，则止其谵语，故知病可愈。

伤寒论卷第二①

① 《伤寒论》卷第二：宋本《伤寒论》有此六字。

# 伤寒论卷第三

汉　张仲景述　晋　王叔和　撰次

宋　林　亿　校正

明　赵开美　校刻

沈　琳　仝校

# 辨太阳病脉证并治中第六

合六十六法，方三十九首，并见太阳阳明合病法。

太阳病，项背强几几，无汗恶风，葛根汤主之。第一。七味。

太阳阳明合病，必自利，葛根汤主之。第二。用前第一方。一云用后第四方。

太阳阳明合病，不下利，但呕者，葛根加半夏汤主之。第三。八味。

太阳病，桂枝证，医反下之，利不止，葛根黄芩黄连汤主之。第四。四味。

太阳病，头痛发热，身疼，恶风，无汗而喘者，麻黄汤主之。第五。四味。

太阳阳明合病，喘而胸满，不可下，宜麻黄汤主之。第六。用前第五方。

太阳病，十日以去，脉浮细而嗜卧者，外已解。设胸满痛，与小柴胡汤。脉但浮者，与麻黄汤。第七。用前第五方。小柴胡汤，七味。

太阳中风，脉浮紧，发热恶寒，身疼痛，不汗出而烦躁者，大青龙汤主之。第八。七味。

伤寒，脉浮缓，身不疼，但重，乍有轻时，无少阴证，大青龙汤发之。第九。用前第八方。

伤寒表不解，心下有水气，干呕，发热而咳，小青龙汤主之。第十。八味，加减法附。

伤寒心下有水气，咳而微喘，小青龙汤主之。第十一。用前第十方。

太阳病，外证未解，脉浮弱者，当以汗解，宜桂枝汤。第十二。五味。

太阳病，下之微喘者，表未解，桂枝加厚朴杏子汤主之。第十三。七味。

太阳病，外证未解，不可下也，下之为逆，解外宜桂枝汤。第十四。用前第十二方。

太阳病，先发汗不解，复下之，脉浮者，当解外，宜桂枝汤。第十五。用前第十二方。

太阳病，脉浮紧，无汗，发热，身疼痛，八九日不解，表证在，发汗已，发烦，必衄，麻黄汤主之。第十六。用前第五方。下有太阳病，并二阳并病四证。

脉浮者，病在表，可发汗，宜麻黄汤。第十七。用前第五方。一法用桂枝汤。

脉浮数者，可发汗，宜麻黄汤。第十八。用前第五方。

病常自汗出，荣卫不和也，发汗则愈，宜桂枝汤。第十九。用前第十二方。

病人藏无他病，时自汗出，卫气不和也，宜桂枝汤。第二十。用前第十二方。

伤寒脉浮紧，不发汗，因衄，麻黄汤主之。第二十一。用前第五方。

伤寒不大便，六七日，头痛，有热，与承气汤。小便清者，知不在里，当发汗，宜桂枝汤。第二十二。用前第十二方。

伤寒发汗解半日许，复热烦，脉浮数者，可更发汗，宜桂枝汤。第二十三。用前第十二方。下别有三病证。

下之后，复发汗，昼日烦躁不得眠，夜而安静，不呕不渴，无表证，脉沉微者，干姜附子汤主之。第二十四。二味。

发汗后，身疼痛，脉沉迟者，桂枝加芍药生姜各一两人参三两新加汤主之。第二十五。六味。

发汗后，不可行桂枝汤。汗出而喘，无大热者，可与麻黄杏子甘草石膏汤。第二十六。四味。

发汗过多，其人叉手自冒心，心悸欲得按者，桂枝甘草汤主之。第二十七。二味。

发汗后，脐下悸，欲作奔豚，茯苓桂枝甘草大枣汤主之。第二十八。四味。下有作甘烂水法。

发汗后，腹胀满者，厚朴生姜半夏甘草人参汤主之。第二十九。五味。

伤寒吐下后，心下逆满，气上冲胸，头眩，脉沉紧者，茯苓桂枝白术甘草汤主之。第三十。四味。

发汗病不解，反恶寒者，虚故也，芍药甘草附子汤主之。第三十一。三味。

发汗若下之，不解，烦躁者，茯苓四逆汤主之。第三十二。五味。

发汗后恶寒，虚故也。不恶寒，但热者，实也，与调胃承气汤。第三十三。三味。

太阳病，发汗后，大汗出，胃中干，躁不能眠，欲饮水，小便不利者，五苓散主之。第三十四。五味，即猪苓散是。

发汗已，脉浮数，烦渴者，五苓散主之。第三十五。用前第三十四方。

伤寒汗出而渴者，五苓散；不渴者，茯苓甘草汤主之。第三十六。四味。

中风发热，六七日不解而烦，有表里证，渴欲饮水，水入则吐，名曰水逆，五苓散主之。第三十七。用前第三十四方。下别有三病证。

发汗吐下后，虚烦不得眠，心中懊憹，栀子豉汤主之。若少气者，栀子甘草豉汤主之；若呕者，栀子生姜豉汤主之。第三十八。栀子豉汤二味。栀子甘草豉汤、栀子生姜豉汤，并三味。

发汗，若下之，烦热，胸中窒者，栀子豉汤主之。第三十九。用上初方。

伤寒五六日，大下之，身热不去，心中结痛者，栀子豉汤主之。第四十。用上初方。

伤寒下后，心烦腹满，卧起不安者，栀子厚朴汤主之。第四十一。三味。

伤寒，医以丸药下之，身热不去，微烦者，栀子干姜汤主之。第四十二。二味。下有不可与栀子汤一证。

太阳病，发汗不解，仍发热，心下悸，头眩，身瞤，真武汤主之。第四十三。五味。下有不可汗五证。

汗家重发汗，必恍惚心乱，禹余粮丸主之。第四十四。方本阙。下有吐蚘、先汗下二证。

伤寒，医下之，清谷不止，身疼痛，急当救里。后身疼痛，清便自调，急当救表。救里宜四逆汤，救表宜桂枝汤。第四十五。桂枝汤用前第十二方。四逆汤，三味。

太阳病未解，脉阴阳俱停。阴脉微者，下之，解宜调胃承气汤。第四十六。用前第三十三方。一云用大柴胡汤。前有太阳病一证。

太阳病，发热汗出，荣弱卫强，故使汗出。欲救邪风，宜桂枝汤。第四十七。用前第十二方。

伤寒五六日，中风，往来寒热，胸胁满，不欲食，心烦喜呕者，小柴胡汤主之。第四十八。再见柴胡汤，加减法附。

血弱气尽，腠理开，邪气因入，与正气分争，往来寒热，休作有时，小柴胡汤主之。第四十九。用前方。渴者属阳明证，附下有柴胡不中与一证。

伤寒四五日，身热恶风，项强，胁下满，手足温而渴者，小柴胡汤主之。第五十。用前方。

伤寒阳脉涩，阴脉弦，法当腹中急痛，先与小建中汤。不差者，小柴胡汤主之。第五十一。用前方。小建中汤六味。下有呕家不可用建中汤，并服小柴胡一证。

伤寒二三日，心中悸而烦者，小建中汤主之。第五十二。用前第五十一方。

太阳病，过经十余日，反二三下之，后四五日，柴胡证仍在，微烦者，大柴胡汤主之。第五十三。加大黄，八味。

伤寒十三日不解，胸胁满而呕，日晡发潮热，柴胡加芒消汤主之。第五十四。八味。

伤寒十三日，过经谵语者，调胃承气汤主之。第五十五。用前第三十二方。

太阳病不解，热结膀胱，其人如狂，宜桃核承气汤。第五十六。五味。

伤寒八九日，下之，胸满烦惊，小便不利，谵语，身重者，柴胡加龙骨牡蛎汤主之。第五十七。十味。

伤寒腹满谵语，寸口脉浮而紧，此肝乘脾也，名曰纵，刺期门。第五十八。

伤寒发热，啬啬恶寒，大渴欲饮水，其腹必满，自汗出，小便利，此肝乘肺也，名曰横，刺期门。第五十九。

下有太阳病二证。

伤寒脉浮，医火劫之，亡阳，必惊狂，卧起不安者，桂枝去芍药加蜀漆牡蛎龙骨救逆汤主之。第六十。七味。下有不可火五证。

烧针被寒，针处核起，必发奔豚气，桂枝加桂汤主之。第六十一。五味。

火逆下之，因烧针烦躁者，桂枝甘草龙骨牡蛎汤主之。第六十二。四味。下有太阳四证。

太阳病，过经十余日，温温欲吐，胸中痛，大便微溏，与调胃承气汤。第六十三。用前第三十三方。

太阳病，六七日，表证在，脉微沉，不结胸，其人发狂，以热在下焦，少腹满，小便自利者，下血乃愈，抵当汤主之。第六十四。四味。

太阳病，身黄，脉沉结，少腹鞕，小便自利，其人如狂者，血证谛也，抵当汤主之。第六十五。用前方。

伤寒有热，少腹满，应小便不利，今反利者，有血也，当下之，宜抵当丸。第六十六。四味。下有太阳病一证。

31. 太阳病，项背强几几，无汗恶风，葛根汤主之。方一。

葛根四两　麻黄三两，去节　桂枝二两，去皮　生姜三两，切　甘草二两，炙　芍药二两　大枣十二枚，擘

右七味，以水一斗，先煮麻黄、葛根，减二升，去白沫，

内诸药，煮取三升，去滓，温服一升，覆取微似汗，余如桂枝法将息及禁忌。诸汤皆仿此。

32. 太阳与阳明合病者，必自下利，葛根汤主之。方二。用前第一方。一云用后第四方。

33. 太阳与阳明合病，不下利，但呕者，葛根加半夏汤主之。方三。

葛根四两　麻黄三两，去节　甘草二两，炙　芍药二两　桂枝二两，去皮　生姜二两，切　半夏半升，洗　大枣十二枚，擘

右八味，以水一斗，先煮葛根、麻黄，减二升，去白沫，内诸药，煮取三升，去滓，温服一升。覆取微似汗。

34. 太阳病，桂枝证，医反下之，利遂不止，脉促者，表未解也，喘而汗出者，葛根黄芩黄连汤主之。方四。促，一作纵。

葛根半斤　甘草二两，炙　黄芩三两　黄连三两

右四味，以水八升，先煮葛根，减二升，内诸药，煮取二升，去滓，分温再服。

35. 太阳病，头痛发热，身疼腰痛，骨节疼痛，恶风无汗而喘者，麻黄汤主之。方五。

麻黄三两，去节　桂枝二两，去皮　甘草一两，炙　杏仁七十个，去皮尖

右四味，以水九升，先煮麻黄，减二升，去上沫，内诸药，煮取二升半，去滓，温服八合。覆取微似汗，不须啜粥，余如桂枝法将息。

36. 太阳与阳明合病，喘而胸满者，不可下，宜麻黄汤。六。用前第五方。

37. 太阳病，十日以去，脉浮细而嗜卧者，外已解也。设胸满胁痛者，与小柴胡汤。脉但浮者，与麻黄汤。七。用前第五方。

### ·小柴胡汤方

柴胡半斤　黄芩　人参　甘草炙　生姜各三两，切　大枣十二枚，擘　半夏半升，洗

右七味，以水一斗二升，煮取六升，去滓，再煎取三升，温服一升，日三服。

38. 太阳中风，脉浮紧，发热恶寒，身疼痛，不汗出而烦躁者，大青龙汤主之。若脉微弱，汗出恶风者，不可服之。服之则厥逆，筋惕[①]肉瞤，此为逆也。大青龙汤方。八。

麻黄六两，去节　桂枝二两，去皮　甘草二两，炙　杏仁四十枚，去皮尖　生姜三两，切　大枣十枚，擘　石膏如鸡子大，碎

右七味，以水九升，先煮麻黄，减二升，去上沫，内诸药，煮取三升，去滓，温服一升，取微似汗。汗出多者，温粉粉之。一服汗者，停后服。若复服，汗多亡阳遂一作逆虚，恶风烦躁，不得眠也。

---

① 筋惕：成无己《注解伤寒论》经文与注解均作“筋惕”（dàng）。惕，动也。“惕”无动义。作“惕”是。

39. 伤寒脉浮缓，身不疼但重，乍有轻时，无少阴证者，大青龙汤发之。九。用前第八方。

40. 伤寒表不解，心下有水气，干呕发热而咳，或渴，或利，或噎，或小便不利，少腹满，或喘者，小青龙汤主之。方十。

麻黄去节　芍药　细辛　干姜　甘草炙　桂枝各三两，去皮　五味子半升　半夏半升，洗

右八味，以水一斗，先煮麻黄，减二升，去上沫，内诸药，煮取三升，去滓，温服一升。若渴，去半夏，加栝楼根三两；若微利，去麻黄，加荛花，如一鸡子，熬令赤色；若噎者，去麻黄，加附子一枚，炮；若小便不利，少腹满者，去麻黄，加茯苓四两；若喘，去麻黄，加杏仁半升，去皮尖。且荛花不治利，麻黄主喘，今此语反之，疑非仲景意。臣亿等谨按，小青龙汤，大要治水。又按，《本草》，荛花下十二水，若水去，利则止也。又按，《千金》，形肿者应内麻黄，乃内杏仁者，以麻黄发其阳故也。以此证之，岂非仲景意也。

41. 伤寒心下有水气，咳而微喘，发热不渴。服汤已渴者，此寒去欲解也。小青龙汤主之。十一。用前第十方。

42. 太阳病，外证未解，脉浮弱者，当以汗解，宜桂枝汤。方十二。

桂枝去皮　芍药　生姜各三两，切　甘草二两，炙　大枣十二枚，擘

右五味，以水七升，煮取三升，去滓，温服一升。须臾啜热稀粥一升，助药力，取微汗。

43. 太阳病，下之微喘者，表未解故也，桂枝加厚朴杏子汤主之。方十三。

桂枝三两，去皮　甘草二两，炙　生姜三两，切　芍药三两　大枣十二枚，擘　厚朴二两，炙，去皮　杏仁五十枚，去皮尖

右七味，以水七升，微火煮取三升，去滓，温服一升，覆取微似汗。

44. 太阳病，外证未解，不可下也，下之为逆，欲解外者，宜桂枝汤。十四。用前第十二方。

45. 太阳病，先发汗不解，而复下之，脉浮者不愈。浮为在外，而反下之，故令不愈。今脉浮，故在外，当须解外则愈，宜桂枝汤。十五。用前第十二方。

46. 太阳病，脉浮紧，无汗，发热，身疼痛，八九日不解，表证仍在，此当发其汗。服药已微除，其人发烦目瞑，剧者必衄，衄乃解。所以然者，阳气重故也。麻黄汤主之。十六。用前第五方。

47. 太阳病，脉浮紧，发热，身无汗，自衄者，愈。

48. 二阳并病，太阳初得病时，发其汗，汗先出不彻，因转属阳明，续自微汗出，不恶寒。若太阳病证不罢者，不可下，下之为逆，如此可小发汗。设面色缘缘正赤者，阳气怫郁在表，当解之熏之。若发汗不彻，不足言，阳气怫郁不得越，当汗不汗，其人躁烦，不知痛处，乍在腹中，乍在四肢，按之不可得，其人短气，但坐以汗出不彻故也，更发汗则愈。何以

知汗出不彻？以脉涩故知也。

49. 脉浮数者，法当汗出而愈。若下之，身重心悸者，不可发汗，当自汗出乃解。所以然者，尺中脉微，此里虚，须表里实，津液自和，便自汗出愈。

50. 脉浮紧者，法当身疼痛，宜以汗解之。假令尺中迟者，不可发汗。何以知然？以荣气不足，血少故也。

51. 脉浮者，病在表，可发汗，宜麻黄汤。十七。用前第五方。法用桂枝汤。

52. 脉浮而数者，可发汗，宜麻黄汤。十八。用前第五方。

53. 病常自汗出者，此为荣气和，荣气和者，外不谐，以卫气不共荣气谐和故尔。以荣行脉中，卫行脉外。复发其汗，荣卫和则愈。宜桂枝汤。十九。用前第十二方。

54. 病人藏无他病，时发热，自汗出，而不愈者，此卫气不和也。先其时发汗则愈，宜桂枝汤。二十。用前第十二方。

55. 伤寒脉浮紧，不发汗，因致衄者，麻黄汤主之。二十一。用前第五方。

56. 伤寒不大便六七日，头痛有热者，与承气汤。其小便清者一云大便青知不在里，仍在表也，当须发汗。若头痛者，必衄。宜桂枝汤。二十二。用前第十二方。

57. 伤寒发汗已解，半日许复烦，脉浮数者，可更发汗，宜桂枝汤。二十三。用前第十二方。

58. 凡病若发汗，若吐，若下，若亡血、亡津液，阴阳自和者，必自愈。

59. 大下之后，复发汗，小便不利者，亡津液故也。勿治之，得小便利，必自愈。

60. 下之后，复发汗，必振寒，脉微细。所以然者，以内外俱虚故也。

61. 下之后，复发汗，昼日烦躁不得眠，夜而安静，不呕，不渴，无表证，脉沉微，身无大热者，干姜附子汤主之。方二十四。

干姜一两　附子一枚，生用，去皮，切八片

右二味，以水三升，煮取一升，去滓，顿服。

62. 发汗后，身疼痛，脉沉迟者，桂枝加芍药生姜各一两人参三两新加汤主之。方二十五。

桂枝三两，去皮　芍药四两　甘草二两，炙　人参三两　大枣十二枚，擘　生姜四两

右六味，以水一斗二升，煮取三升，去滓，温服一升。本云，桂枝汤，今加芍药、生姜、人参。

63. 发汗后，不可更行桂枝汤。汗出而喘，无大热者，可与麻黄杏仁甘草石膏汤。方二十六。

麻黄四两，去节　杏仁五十个，去皮尖　甘草二两，炙　石膏半斤，碎，绵裹

右四味，以水七升，煮麻黄，减二升，去上沫，内诸药，煮取二升，去滓，温服一升。本云，黄耳杯。

64. 发汗过多，其人叉手自冒心，心下悸，欲得按者，桂枝甘草汤主之。方二十七。

桂枝四两，去皮　甘草二两，炙

右二味，以水三升，煮取一升，去滓，顿服。

65. 发汗后，其人脐下悸者，欲作奔豚，茯苓桂枝甘草大枣汤主之。方二十八。

茯苓半斤　桂枝四两，去皮　甘草二两，炙　大枣十五枚，擘

右四味，以甘烂水一斗，先煮茯苓，减二升，内诸药，煮取三升，去滓，温服一升，日三服。

作甘烂水法：取水二斗，置大盆内，以杓扬之，水上有珠子五六千颗相逐，取用之。

66. 发汗后，腹胀满者，厚朴生姜半夏甘草人参汤主之。方二十九。

厚朴半斤，炙，去皮　生姜半斤，切　半夏半升，洗　甘草二两　人参一两

右五味，以水一斗，煮取三升，去滓，温服一升，日三服。

67. 伤寒若吐、若下后，心下逆满，气上冲胸，起则头眩，脉沉紧，发汗则动经，身为振振摇者，茯苓桂枝白术甘草汤主之。方三十。

茯苓四两　桂枝三两，去皮　白术　甘草各二两，炙

右四味，以水六升，煮取三升，去滓，分温三服。

68. 发汗，病不解，反恶寒者，虚故也，芍药甘草附子汤主之。方三十一。

芍药　甘草各三两，炙　附子一枚，炮，去皮，破八片

右三味，以水五升，煮取一升五合，去滓，分温三服。疑非仲景方。

69. 发汗，若下之，病仍不解，烦躁者，茯苓四逆汤主之。方三十二。

茯苓四两　人参一两　附子一枚，生用，去皮，破八片　甘草二两，炙　干姜一两半

右五味，以水五升，煮取三升，去滓，温服七合，日二服。

70. 发汗后，恶寒者，虚故也。不恶寒，但热者，实也。当和胃气，与调胃承气汤。方三十三。《玉函》云，与小承气汤。

芒消半升　甘草二两，炙　大黄四两，去皮，清酒洗

右三味，以水三升，煮取一升，去滓，内芒消，更煮两沸，顿服。

71. 太阳病，发汗后，大汗出，胃中干，烦躁不得眠，欲得饮水者，少少与饮之，令胃气和则愈。若脉浮，小便不利，微热消渴者，五苓散主之。方三十四。即猪苓散是。

猪苓十八铢，去皮　泽泻一两六铢　白术十八铢　茯苓十八铢　桂枝半两，去皮

右五味，捣为散，以白饮和服方寸匕，日三服，多饮暖

水，汗出愈。如法将息。

72. 发汗已，脉浮数，烦渴者，五苓散主之。三十五。用前第三十四方。

73. 伤寒，汗出而渴者，五苓散主之；不渴者，茯苓甘草汤主之。方三十六。

茯苓二两　桂枝二两，去皮　甘草一两，炙　生姜三两，切

右四味，以水四升，煮取二升，去滓，分温三服。

74. 中风发热，六七日不解而烦，有表里证，渴欲饮水，水入则吐者，名曰水逆，五苓散主之。三十七。用前第三十四方。

75. 未持脉时，病人手叉自冒心，师因教试令咳，而不咳者，此必两耳聋无闻也。所以然者，以重发汗，虚故如此。发汗后，饮水多必喘，以水灌之亦喘。

76. 发汗后，水药不得入口为逆，若更发汗，必吐下不止。发汗吐下后，虚烦不得眠，若剧者，必反覆颠倒音到，下同，心中懊侬上乌浩，下奴冬切，下同，栀子豉汤主之；若少气者，栀子甘草豉汤主之；若呕者，栀子生姜豉汤主之。三十八。

### · 栀子豉汤方

栀子十四个，擘　香豉四合，绵裹

右二味，以水四升，先煮栀子，得二升半，内豉，煮取一升半，去滓，分为二服，温进一服，得吐者，止后服。

### ·栀子甘草豉汤方

栀子十四个，擘　甘草二两，炙　香豉四合，绵裹

右三味，以水四升，先煮栀子、甘草，取二升半，内豉，煮取一升半，去滓，分二服，温进一服，得吐者，止后服。

### ·栀子生姜豉汤方

栀子十四个，擘　生姜五两　香豉四合，绵裹

右三味，以水四升，先煮栀子、生姜，取二升半，内豉，煮取一升半，去滓，分二服，温进一服，得吐者，止后服。

77. 发汗，若下之而烦热，胸中窒者，栀子豉汤主之。三十九。用上初方。

78. 伤寒五六日，大下之后，身热不去，心中结痛者，未欲解也，栀子豉汤主之。四十。用上初方。

79. 伤寒下后，心烦腹满，卧起不安者，栀子厚朴汤主之。方四十一。

栀子十四个，擘　厚朴四两，炙，去皮　枳实四枚，水浸，炙令黄

右三味，以水三升半，煮取一升半，去滓，分二服，温进一服，得吐者，止后服。

80. 伤寒，医以丸药大下之，身热不去，微烦者，栀子干姜汤主之。方四十二。

栀子十四个，擘　干姜二两

右二味，以水三升半，煮取一升半，去滓，分二服，温进一服，得吐者，止后服。

81. 凡用栀子汤，病人旧微溏者，不可与服之。

82. 太阳病发汗，汗出不解，其人仍发热，心下悸，头眩，身瞤动，振振欲擗一作僻地①者，真武汤主之。方四十三。

茯苓　芍药　生姜各三两，切　白术二两　附子一枚，炮，去皮，破八片

右五味，以水八升，煮取三升，去滓，温服七合，日三服。

83. 咽喉干燥者，不可发汗。

84. 淋家，不可发汗，发汗必便血。

85. 疮家，虽身疼痛，不可发汗，汗出则痓。

86. 衄家，不可发汗，汗出必额上陷，脉急紧，直视不能眴音唤，又胡绢切，下同。一作瞬，不得眠。

87. 亡血家，不可发汗，发汗则寒栗而振。

88. 汗家，重发汗，必恍惚心乱，小便已阴疼，与禹余粮丸。四十四。方本阙。

89. 病人有寒，复发汗，胃中冷，必吐蚘一作逆。

90. 本发汗，而复下之，此为逆也；若先发汗，治不为逆。本先下之，而反汗之，为逆；若先下之，治不为逆。

---

① 擗一作僻地：《慧琳音义》卷二十九："僻，以哀痛故自投身于地。""僻"通"擗"。

91. 伤寒，医下之，续得下利，清谷不止，身疼痛者，急当救里；后身疼痛，清便自调者，急当救表。救里宜四逆汤，救表宜桂枝汤。四十五。用前第十二方。

92. 病发热头痛，脉反沉，若不差，身体疼痛，当救其里。

### ·四逆汤方

甘草二两，炙　干姜一两半　附子一枚，生用，去皮，破八片

右三味，以水三升，煮取一升二合，去滓，分温再服。强人可大附子一枚，干姜三两。

93. 太阳病，先下而不愈，因复发汗，以此表里俱虚，其人因致冒，冒家汗出自愈。所以然者，汗出表和故也。里未和①，然后复下之。

94. 太阳病未解，脉阴阳俱停一作微，必先振栗汗出而解；但阳脉微者，先汗出而解；但阴脉微一作尺脉实者，下之而解。若欲下之，宜调胃承气汤。四十六。用前第三十三方。一云用大柴胡汤。

95. 太阳病，发热汗出者，此为荣弱卫强，故使汗出，欲救邪风者，宜桂枝汤。四十七。方用前法。

96. 伤寒五六日中风，往来寒热，胸胁苦满，嘿嘿不欲饮食，心烦喜呕，或胸中烦而不呕，或渴，或腹中痛，或胁下痞鞕，或心下悸，小便不利，或不渴，身有微热，或咳者，小柴

---

① 里未和：中国中医科学院本、上海中医药大学本、上海图书馆本均作“得里和”，误。台北故宫博物院本、中国医科大学本改作“里未知”，是也。

胡汤主之。方四十八。

柴胡半斤　黄芩三两　人参三两　半夏半升，洗　甘草炙　生姜各三两，切　大枣十二枚，擘

右七味，以水一斗二升，煮取六升，去滓，再煎取三升，温服一升，日三服。若胸中烦而不呕者，去半夏、人参，加栝楼实一枚；若渴，去半夏，加人参，合前成四两半，栝楼根四两；若腹中痛者，去黄芩，加芍药三两；若胁下痞鞕，去大枣，加牡蛎四两；若心下悸，小便不利者，去黄芩，加茯苓四两；若不渴，外有微热者，去人参，加桂枝三两，温覆微汗愈；若咳者，去人参、大枣、生姜，加五味子半升，干姜二两。

97. 血弱气尽，腠理开，邪气因入，与正气相抟，结于胁下，正邪分争，往来寒热，休作有时，嘿嘿不欲饮食，藏府相连，其痛必下，邪高痛下，故使呕也。一云藏府相违，其病必下胁鬲中痛。小柴胡汤主之。服柴胡汤已，渴者，属阳明，以法治之。四十九。用前方。

98. 得病六七日，脉迟浮弱，恶风寒，手足温。医二三下之，不能食，而胁下满痛，面目及身黄，颈项强，小便难者，与柴胡汤，后必下重；本渴，饮水而呕者，柴胡汤不中与也，食谷者哕。

99. 伤寒四五日，身热恶风，颈项强，胁下满，手足温而渴者，小柴胡汤主之。五十。用前方。

100. 伤寒，阳脉涩，阴脉弦，法当腹中急痛，先与小建中汤，不差者，小柴胡汤主之。五十一。用前方。

### ·小建中汤方

桂枝三两，去皮　甘草二两，炙　大枣十二枚，擘　芍药六两　生姜三两，切　胶饴一升

右六味，以水七升，煮取三升，去滓，内饴，更上微火消解，温服一升，日三服。呕家不可用建中汤，以甜故也。

101. 伤寒中风，有柴胡证，但见一证便是，不必悉具。凡柴胡汤病证而下之，若柴胡证不罢者，复与柴胡汤，必蒸蒸而振，却复发热汗出而解。

102. 伤寒二三日，心中悸而烦者，小建中汤主之。五十二。用前第五十一方。

103. 太阳病，过经十余日，反二三下之，后四五日，柴胡证仍在者，先与小柴胡。呕不止，心下急一云呕止小安，郁郁微烦者，为未解也，与大柴胡汤，下之则愈。方五十三。

柴胡半斤　黄芩三两　芍药三两　半夏半升，洗　生姜五两，切　枳实四枚，炙　大枣十二枚，擘

右七味，以水一斗二升，煮取六升，去滓，再煎，温服一升，日三服。一方加大黄二两。若不加，恐不为大柴胡汤。

104. 伤寒十三日不解，胸胁满而呕，日晡所发潮热，已而微利，此本柴胡证，下之以不得利，今反利者，知医以丸药

下之，此非其治也。潮热者，实也，先宜服小柴胡汤以解外，后以柴胡加芒消汤主之。五十四。

柴胡二两十六铢　黄芩一两　人参一两　甘草一两，炙　生姜一两，切　半夏二十铢，本云五枚，洗　大枣四枚，擘　芒消二两

右八味，以水四升，煮取二升，去滓，内芒消，更煮微沸，分温再服，不解更作。臣亿等谨按，《金匮玉函》方中无芒消。别一方云，以水七升，下芒消二合，大黄四两，桑螵蛸五枚，煮取一升半，服五合，微下即愈。本云，柴胡再服，以解其外，余二升加芒消、大黄、桑螵蛸也。

105. 伤寒十三日，过经谵语者，以有热也，当以汤下之。若小便利者，大便当鞕，而反下利，脉调和者，知医以丸药下之，非其治也。若自下利者，脉当微厥，今反和者，此为内实也，调胃承气汤主之。五十五。用前第三十三方。

106. 太阳病不解，热结膀胱，其人如狂，血自下，下者愈。其外不解者，尚未可攻，当先解其外；外解已，但少腹急结者，乃可攻之，宜桃核承气汤。方五十六。后云解外宜桂枝汤。

桃仁五十个，去皮尖　大黄四两　桂枝二两，去皮　甘草二两，炙　芒消二两

右五味，以水七升，煮取二升半，去滓，内芒消，更上火，微沸下火，先食温服五合，日三服，当微利。

107. 伤寒八九日，下之，胸满烦惊，小便不利，谵语，一身尽重，不可转侧者，柴胡加龙骨牡蛎汤主之。方五十七。

柴胡四两　龙骨　黄芩　生姜切　铅丹　人参　桂枝去皮

茯苓各一两半　半夏二合半，洗　大黄二两　牡蛎一两半，熬　大枣六枚，擘

右十二味，以水八升，煮取四升，内大黄，切如棋子，更煮一两沸，去滓，温服一升。本云，柴胡汤，今加龙骨等。

108. 伤寒，腹满谵语，寸口脉浮而紧，此肝乘脾也，名曰纵，刺期门。五十八。

109. 伤寒发热，啬啬恶寒，大渴欲饮水，其腹必满，自汗出，小便利，其病欲解，此肝乘肺也，名曰横，刺期门。五十九。

110. 太阳病，二日反躁，凡熨其背，而大汗出，大热入胃一作二日内，烧瓦熨背，大汗出，火气入胃，胃中水竭，躁烦必发谵语。十余日振栗自下利者，此为欲解也。故其汗从腰以下不得汗，欲小便不得，反呕，欲失溲，足下恶风，大便鞕，小便当数，而反不数，及不多，大便已，头卓然而痛，其人足心必热，谷气下流故也。

111. 太阳病中风，以火劫发汗，邪风被火热，血气流溢，失其常度。两阳相熏灼，其身发黄。阳盛则欲衄，阴虚小便难。阴阳俱虚竭，身体则枯燥，但头汗出，剂颈而还，腹满微喘，口干咽烂，或不大便，久则谵语，甚者至哕，手足躁扰，捻衣摸床。小便利者，其人可治。

112. 伤寒脉浮，医以火迫劫之，亡阳必惊狂，卧起不安者，桂枝去芍药加蜀漆牡蛎龙骨救逆汤主之。方六十。

桂枝三两，去皮　甘草二两，炙　生姜三两，切　大枣十二枚，擘　牡蛎五两，熬　蜀漆三两，洗，去腥　龙骨四两

右七味，以水一斗二升，先煮蜀漆，减二升，内诸药，煮取三升，去滓，温服一升。本云，桂枝汤，今去芍药，加蜀漆、牡蛎、龙骨。

113. 形作伤寒，其脉不弦紧而弱。弱者必渴，被火必谵语。弱者发热脉浮，解之当汗出愈。

114. 太阳病，以火熏之，不得汗，其人必躁，到经不解，必清血，名为火邪。

115. 脉浮热甚，而反灸之，此为实，实以虚治，因火而动，必咽燥吐血。

116. 微数之脉，慎不可灸，因火为邪，则为烦逆，追虚逐实，血散脉中，火气虽微，内攻有力，焦骨伤筋，血难复也。脉浮，宜以汗解，用火灸之，邪无从出，因火而盛，病从腰以下必重而痹，名火逆也。欲自解者，必当先烦，烦乃有汗而解。何以知之？脉浮故知汗出解。

117. 烧针令其汗，针处被寒，核起而赤者，必发奔豚。气从少腹上冲心者，灸其核上各一壮，与桂枝加桂汤更加桂二两也。方六十一。

桂枝五两，去皮　芍药三两　生姜三两，切　甘草二两，炙　大枣十二枚，擘

右五味，以水七升，煮取三升，去滓，温服一升。本云，

桂枝汤，今加桂满五两，所以加桂者，以能泄奔豚气也。

118. 火逆下之，因烧针烦躁者，桂枝甘草龙骨牡蛎汤主之。方六十二。

桂枝一两，去皮　甘草二两，炙　牡蛎二两，熬　龙骨二两

右四味，以水五升，煮取二升半，去滓，温服八合，日三服。

119. 太阳伤寒者，加温针必惊也。

120. 太阳病，当恶寒发热，今自汗出，反不恶寒发热，关上脉细数者，以医吐之过也。一二日吐之者，腹中饥，口不能食；三四日吐之者，不喜糜粥，欲食冷食，朝食暮吐。以医吐之所致也，此为小逆。

121. 太阳病吐之，但太阳病当恶寒，今反不恶寒，不欲近衣，此为吐之内烦也。

122. 病人脉数，数为热，当消谷引食，而反吐者，此以发汗，令阳气微，膈气虚，脉乃数也。数为客热，不能消谷，以胃中虚冷，故吐也。

123. 太阳病，过经十余日，心下温温欲吐，而胸中痛，大便反溏，腹微满，郁郁微烦。先此时自极吐下者，与调胃承气汤。若不尔者，不可与。但欲呕，胸中痛，微溏者，此非柴胡汤证，以呕，故知极吐下也。调胃承气汤。六十三。用前第三十三方。

124. 太阳病六七日，表证仍在，脉微而沉，反不结胸，

其人发狂者，以热在下焦，少腹当鞕满，小便自利者，下血乃愈。所以然者，以太阳随经，瘀热在里故也。抵当汤主之。方六十四。

水蛭熬　虻虫各三十个。去翅足，熬　桃仁二十个，去皮尖　大黄三两，酒洗

右四味，以水五升，煮取三升，去滓，温服一升。不下更服。

125. 太阳病身黄，脉沉结，少腹鞕，小便不利者，为无血也。小便自利，其人如狂者，血证谛也，抵当汤主之。六十五。用前方。

126. 伤寒有热，少腹满，应小便不利，今反利者，为有血也，当下之，不可余药，宜抵当丸。方六十六。

水蛭二十个，熬　虻虫二十个，去翅足，熬　桃仁二十五个，去皮尖　大黄三两

右四味，捣分四丸，以水一升，煮一丸，取七合服之，晬时当下血，若不下者更服。

127. 太阳病，小便利者，以饮水多，必心下悸；小便少者，必苦里急也。

伤寒论卷第三

# 伤寒论卷第四

汉　张仲景述　晋　王叔和　撰次

宋　林　亿　校正

明　赵开美　校刻

沈　琳　仝校

# 辨太阳病脉证并治下第七

合三十九法。方三十首。并见太阳少阳合病法。

结胸项强，如柔痓状。下则和，宜大陷胸丸。第一。六味。前后有结胸、藏结病六证。

太阳病，心中懊憹，阳气内陷，心下鞕，大陷胸汤主之。第二。三味。

伤寒六七日，结胸热实，脉沉紧，心下痛，大陷胸汤主之。第三。用前第二方。

伤寒十余日，热结在里，往来寒热者，与大柴胡汤。第四。八味。水结附。

太阳病，重发汗，复下之，不大便五六日，舌燥而渴，潮热，从心下至少腹满痛，不可近者，大陷胸汤主之。第五。用前第二方。

小结胸病，正在心下，按之痛，脉浮滑者，小陷胸汤主之。第六。三味。下有太阳病二证。

病在阳，应以汗解，反以水潠，热不得去，益烦不渴，服文蛤散，不差，与五苓散。寒实结胸，无热证者，与三物小陷胸汤，白散亦可服。第七。文蛤散一味。五苓散五味。小陷胸汤用前第六方。白散三味。

太阳少阳并病，头痛，眩冒，心下痞者，刺肺俞、肝俞，不可发汗。发汗则谵语。谵语不止，当刺期门。第八。

妇人中风，经水适来，热除脉迟，胁下满，谵语，当刺期门。第九。

妇人中风，七八日，寒热，经水适断，血结如疟状，小柴胡汤主之。第十。七味。

妇人伤寒，经水适来，谵语，无犯胃气及上二焦，自愈。第十一。

伤寒六七日，发热，微恶寒，支节疼，微呕，心下支结，柴胡桂枝汤主之。第十二。九味。

伤寒五六日，已发汗，复下之，胸胁满，小便不利，渴而不呕，头汗出，往来寒热，心烦，柴胡桂枝干姜汤主之。第十三。七味。

伤寒五六日，头汗出，微恶寒，手足冷，心下满，不欲食，大便鞕，脉细者，为阳微结，非少阴也，可与小柴胡汤。第十四。用前第十方。

伤寒五六日，呕而发热，以他药下之，柴胡证仍在，可与柴胡汤，蒸蒸而振，却发热汗出解。心满痛者，为结胸。但满而不痛，为痞，宜半夏泻心汤。第十五。七味。下有太阳并病，并气痞二证。

太阳中风，下利呕逆，表解乃可攻之，十枣汤主之。

第十六。三味。下有太阳一证。

心下痞，按之濡者，大黄黄连泻心汤主之。第十七。二味。

心下痞，而复恶寒汗出者，附子泻心汤主之。第十八。四味。

心下痞，与泻心汤，不解者，五苓散主之。第十九。用前第七证方。

伤寒汗解后，胃中不和，心下痞，生姜泻心汤主之。第二十。八味。

伤寒中风，反下之，心下痞，医复下之，痞益甚，甘草泻心汤主之。第二十一。六味。

伤寒服药，利不止，心下痞，与理中，利益甚，宜赤石脂禹余粮汤。第二十二。二味。下有痞一证。

伤寒发汗，若吐下，心下痞。噫不除者，旋复代赭汤主之。第二十三。七味。

下后，不可更行桂枝汤，汗出而喘，无大热者，可与麻黄杏子甘草石膏汤。第二十四。四味。

太阳病，外未除，数下之，遂协热而利，桂枝人参汤主之。第二十五。五味。

伤寒大下后，复发汗，心下痞，恶寒者，不可攻痞，先解表，表解乃可攻痞。解表宜桂枝汤，攻痞宜大黄黄连泻心汤。第二十六。泻心汤用前第十七方。

伤寒发热，汗出不解，心中痞，呕吐下利者，大柴胡汤主之。第二十七。用前第四方。

病如桂枝证，头不痛，项不强，寸脉浮，胸中痞，气上冲不得息，当吐之，宜瓜蒂散。第二十八。三味。下有不可与瓜蒂散证。

病胁下素有痞，连脐痛，引少腹者，此名藏结。第二十九。

伤寒若吐下后，不解，热结在里，恶风，大渴，白虎加人参汤主之。第三十。五味。下有不可与白虎证。

伤寒无大热，口燥渴，背微寒者，白虎加人参汤主之。第三十一。用前方。

伤寒脉浮，发热无汗，表未解，不可与白虎汤。渴者，白虎加人参汤主之。第三十二。用前第三十方。

太阳少阳并病，心下鞕，颈项强而眩者，刺大椎、肺俞、肝俞，慎勿下之。第三十三。

太阳少阳合病，自下利，黄芩汤；若呕，黄芩加半夏生姜汤主之。第三十四。黄芩汤四味。加半夏生姜汤六味。

伤寒胸中有热，胃中有邪气，腹中痛，欲呕者，黄连汤主之。第三十五。七味。

伤寒八九日，风湿相抟，身疼烦，不能转侧，不呕，不渴，脉浮虚而涩者，桂枝附子汤主之。大便鞕一云脐下心下鞕，小便自利者，去桂加白术汤主之。第三十六。桂附汤加术汤并五味。

风湿相抟，骨节疼烦，掣痛不得屈伸，汗出短气，小便不利，恶风，或身微肿者，甘草附子汤主之。第三十七。四味。

伤寒脉浮滑，此表有热，里有寒，白虎汤主之。第三十八。四味。

伤寒脉结代，心动悸，炙甘草汤主之。第三十九。九味。

128. 问曰：病有结胸，有藏结，其状何如？答曰：按之痛，寸脉浮，关脉沉，名曰结胸也。

129. 何谓藏结？答曰：如结胸状，饮食如故，时时下利，寸脉浮，关脉小细沉紧，名曰藏结。舌上白胎滑者，难治。

130. 藏结无阳证，不往来寒热一云寒而不热，其人反静，舌上胎滑者，不可攻也。

131. 病发于阳，而反下之，热入因作结胸；病发于阴，而反下之一作汗出，因作痞也。所以成结胸者，以下之太早故也。结胸者，项亦强，如柔痓状，下之则和，宜大陷胸丸。方一。

大黄半斤　葶苈子半升，熬　芒消半升　杏仁半升，去皮尖，熬黑

右四味，捣筛二味，内杏仁、芒消，合研如脂，和散，取如弹丸一枚，别捣甘遂末一钱匕，白蜜二合，水二升，煮取一升，温顿服之。一宿乃下，如不下，更服，取下为效。禁如药法。

132. 结胸证，其脉浮大者，不可下，下之则死。

133. 结胸证悉具，烦躁者亦死。

134. 太阳病，脉浮而动数；浮则为风，数则为热，动则为痛，数则为虚，头痛发热，微盗汗出，而反恶寒者，表未解也。医反下之，动数变迟，膈内拒痛一云头痛即眩，胃中空虚，客气动膈，短气躁烦，心中懊侬，阳气内陷，心下因鞕，则为结胸，大陷胸汤主之。若不结胸，但头汗出，余处无汗，剂颈而还，小便不利，身必发黄，大陷胸汤。方二。

大黄六两，去皮　芒消一升　甘遂一钱匕

右三味，以水六升，先煮大黄取二升，去滓，内芒消，煮一两沸，内甘遂末，温服一升，得快利止后服。

135. 伤寒六七日，结胸热实，脉沉而紧，心下痛，按之石鞕者，大陷胸汤主之。三。用前第二方。

136. 伤寒十余日，热结在里，复往来寒热者，与大柴胡汤；但结胸，无大热者，此为水结在胸胁也，但头微汗出者，大陷胸汤主之。四。用前第二方。

### · 大柴胡汤方

柴胡半斤　枳实四枚，炙　生姜五两，切　黄芩三两　芍药三两　半夏半升，洗　大枣十二枚，擘

右七味，以水一斗二升，煮取六升，去滓再煎。温服一升，日三服。一方加大黄二两，若不加，恐不名大柴胡汤。

137. 太阳病，重发汗而复下之，不大便五六日，舌上燥而渴，日晡所小有潮热一云日晡所发，心胸大烦，从心下至少腹鞕满而痛不可近者，大陷胸汤主之。五。用前第二方。

138. 小结胸病，正在心下，按之则痛，脉浮滑者，小陷胸汤主之。方六。

黄连一两 半夏半升，洗 栝楼实大者一枚

右三味，以水六升，先煮栝楼，取三升，去滓，内诸药，煮取二升，去滓，分温三服。

139. 太阳病，二三日，不能卧，但欲起，心下必结，脉微弱者，此本有寒分也。反下之，若利止，必作结胸；未止者，四日复下之；此作协热利也。

140. 太阳病，下之，其脉促一作纵，不结胸者，此为欲解也。脉浮者，必结胸。脉紧者，必咽痛。脉弦者，必两胁拘急。脉细数者，头痛未止。脉沉紧者，必欲呕。脉沉滑者，协热利。脉浮滑者，必下血。

141. 病在阳，应以汗解之，反以冷水潠之若灌之，其热被劫不得去，弥更益烦，肉上粟起，意欲饮水，反不渴者，服文蛤散；若不差者，与五苓散。寒实结胸，无热证者，与三物小陷胸汤①。用前第六方。

---

① 与三物小陷胸汤：孙思邈本《伤寒论》（《千金翼方》卷九、卷十，又称唐本《伤寒论》）作“与三物小白散”，是。中国所藏五部宋本《伤寒论》及日本安政本皆作“与三物小陷胸汤”，皆误。当据孙思邈本《伤寒论》正。

白散亦可服。七。一云与三物小白散。

### · 文蛤散方

文蛤五两

右一味为散，以沸汤和一方寸匕服，汤用五合。

### · 五苓散方

猪苓十八铢，去黑皮　白术十八铢　泽泻一两六铢　茯苓十八铢　桂枝半两，去皮

右五味为散，更于臼中治之，白饮和方寸匕服之，日三服，多饮暖水，汗出愈。

### · 白散方

桔梗三分　巴豆一分，去皮心，熬黑，研如脂　贝母三分

右三味为散，内巴豆，更于臼中杵之，以白饮和服，强人半钱匕，羸者减之。病在膈上必吐，在膈下必利，不利，进热粥一杯；利过不止，进冷粥一杯。身热皮粟不解，欲引衣自覆，若以水潠之、洗之，益令热却不得出，当汗而不汗则烦，假令汗出已，腹中痛，与芍药三两如上法。

142. 太阳与少阳并病，头项强痛，或眩冒，时如结胸，心下痞鞕者，当刺大椎第一间、肺俞、肝俞，慎不可发汗；发汗则谵语，脉弦。五日谵语不止，当刺期门。八。

143. 妇人中风，发热恶寒，经水适来，得之七八日，热除而脉迟身凉。胸胁下满，如结胸状，谵语者，此为热入血室也，当刺期门，随其实而取之。九。

144. 妇人中风，七八日续得寒热，发作有时，经水适断者，此为热入血室，其血必结，故使如疟状，发作有时，小柴胡汤主之。方十。

柴胡半斤　黄芩三两　人参三两　半夏半升，洗　甘草三两　生姜三两，切　大枣十二枚，擘

右七味，以水一斗二升，煮取六升，去滓，再煎取三升，温服一升，日三服。

145. 妇人伤寒，发热，经水适来，昼日明了，暮则谵语如见鬼状者，此为热入血室，无犯胃气，及上二焦，必自愈。十一。

146. 伤寒六七日，发热，微恶寒，支节烦疼，微呕，心下支结，外证未去者，柴胡桂枝汤主之。方十二。

桂枝去皮　黄芩一两半　人参一两半　甘草一两，炙　半夏二合半，洗　芍药一两半　大枣六枚，擘　生姜一两半，切　柴胡四两

右九味，以水七升，煮取三升，去滓，温服一升。本云，人参汤，作如桂枝法，加半夏、柴胡、黄芩，复如柴胡法，今用人参作半剂。

147. 伤寒五六日，已发汗而复下之，胸胁满，微结，小便不利，渴而不呕，但头汗出，往来寒热，心烦者，此为未解

也，柴胡桂枝干姜汤主之。方十三。

柴胡半斤　桂枝三两，去皮　干姜二两　栝楼根四两　黄芩三两　牡蛎二两，熬　甘草二两，炙

右七味，以水一斗二升，煮取六升，去滓，再煎取三升，温服一升，日三服。初服微烦，复服汗出便愈。

148. 伤寒五六日，头汗出，微恶寒，手足冷，心下满，口不欲食，大便鞭，脉细者，此为阳微结，必有表，复有里也。脉沉亦在里也，汗出为阳微，假令纯阴结，不得复有外证，悉入在里，此为半在里半在外也。脉虽沉紧，不得为少阴病。所以然者，阴不得有汗，今头汗出，故知非少阴也，可与小柴胡汤。设不了了者，得屎而解。十四。用前第十方。

149. 伤寒五六日，呕而发热者，柴胡汤证具，而以他药下之，柴胡证仍在者，复与柴胡汤。此虽已下之，不为逆，必蒸蒸而振，却发热汗出而解。若心下满而鞭痛者，此为结胸也，大陷胸汤主之。但满而不痛者，此为痞，柴胡不中与之，宜半夏泻心汤。方十五。

半夏半升，洗　黄芩　干姜　人参　甘草炙，各三两　黄连一两　大枣十二枚，擘

右七味，以水一斗，煮取六升，去滓，再煎取三升，温服一升，日三服。须大陷胸汤者，方用前第二法。一方用半夏一升。

150. 太阳少阳并病，而反下之，成结胸，心下鞭，下利不止，水浆不下，其人心烦。

151. 脉浮而紧，而复下之，紧反入里，则作痞，按之自濡，但气痞耳。

152. 太阳中风，下利呕逆，表解者，乃可攻之。其人漐漐汗出，发作有时，头痛，心下痞鞕满，引胁下痛，干呕短气，汗出不恶寒者，此表解里未和也。十枣汤主之。方十六。

芫花熬　甘遂　大戟

右三味，等分，各别捣为散，以水一升半，先煮大枣肥者十枚，取八合，去滓，内药末，强人服一钱匕，羸人服半钱，温服之，平旦服。若下少，病不除者，明日更服，加半钱，得快下利后，糜粥自养。

153. 太阳病，医发汗，遂发热恶寒，因复下之，心下痞，表里俱虚，阴阳气并竭，无阳则阴独。复加烧针，因胸烦，面色青黄，肤瞤者，难治；今色微黄，手足温者，易愈。

154. 心下痞，按之濡，其脉关上浮者，大黄黄连泻心汤主之。方十七。

大黄二两　黄连一两

右二味，以麻沸汤二升渍之，须臾绞去滓，分温再服。臣亿等看详，大黄黄连泻心汤，诸本皆二味，又后附子泻心汤，用大黄、黄连、黄芩、附子，恐是前方中亦有黄芩，后但加附子也。故后云：附子泻心汤，本云，加附子也。

155. 心下痞，而复恶寒汗出者，附子泻心汤主之。方十八。

大黄二两　黄连一两　黄芩一两　附子一枚，炮，去皮，破，别煮

取汁

右四味，切三味，以麻沸汤二升渍之，须臾绞去滓，内附子汁，分温再服。

156. 本以下之，故心下痞，与泻心汤。痞不解，其人渴而口燥烦，小便不利者，五苓散主之。十九。一方云，忍之一日乃愈。用前第七证方。

157. 伤寒汗出解之后，胃中不和，心下痞鞕，干噫，食臭，胁下有水气，腹中雷鸣下利者，生姜泻心汤主之。方二十。

生姜四两，切　甘草三两，炙　人参三两　干姜一两　黄芩三两　半夏半升，洗　黄连一两　大枣十二枚，擘

右八味，以水一斗，煮取六升，去滓，再煎，取三升，温服一升，日三服。附子泻心汤，本云，加附子；半夏泻心汤、甘草泻心汤，同体别名耳。生姜泻心汤，本云，理中人参黄芩汤，去桂枝、术，加黄连并泻肝法。

158. 伤寒中风，医反下之，其人下利，日数十行，谷不化，腹中雷鸣，心下痞鞕而满，干呕心烦，不得安。医见心下痞，谓病不尽，复下之，其痞益甚，此非结热，但以胃中虚，客气上逆，故使鞕也，甘草泻心汤主之。方二十一。

甘草四两，炙　黄芩三两　干姜三两　半夏半升，洗　大枣十二枚，擘　黄连一两

右六味，以水一斗，煮取六升，去滓，再煎取三升，温服

一升，日三服。臣亿等谨按，上生姜泻心汤法，本云，理中人参黄芩汤，今详泻心以疗痞，痞气因发阴而生，是半夏、生姜、甘草泻心三方皆本于理中也，其方必各有人参，今甘草泻心中无者，脱落之也。又按，《千金》并《外台秘要》，治伤寒䘌食用此方，皆有人参，知脱落无疑。

159. 伤寒服汤药，下利不止，心下痞鞕。服泻心汤已，复以他药下之，利不止，医以理中与之，利益甚。理中者，理中焦，此利在下焦，赤石脂禹余粮汤主之。复不止者，当利其小便。赤石脂禹余粮汤。方二十二。

赤石脂一斤，碎　太一禹余粮一斤，碎

右二味，以水六升，煮取二升，去滓，分温三服。

160. 伤寒吐下后，发汗，虚烦，脉甚微，八九日心下痞鞕，胁下痛，气上冲咽喉，眩冒，经脉动惕①者，久而成痿。

161. 伤寒发汗，若吐若下，解后心下痞鞕，噫气不除者，旋复代赭汤主之。方二十三。

旋复花三两　人参二两　生姜五两　代赭一两　甘草三两，炙　半夏半升，洗　大枣十二枚，擘

右七味，以水一斗，煮取六升，去滓，再煎取三升。温服一升，日三服。

162. 下后不可更行桂枝汤，若汗出而喘，无大热者，可与麻黄杏子甘草石膏汤。方二十四。

麻黄四两　杏仁五十个，去皮尖　甘草二两，炙　石膏半斤，碎，

① 动惕：成无己《注解伤寒论》作“动惕”，是。

绵裹

右四味，以水七升，先煮麻黄，减二升，去白沫，内诸药，煮取三升，去滓，温服一升。本云，黄耳杯。

163. 太阳病，外证未除，而数下之，遂协热而利，利下不止，心下痞鞕，表里不解者，桂枝人参汤主之。方二十五。

桂枝四两，别切　甘草四两，炙　白术三两　人参三两　干姜三两

右五味，以水九升，先煮四味，取五升，内桂，更煮取三升，去滓，温服一升，日再夜一服。

164. 伤寒大下后，复发汗，心下痞，恶寒者，表未解也。不可攻痞，当先解表，表解乃可攻痞。解表宜桂枝汤，攻痞宜大黄黄连泻心汤。二十六。泻心汤用前第十七方。

165. 伤寒发热，汗出不解，心中痞鞕，呕吐而下利者，大柴胡汤主之。二十七。用前第四方。

166. 病如桂枝证，头不痛，项不强，寸脉微浮，胸中痞鞕，气上冲喉咽，不得息者，此为胸有寒也。当吐之，宜瓜蒂散。方二十八。

瓜蒂一分，熬黄　赤小豆一分

右二味，各别捣筛，为散已，合治之，取一钱匕，以香豉一合，用热汤七合，煮作稀糜，去滓，取汁和散，温顿服之。不吐者，少少加，得快吐乃止，诸亡血虚家，不可与瓜蒂散。

167. 病胁下素有痞，连在脐傍，痛引少腹，入阴筋者，此名藏结，死。二十九。

168. 伤寒若吐若下后，七八日不解，热结在里，表里俱热，时时恶风，大渴，舌上干燥而烦，欲饮水数升者，白虎加人参汤主之。方三十。

知母六两　石膏一斤，碎　甘草二两，炙　人参二两　粳米六合

右五味，以水一斗，煮米熟汤成，去滓，温服一升，日三服。此方立夏后、立秋前乃可服，立秋后不可服。正月、二月、三月尚凛冷，亦不可与服之，与之则呕利而腹痛。诸亡血虚家亦不可与，得之则腹痛利者，但可温之，当愈。

169. 伤寒无大热，口燥渴，心烦，背微恶寒者，白虎加人参汤主之。三十一。用前方。

170. 伤寒脉浮，发热无汗，其表不解，不可与白虎汤。渴欲饮水，无表证者，白虎加人参汤主之。三十二。用前方。

171. 太阳少阳并病，心下鞕，颈项强而眩者，当刺大椎、肺俞、肝俞，慎勿下之。三十三。

172. 太阳与少阳合病，自下利者，与黄芩汤；若呕者，黄芩加半夏生姜汤主之。三十四。

### · 黄芩汤方

黄芩三两　芍药二两　甘草二两，炙　大枣十二枚，擘

右四味，以水一斗，煮取三升，去滓，温服一升，日再夜一服。

### ·黄芩加半夏生姜汤方

黄芩三两　芍药二两　甘草二两，炙　大枣十二枚，擘　半夏半升，洗　生姜一两半，一方三两，切

右六味，以水一斗，煮取三升，去滓，温服一升，日再夜一服。

173. 伤寒胸中有热，胃中有邪气，腹中痛，欲呕吐者，黄连汤主之。方三十五。

黄连三两　甘草三两，炙　干姜三两　桂枝三两，去皮　人参二两　半夏半升，洗　大枣十二枚，擘

右七味，以水一斗，煮取六升，去滓，温服，昼三夜二。疑非仲景方。

174. 伤寒八九日，风湿相抟，身体疼烦，不能自转侧，不呕，不渴，脉浮虚而涩者，桂枝附子汤主之。若其人大便鞕一云脐下心下鞕，小便自利者，去桂加白术汤主之。三十六。

### ·桂枝附子汤方

桂枝四两，去皮　附子三枚，炮，去皮，破　生姜三两，切　大枣十二枚，擘　甘草二两，炙

右五味，以水六升，煮取二升，去滓，分温三服。

### ·去桂加白术汤方

附子三枚，炮，去皮，破　白术四两　生姜三两，切　甘草二两，炙

大枣十二枚，擘

右五味，以水六升，煮取二升，去滓，分温三服。初一服，其人身如痹，半日许复服之，三服都尽，其人如冒状，勿怪，此以附子、术并走皮内，逐水气，未得除，故使之耳，法当加桂四两。此本一方二法，以大便鞕，小便自利，去桂也；以大便不鞕，小便不利，当加桂，附子三枚恐多也。虚弱家及产妇，宜减服之。

175. 风湿相抟，骨节疼烦掣痛，不得屈伸，近之则痛剧，汗出短气，小便不利，恶风不欲去衣，或身微肿者，甘草附子汤主之。方三十七。

甘草二两，炙　附子二枚，炮，去皮，破　白术二两　桂枝四两，去皮

右四味，以水六升，煮取三升，去滓，温服一升，日三服。初服得微汗则解，能食，汗止复烦者，将服五合，恐一升多者，宜服六七合为始①。

176. 伤寒脉浮滑，此以表有热，里有寒，白虎汤主之。方三十八。

知母六两　石膏一斤，碎　甘草二两，炙　粳米六合

右四味，以水一斗，煮米熟汤成，去滓，温服一升，日三

① 始：字误，当作“妙”。此条与《金匮要略·痉湿暍第二》“甘草附子汤”条全同。《金匮要略》邓珍本、俞桥本、徐镕本、赵开美本、日本内阁文库本皆作“妙”，是。孙思邈本《伤寒论》同条作“愈”，与“妙”义近。

服。臣亿等谨按，前篇云，热结在里，表里俱热者，白虎汤主之。又云，其表不解，不可与白虎汤，此云脉浮滑，表有热，里有寒者，必表里字差矣。又阳明一证云，脉浮迟，表热里寒，四逆汤主之。又少阴一证云，里寒外热，通脉四逆汤主之。以此表里自差，明矣。《千金翼》云，白通汤非也。

177. 伤寒脉结代，心动悸，炙甘草汤主之。方三十九。

甘草四两，炙　生姜三两，切　人参二两　生地黄一斤　桂枝三两，去皮　阿胶二两　麦门冬半升，去心　麻仁半升　大枣三十枚，擘

右九味，以清酒七升，水八升，先煮八味，取三升，去滓，内胶烊消尽，温服一升，日三服。一名复脉汤。

178. 脉按之来缓，时一止复来者，名曰结。又脉来动而中止，更来小数，中有还者反动，名曰结，阴也。脉来动而中止，不能自还，因而复动者，名曰代，阴也。得此脉者必难治。

# 伤寒论卷第五

汉　张仲景述　晋　王叔和　撰次

宋　林　亿　校正

明　赵开美　校刻

沈　琳　仝校

# 辨阳明病脉证并治第八

合四十四法，方一十首，一方附，并见阳明少阳合病法。

阳明病，不吐不下，心烦者，可与调胃承气汤。第一。三味。前有阳明病二十七证。

阳明病，脉迟，汗出，不恶寒，身重短气，腹满潮热，大便鞕，大承气汤主之。若腹大满不通者，与小承气汤。第二。大承气四味，小承气三味。

阳明病，潮热，大便微鞕者，可与大承气汤。若不大便六七日，恐有燥屎，与小承气汤。若不转失气，不可攻之。后发热复鞕者，小承气汤和之。第三。用前第一方。下有二病证。

伤寒若吐下不解，至十余日，潮热，不恶寒，如见鬼状，微喘直视，大承气汤主之。第四。用前第二方。

阳明病，多汗，胃中燥，大便鞕，谵语，小承气汤主之。第五。用前第二方。

阳明病，谵语，潮热，脉滑疾者，小承气汤主之。第六。用前第二方。

阳明病，谵语，潮热，不能食，胃中有燥屎，宜大承气汤下之。第七。用前第二方。下有阳明病一证。

汗出谵语，有燥屎在胃中。过经乃可下之，宜大承气汤。第八。用前第二方。下有伤寒病一证。

三阳合病，腹满身重，谵语遗尿，白虎汤主之。第九。四味。

二阳并病，太阳证罢，潮热汗出，大便难，谵语者，宜大承气汤。第十。用前第二方。

阳明病，脉浮紧，咽燥口苦，腹满而喘，发热汗出，恶热身重。若下之，则胃中空虚，客气动膈，心中懊憹，舌上胎者，栀子豉汤主之。第十一。二味。

若渴欲饮水，舌燥者，白虎加人参汤主之。第十二。五味。

若脉浮发热，渴欲饮水，小便不利者，猪苓汤主之。第十三。五味。下有不可与猪苓汤一证。

脉浮迟，表热里寒，下利清谷者，四逆汤主之。第十四。三味。下有二病证。

阳明病，下之，外有热，手足温，不结胸，心中懊憹，不能食，但头汗出，栀子豉汤主之。第十五。用前第十一方。

阳明病，发潮热，大便溏，胸满不去者，与小柴胡汤。第十六。七味。

阳明病，胁下满，不大便而呕，舌上胎者，与小柴胡汤。第十七。用上方。

阳明中风，脉弦浮大，短气腹满，胁下及心痛，鼻干不得汗，嗜卧，身黄，小便难，潮热而哕，与小柴胡汤。第十八。用上方。

脉但浮，无余证者，与麻黄汤。第十九。四味。

阳明病，自汗出，若发汗，小便利，津液内竭，虽鞕，不可攻之。须自大便，蜜煎导而通之，宜若土瓜根、猪胆汁。第二十。一味。猪胆方附，二味。

阳明病，脉迟，汗出多，微恶寒，表未解，宜桂枝汤。第二十一。五味。

阳明病，脉浮，无汗而喘，发汗则愈，宜麻黄汤。第二十二。用前第十九方。

阳明病，但头汗出，小便不利，身必发黄，茵陈蒿汤主之。第二十三。三味。

阳明证，喜忘，必有畜血，大便黑，宜抵当汤下之。第二十四。四味。

阳明病，下之，心中懊憹而烦，胃中有燥屎者，宜大承气汤。第二十五。用前第二方。下有一病证。

病人烦热，汗出解，如疟状，日晡发热。脉实者，宜大承气汤；脉浮虚者，宜桂枝汤。第二十六。大承气汤用前第二方，桂枝汤用前第二十一方。

大下后，六七日不大便，烦不解，腹满痛，本有宿食，宜大承气汤。第二十七。用前第二方。

病人小便不利，大便乍难乍易，时有微热，宜大承气汤。第二十八。用前第二方。

食谷欲呕，属阳明也，吴茱萸汤主之。第二十九。四味。

太阳病，发热，汗出恶寒，不呕，心下痞，此以医下之也。如不下，不恶寒而渴，属阳明，但以法救之，宜五苓散。第三十。五味。下有二病证。

趺阳脉浮而涩，小便数，大便鞕，其脾为约，麻子仁丸主之。第三十一。六味。

太阳病三日，发汗不解，蒸蒸热者，调胃承气汤主之。第三十二。用前第一方。

伤寒吐后，腹胀满者，与调胃承气汤。第三十三。用前第一方。

太阳病，若吐下发汗后，微烦，大便鞕，与小承气汤和之。第三十四。用前第二方。

得病二三日，脉弱，无太阳柴胡证，烦躁，心下鞕，小便利，屎定鞕，宜大承气汤。第三十五。用前第二方。

伤寒六七日，目中不了了，睛不和，无表里证，大便难，宜大承气汤。第三十六。用前第二方。

阳明病，发热汗多者，急下之，宜大承气汤。第三十七。用前第二方。

发汗不解，腹满痛者，急下之，宜大承气汤。第三十八。用前第二方。

腹满不减，减不足言，当下之，宜大承气汤。第三十九。用前第二方。

阳明少阳合病，必下利，脉滑而数，有宿食也，当下之，宜大承气汤。第四十。用前第二方。

病人无表里证，发热七八日，脉数，可下之。假令已下，不大便者，有瘀血，宜抵当汤。第四十一。用前第二十四方。下有二病证。

伤寒七八日，身黄如橘色，小便不利，茵陈蒿汤主之。第四十二。用前第二十三方。

伤寒身黄发热，栀子蘖[1]皮汤主之。第四十三。三味。

伤寒瘀热在里，身必黄，麻黄连轺赤小豆汤主之。第四十四。八味。

179. 问曰：病有太阳阳明，有正阳阳明，有少阳阳明，何谓也？答曰：太阳阳明者，脾约一云络是也；正阳阳明者，胃家实是也；少阳阳明者，发汗利小便已，胃中燥烦实，大便难是也。

180. 阳明之为病，胃家实一作寒[2]是也。

---

① 蘖（niè）：中国所藏五部宋本《伤寒论》子目皆讹作“蘖”，日本安政本改为“蘗”。正文不误。

② 一作寒：孙思邈本《伤寒论·阳明病状》作“寒”字。“寒”字乃“塞”字之形误。“塞”与“实”义近。

181. 问曰：何缘得阳明病？答曰：太阳病，若发汗，若下，若利小便，此亡津液，胃中干燥，因转属阳明。不更衣，内实，大便难者，此名阳明也。

182. 问曰：阳明病外证云何？答曰：身热，汗自出，不恶寒，反恶热也。

183. 问曰：病有得之一日，不发热而恶寒者，何也？答曰：虽得之一日，恶寒将自罢，即自汗出而恶热也。

184. 问曰：恶寒何故自罢？答曰：阳明居中，主土也，万物所归，无所复传，始虽恶寒，二日自止，此为阳明病也。

185. 本太阳，初得病时，发其汗，汗先出不彻，因转属阳明也。伤寒发热，无汗，呕不能食，而反汗出濈濈然者，是转属阳明也。

186. 伤寒三日，阳明脉大。

187. 伤寒脉浮而缓，手足自温者，是为系在太阴。太阴者，身当发黄，若小便自利者，不能发黄。至七八日大便鞕者，为阳明病也。

188. 伤寒转系阳明者，其人濈然微汗出也。

189. 阳明中风，口苦咽干，腹满微喘，发热恶寒，脉浮而紧，若下之，则腹满小便难也。

190. 阳明病，若能食，名中风；不能食，名中寒。

191. 阳明病，若中寒者，不能食，小便不利，手足濈然汗出，此欲作固瘕①，必大便初鞕后溏。所以然者，以胃中冷，水谷不别故也。

192. 阳明病，初欲食，小便反不利，大便自调，其人骨节疼，翕翕如有热状，奄然发狂，濈然汗出而解者，此水不胜谷气，与汗共并，脉紧则愈。

193. 阳明病欲解时，从申至戌上。

194. 阳明病，不能食，攻其热必哕，所以然者，胃中虚冷故也。以其人本虚，攻其热必哕。

195. 阳明病，脉迟，食难用饱，饱则微烦，头眩，必小便难，此欲作谷瘅②。虽下之，腹满如故，所以然者，脉迟故也。

196. 阳明病，法多汗，反无汗，其身如虫行皮中状者，此以久虚故也。

197. 阳明病，反无汗，而小便利，二三日呕而咳，手足厥者，必苦头痛。若不咳不呕，手足不厥者，头不痛。一云冬阳明。

198. 阳明病，但头眩，不恶寒，故能食而咳，其人咽必

---

① 固瘕：孙思邈本《伤寒论·阳明病状》作“坚瘕”。隋代避“坚”作“固”或“鞕”。孙思邈本《伤寒论》系六朝传本故不避“坚”字。江南秘本《伤寒论》（《太平圣惠方》卷八，又称淳化本《伤寒论》，曾被北宋校正医书局选为校本）亦作“坚”字。

② 谷瘅：《脉经》卷七、《金匮玉函经》、孙思邈本《伤寒论》、成无己《注解伤寒论》皆作“谷疸”。“瘅”通“疸”。宋本《伤寒论·辨发汗吐下后病脉证并治》作“谷疸”。按，“疸”字形近而误，当作“疸”。

痛。若不咳者，咽不痛。一云冬阳明。

199. 阳明病，无汗，小便不利，心中懊侬者，身必发黄。

200. 阳明病，被火，额上微汗出，而小便不利者，必发黄。

201. 阳明病，脉浮而紧者，必潮热，发作有时，但浮者，必盗汗出。

202. 阳明病，口燥，但欲漱水，不欲咽者，此必衄。

203. 阳明病，本自汗出，医更重发汗，病已差，尚微烦不了了者，此必大便鞕故也。以亡津液，胃中干燥，故令大便鞕。当问其小便日几行，若本小便[1]日三四行，今日再行，故知大便不久出。今为小便数少，以津液当还入胃中，故知不久必大便也。

204. 伤寒呕多，虽有阳明证，不可攻之。

205. 阳明病，心下鞕满者，不可攻之。攻之，利遂不止者，死；利止者，愈。

206. 阳明病，面合色赤，不可攻之，必发热。色黄者，小便不利也。

207. 阳明病，不吐不下，心烦者，可与调胃承气汤。方一。

甘草二两，炙　芒消半升　大黄四两，清酒洗

---

① 小便：此二字为衍文。《金匮玉函经·辨阳明病形证治》、孙思邈本《伤寒论·阳明病状》皆无“小便”二字，是也。中国所藏五部宋本《伤寒论》皆衍此二字。

右三味，切，以水三升，煮二物，至一升，去滓，内芒消，更上微火一二沸，温，顿服之，以调胃气。

208. 阳明病，脉迟，虽汗出不恶寒者，其身必重，短气腹满而喘，有潮热者，此外欲解，可攻里也。手足濈然汗出者，此大便已鞕也，大承气汤主之；若汗多，微发热恶寒者，外未解也一法与桂枝汤，其热不潮，未可与承气汤；若腹大满不通者，可与小承气汤，微和胃气，勿令至大泄下。大承气汤。方二。

大黄四两，酒洗　厚朴半斤，炙，去皮　枳实五枚，炙　芒消三合

右四味，以水一斗，先煮二物，取五升，去滓，内大黄，更煮取二升，去滓，内芒消，更上微火一两沸，分温再服。得下，余勿服。

### · 小承气汤方

大黄四两　厚朴二两，炙，去皮　枳实三枚，大者，炙

右三味，以水四升，煮取一升二合，去滓，分温二服。初服汤，当更衣，不尔者，尽饮之；若更衣者，勿服之。

209. 阳明病，潮热，大便微鞕者，可与大承气汤；不鞕者，不可与之。若不大便六七日，恐有燥屎，欲知之法，少与小承气汤，汤入腹中，转失气者，此有燥屎也，乃可攻之。若不转失气者，此但初头鞕，后必溏，不可攻之，攻之必胀满不能食也。欲饮水者，与水则哕。其后发热者，必大便复鞕而少

也，以小承气汤和之。不转失气者，慎不可攻也。小承气汤。三。用前第二方。

210. 夫实则谵语，虚则郑声。郑声者，重语也。直视谵语，喘满者死，下利者亦死。

211. 发汗多，若重发汗者，亡其阳，谵语，脉短者死，脉自和者不死。

212. 伤寒若吐若下后不解，不大便五六日，上至十余日，日晡所发潮热，不恶寒，独语如见鬼状。若剧者，发则不识人，循衣摸床，惕①而不安一云顺衣妄撮，怵惕不安，微喘直视，脉弦者生，涩者死。微者，但发热谵语者，大承气汤主之。若一服利，则止后服。四。用前第一方。

213. 阳明病，其人多汗，以津液外出，胃中燥，大便必鞕，鞕则谵语，小承气汤主之；若一服谵语止者，更莫复服。五。用前第二方。

214. 阳明病，谵语，发潮热，脉滑而疾者，小承气汤主之。因与承气汤一升，腹中转气者，更服一升，若不转气者，勿更与之。明日又不大便，脉反微涩者，里虚也，为难治，不可更与承气汤也。六。用前第二方。

215. 阳明病，谵语，有潮热，反不能食者，胃中必有燥

---

① 惕：中国所藏五部宋本《伤寒论》皆作“惕”，日本安政本亦作“惕”。元刻本《注解伤寒论》及赵开美校定本《注解伤寒论》作“愓”（dàng），是。

屎五六枚也[①]；若能食者，但鞕耳，宜大承气汤下之。七。用前第二方。

216. 阳明病，下血谵语者，此为热入血室，但头汗出者，刺期门，随其实而写之，濈然汗出则愈。

217. 汗汗一作卧出谵语者，以有燥屎在胃中[②]，此为风也。须下者，过经乃可下之。下之若早，语言必乱，以表虚里实故也。下之愈，宜大承气汤。八。用前第二方。一云大柴胡汤。

218. 伤寒四五日，脉沉而喘满，沉为在里，而反发其汗，津液越出，大便为难，表虚里实，久则谵语。

219. 三阳合病，腹满身重，难以转侧，口不仁，面垢又作枯，一云向经，谵语遗尿，发汗则谵语，下之则额上生汗，手足逆冷。若自汗出者，白虎汤主之。方九。

知母六两　石膏一斤，碎　甘草二两，炙　粳米六合

右四味，以水一斗，煮米熟汤成，去滓，温服一升，日三服。

220. 二阳并病，太阳证罢，但发潮热，手足漐漐汗出，大便难而谵语者，下之则愈，宜大承气汤。十。用前第二方。

---

① 胃中必有燥屎五六枚也："胃中"二字衍。《金匮玉函经·辨阳明病形证治》《脉经·病可下证》、孙思邈本《伤寒论·阳明病状》均无"胃中"二字，是也。中国所藏五部宋本《伤寒论》及日本安政本皆衍"胃中"二字。

② 以有燥屎在胃中：中国所藏五部宋本《伤寒论》、《脉经·病可下证》《金匮玉函经·辨阳明病形证治》、孙思邈本《伤寒论》皆有"在胃中"三字。准上例，此三字为衍文。准第215条衍"胃中"之例，第238条之"胃中有燥屎"亦衍"胃中"二字也。

221. 阳明病，脉浮而紧，咽燥口苦，腹满而喘，发热汗出，不恶寒反恶热，身重。若发汗则躁，心愦愦公对切，反谵语。若加温针，必怵惕[1]烦躁，不得眠。若下之，则胃中空虚，客气动膈，心中懊侬，舌上胎者，栀子豉汤主之。方十一。

肥栀子十四枚，擘　香豉四合，绵裹

右二味，以水四升，煮栀子，取二升半，去滓，内豉，更煮取一升半，去滓，分二服，温进一服。得快吐者，止后服。

222. 若渴欲饮水，口干舌燥者，白虎加人参汤主之。方十二。

知母六两　石膏一斤，碎　甘草二两，炙　粳米六合　人参三两

右五味，以水一斗，煮米熟汤成，去滓，温服一升，日三服。

223. 若脉浮发热，渴欲饮水，小便不利者，猪苓汤主之。方十三。

猪苓去皮　茯苓　泽泻　阿胶　滑石碎，各一两

右五味，以水四升，先煮四味，取二升，去滓，内阿胶烊消，温服七合，日三服。

224. 阳明病，汗出多而渴者，不可与猪苓汤，以汗多胃中燥，猪苓汤复利其小便故也。

225. 脉浮而迟，表热里寒，下利清谷者，四逆汤主之。

---

① 怵惕："惕"字误。元刻本《注解伤寒论》作"愓（dàng）"。赵开美校定本《注解伤寒论》及其《仲景全书》所收之《伤寒论》皆误刻为"惕"，沿误至今。

方十四。

甘草二两，炙　干姜一两半　附子一枚，生用，去皮，破八片

右三味，以水三升，煮取一升二合，去滓，分温二服。强人可大附子一枚，干姜三两。

226. 若胃中虚冷，不能食者，饮水则哕。

227. 脉浮发热，口干鼻燥，能食者则衄。

228. 阳明病，下之，其外有热，手足温，不结胸，心中懊侬，饥不能食，但头汗出者，栀子豉汤主之。十五。用前第十一方。

229. 阳明病，发潮热，大便溏，小便自可，胸胁满不去者，与小柴胡汤。方十六。

柴胡半斤　黄芩三两　人参三两　半夏半升，洗　甘草三两，炙　生姜三两，切　大枣十二枚，擘

右七味，以水一斗二升，煮取六升，去滓，再煎取三升，温服一升，日三服。

230. 阳明病，胁下鞕满，不大便而呕，舌上白胎者，可与小柴胡汤，上焦得通，津液得下，胃气因和，身濈然汗出而解。十七。用上方。

231. 阳明中风，脉弦浮大而短气，腹都满，胁下及心痛，久按之气不通，鼻干不得汗，嗜卧，一身及目悉黄，小便难，有潮热，时时哕，耳前后肿，刺之小差，外不解，病过十日，脉续浮者，与小柴胡汤。十八。用上方。

232. 脉但浮，无余证者，与麻黄汤。若不尿，腹满加哕者，不治。麻黄汤。方十九。

麻黄三两，去节　桂枝二两，去皮　甘草一两，炙　杏仁七十个，去皮尖

右四味，以水九升，煮麻黄，减二升，去白沫，内诸药，煮取二升半，去滓，温服八合，覆取微似汗。

233. 阳明病，自汗出，若发汗，小便自利者，此为津液内竭，虽鞕不可攻之，当须自欲大便，宜蜜煎导而通之。若土瓜根及大猪胆汁，皆可为导。二十。

### ·蜜煎方

食蜜七合

右一味，于铜器内，微火煎，当须凝如饴状，搅之勿令焦着，欲可丸，并手捻作挺，令头锐，大如指，长二寸许。当热时急作，冷则鞕。以内谷道中，以手急抱，欲大便时乃去之。疑非仲景意，已试甚良。

又大猪胆一枚，泻汁，和少许法醋，以灌谷道内，如一食顷，当大便，出宿食恶物，甚效。

234. 阳明病，脉迟，汗出多，微恶寒者，表未解也，可发汗，宜桂枝汤。二十一。

桂枝三两，去皮　芍药三两　生姜三两　甘草二两，炙　大枣十二枚，擘

右五味，以水七升，煮取三升，去滓，温服一升，须臾啜热稀粥一升，以助药力取汗。

235. 阳明病，脉浮，无汗而喘者，发汗则愈，宜麻黄汤。二十二。用前第十九方。

236. 阳明病，发热汗出者，此为热越，不能发黄也。但头汗出，身无汗，剂颈而还，小便不利，渴引水浆者，此为瘀热在里，身必发黄，茵陈蒿汤主之。方二十三。

茵陈蒿六两　栀子十四枚，擘　大黄二两，去皮

右三味，以水一斗二升，先煮茵陈，减六升，内二味，煮取三升，去滓，分三服。小便当利，尿如皂荚汁状，色正赤，一宿腹减，黄从小便去也。

237. 阳明证，其人喜忘者，必有畜血。所以然者，本有久瘀血，故令喜忘。屎虽鞕，大便反易，其色必黑者，宜抵当汤下之。方二十四。

水蛭熬　蝱虫去翅足，熬，各三十个　大黄三两，酒洗　桃仁二十个，去皮尖及两人者

右四味，以水五升，煮取三升，去滓，温服一升，不下更服。

238. 阳明病，下之，心中懊憹而烦，胃中有燥屎者，可攻。腹微满，初头鞕，后必溏，不可攻之。若有燥屎者，宜大承气汤。二十五。用前第二方。

239. 病人不大便五六日，绕脐痛，烦躁，发作有时者，

此有燥屎，故使不大便也。

240. 病人烦热，汗出则解，又如疟状，日晡所发热者，属阳明也。脉实者，宜下之；脉浮虚者，宜发汗。下之与大承气汤，发汗宜桂枝汤。二十六。大承气汤用前第二方，桂枝汤用前第二十一方。

241. 大下后，六七日不大便，烦不解，腹满痛者，此有燥屎也。所以然者，本有宿食故也，宜大承气汤。二十七。用前第二方。

242. 病人小便不利，大便乍难乍易，时有微热，喘冒一作怫郁，不能卧者，有燥屎也，宜大承气汤。二十八。用前第二方。

243. 食谷欲呕，属阳明也，吴茱萸汤主之。得汤反剧者，属上焦也。吴茱萸汤。方二十九。

吴茱萸一升，洗　人参三两　生姜六两，切　大枣十二枚，擘

右四味，以水七升，煮取二升，去滓，温服七合，日三服。

244. 太阳病，寸缓关浮尺弱，其人发热汗出，复恶寒，不呕，但心下痞者，此以医下之也。如其不下者，病人不恶寒而渴者，此转属阳明也。小便数者，大便必鞕，不更衣十日，无所苦也。渴欲饮水，少少与之，但以法救之。渴者，宜五苓散。方三十。

猪苓去皮　白术　茯苓各十八铢　泽泻一两六铢　桂枝半两，去皮

右五味，为散，白饮和服方寸匕，日三服。

245. 脉阳微而汗出少者，为自和一作如也，汗出多者，为太过。阳脉实，因发其汗，出多者，亦为太过。太过者，为阳绝于里，亡津液，大便因鞕也。

246. 脉浮而芤，浮为阳，芤为阴，浮芤相抟，胃气生热，其阳则绝。

247. 趺阳脉浮而涩，浮则胃气强，涩则小便数，浮涩相抟，大便则鞕，其脾为约，麻子仁丸主之。方三十一。

麻子仁二升　芍药半斤　枳实半斤，炙　大黄一斤，去皮　厚朴一尺，炙，去皮　杏仁一升，去皮尖，熬，别作脂

右六味，蜜和，丸如梧桐子大，饮服十丸，日三服，渐加，以知为度。

248. 太阳病三日，发汗不解，蒸蒸发热者，属胃也，调胃承气汤主之。三十二。用前第一方。

249. 伤寒吐后，腹胀满者，与调胃承气汤。三十三。用前第一方。

250. 太阳病，若吐若下若发汗后，微烦，小便数，大便因鞕者，与小承气汤和之，愈。三十四。用前第二方。

251. 得病二三日，脉弱，无太阳柴胡证，烦躁，心下鞕，至四五日，虽能食，以小承气汤，少少与，微和之，令小安；至六日，与承气汤一升。若不大便六七日，小便少者，虽不受食一云不大便，但初头鞕，后必溏，未定成鞕，攻之必溏；须小便利，屎定鞕，乃可攻之，宜大承气汤。三十五。用前第二方。

252. 伤寒六七日，目中不了了，睛不和，无表里证，大便难，身微热者，此为实也，急下之，宜大承气汤。三十六。用前第二方。

253. 阳明病，发热，汗多者，急下之，宜大承气汤。三十七。用前第二方。一云大柴胡汤。

254. 发汗不解，腹满痛者，急下之，宜大承气汤。三十八。用前第二方。

255. 腹满不减，减不足言，当下之，宜大承气汤。三十九。用前第二方。

256. 阳明少阳合病，必下利，其脉不负者，为顺也。负者，失也，互相克贼，名为负也。脉滑而数者，有宿食也，当下之，宜大承气汤。四十。用前第二方。

257. 病人无表里证，发热七八日，虽脉浮数者，可下之。假令已下，脉数不解，合热则消谷喜饥，至六七日不大便者，有瘀血，宜抵当汤。四十一。用前第二十四方。

258. 若脉数不解，而下不止，必协热便脓血也。

259. 伤寒发汗已，身目为黄，所以然者，以寒湿一作温在里不解故也。以为不可下也，于寒湿中求之。

260. 伤寒七八日，身黄如橘子色，小便不利，腹微满者，茵陈蒿汤主之。四十二。用前第二十三方。

261. 伤寒身黄发热，栀子蘗皮汤主之。方四十三。

肥栀子十五个，擘　甘草一两，炙　黄蘗二两右三味，以水四升，煮取一升半，去滓，分温再服。

262. 伤寒瘀热在里，身必黄，麻黄连轺赤小豆汤主之。方四十四。

麻黄二两，去节　连轺二两，连翘根是　杏仁四十个，去皮尖　赤小豆一升　大枣十二枚，擘　生梓白皮切，一升　生姜二两，切　甘草二两，炙

右八味，以潦水一斗，先煮麻黄再沸，去上沫，内诸药，煮取三升，去滓，分温三服，半日服尽。

## 辨少阳病脉证并治第九

方一首，并见三阳合病法。

太阳病不解，转入少阳，胁下鞕满，干呕不能食，往来寒热，尚未吐下，脉沉紧者，与小柴胡汤。第一。七味。

263. 少阳之为病，口苦，咽干，目眩也。

264. 少阳中风，两耳无所闻，目赤，胸中满而烦者，不可吐下，吐下则悸而惊。

265. 伤寒，脉弦细，头痛发热者，属少阳。少阳不可发汗，发汗则谵语。此属胃，胃和则愈，胃不和烦而悸一云躁。

266. 本太阳病不解，转入少阳者，胁下鞕满，干呕不能

食，往来寒热，尚未吐下，脉沉紧者，与小柴胡汤。方一。

柴胡八两　人参三两　黄芩三两　甘草三两，炙　半夏半斤，洗　生姜三两，切　大枣十二枚，擘

右七味，以水一斗二升，煮取六升，去滓，再煎取三升，温服一升，日三服。

267. 若已吐下、发汗、温针，谵语，柴胡汤证罢，此为坏病。知犯何逆，以法治之。

268. 三阳合病，脉浮大，上关上，但欲眠睡，目合则汗。

269. 伤寒六七日，无大热，其人躁烦者，此为阳去入阴故也。

270. 伤寒三日，三阳为尽，三阴当受邪，其人反能食而不呕，此为三阴不受邪也。

271. 伤寒三日，少阳脉小者，欲已也。

272. 少阳病欲解时，从寅至辰上。

# 伤寒论卷第六

汉　张仲景述　晋　王叔和　撰次

宋　林　亿　校正

明　赵开美　校刻

沈　琳　仝校

# 辨太阴病脉证并治第十

合三法，方三首。

太阴病，脉浮，可发汗，宜桂枝汤。第一。五味。前有太阴病三证①。

自利不渴者，属太阴，以其藏寒故也，宜服四逆辈。第二。下有利自止一证。

本太阳病，反下之，因腹满痛，属太阴，桂枝加芍药汤主之；大实痛者，桂枝加大黄汤主之。第三。桂枝加芍药汤，五味；加大黄汤，六味。减大黄、芍药法附。

273. 太阴之为病，腹满而吐，食不下，自利益甚，时腹自痛。若下之，必胸下结鞕。

274. 太阴中风，四肢烦疼，阳微阴涩而长者，为欲愈。

275. 太阴病欲解时，从亥至丑上。

276. 太阴病，脉浮者，可发汗，宜桂枝汤。方一。

桂枝三两，去皮　芍药三两　甘草二两，炙　生姜三两，切　大枣十二枚，擘

---

① 前有太阴病三证：有方之条曰“法”，无方之条曰“证”。此条为第276条子目，其前之第273、274、275条皆无方剂，属于“证”条，故云“前有太阴病三证”。

右五味，以水七升，煮取三升，去滓，温服一升。须臾啜热稀粥一升，以助药力，温覆取汗。

277. 自利不渴者，属太阴，以其藏有寒故也，当温之，宜服四逆辈。二。

278. 伤寒脉浮而缓，手足自温者，系在太阴；太阴当发身黄，若小便自利者，不能发黄；至七八日，虽暴烦，下利日十余行，必自止，以脾家实，腐秽当去故也。

279. 本太阳病，医反下之，因尔腹满时痛者，属太阴也，桂枝加芍药汤主之；大实痛者，桂枝加大黄汤主之。三。

### ·桂枝加芍药汤方

桂枝三两，去皮 芍药六两 甘草二两，炙 大枣十二枚，擘 生姜三两，切

右五味，以水七升，煮取三升，去滓，温分三服。本云，桂枝汤，今加芍药。

### ·桂枝加大黄汤方

桂枝三两，去皮 大黄二两 芍药六两 生姜三两，切 甘草二两，炙 大枣十二枚，擘

右六味，以水七升，煮取三升，去滓。温服一升，日三服。

280. 太阴为病，脉弱，其人续自便利，设当行大黄芍药者，宜减之，以其人胃气弱易动故也。下利者，先煎芍药三沸。

# 辨少阴病脉证并治第十一

合二十三法①，方一十九首。

少阴病，始得之，发热脉沉者，麻黄细辛附子汤主之。第一。三味。前有少阴病二十证。

少阴病，二三日，麻黄附子甘草汤微发汗。第二。三味。

少阴病，二三日以上，心烦不得卧，黄连阿胶汤主之。第三。五味。

少阴病，一二日，口中和，其背恶寒，附子汤主之。第四。五味。

少阴病，身体痛，手足寒，骨节痛，脉沉者，附子汤主之。第五。用前第四方②。

少阴病，下利便脓血者，桃花汤主之。第六。三味。

---

① 合二十三法：本节有23条附有治法（方剂）的条文。如标有“方一”“方二”“方三”等的条文皆属于“法”条。有方曰“法”，无方曰“证”，贯彻全书。在此基础上，《伤寒论》形成三百九十七法。今人不分“法”条与“证”条，按自然条序漫数为397条以附会三百九十七法，误矣！

② 用前第四方：北宋校正医书局将卷末之方剂按条文提示分别附在相关条文之下，使方证同条，形成“法”条之下附有方剂的模式。此前，方剂与条文分置，方剂位于卷末，不便使用。方证同条，始于孙思邈，扩大并定格于北宋校正医书局，每条设方序，凡重复使用之方，只言用前某方而不举全方以省烦。林亿等《伤寒论序》云“除复重”指此。

少阴病，二三日至四五日，腹痛，小便不利，便脓血者，桃花汤主之。第七。用前第六方。下有少阴病一证[①]。

少阴病，吐利，手足逆冷，烦躁欲死者，吴茱萸汤主之。第八。四味。

少阴病，下利咽痛，胸满心烦者，猪肤汤主之。第九。三味。

少阴病，二三日，咽痛，与甘草汤；不差，与桔梗汤。第十。甘草汤，一味。桔梗汤，二味。

少阴病，咽中生疮，不能语言，声不出者，苦酒汤主之。第十一。三味。

少阴病，咽痛，半夏散及汤主之。第十二。三味。

少阴病，下利，白通汤主之。第十三。三味。

少阴病，下利，脉微，与白通汤。利不止，厥逆无脉，干呕者，白通加猪胆汁汤主之。第十四。白通汤用前第十三方。加猪胆汁汤，五味。

少阴病，至四五日，腹痛，小便不利，四肢沉重疼痛，自下利，真武汤主之。第十五。五味。加减法附。

少阴病，下利清谷，里寒外热，手足厥逆，脉微欲绝，恶寒，或利止脉不出，通脉四逆汤主之。第十六。三

---

① 下有少阴病一证：此条是第 307 条之子目，其下为第 308 条："少阴病，下利便脓血者，可刺。"此条无方，故曰"证"。"证"条不入子目，只在"法"条下提示。北宋校正医书局对"法"条与"证"条的区分非常严格。序称"证外合三百九十七法"绝对不包含"证"条。

味。加减法附。

少阴病，四逆，或咳，或悸，四逆散主之。第十七。四味。加减法附。

少阴病，下利六七日，咳而呕，渴，烦不得眠，猪苓汤主之。第十八。五味。

少阴病，二三日，口燥咽干者，宜大承气汤。第十九。四味。

少阴病，自利清水，心下痛，口干者，宜大承气汤。第二十。用前第十九方。

少阴病，六七日，腹满不大便，宜大承气汤。第二十一。用前第十九方。

少阴病，脉沉者，急温之，宜四逆汤。第二十二。三味。

少阴病，食入则吐，心中温温欲吐，手足寒，脉弦迟，当温之，宜四逆汤。第二十三。用前第二十二方。下有少阴病一证。

281. 少阴之为病，脉微细，但欲寐也。

282. 少阴病，欲吐不吐，心烦，但欲寐，五六日自利而渴者，属少阴也，虚故引水自救，若小便色白者，少阴病形悉具。小便白者，以下焦虚有寒，不能制水，故令色白也。

283. 病人脉阴阳俱紧，反汗出者，亡阳也，此属少阴，法当咽痛而复吐利。

284. 少阴病，咳而下利，谵语者，被火气劫故也，小便必难，以强责少阴汗也。

285. 少阴病，脉细沉数，病为在里，不可发汗。

286. 少阴病，脉微，不可发汗，亡阳故也；阳已虚，尺脉弱涩者，复不可下之。

287. 少阴病，脉紧，至七八日，自下利，脉暴微，手足反温，脉紧反去者，为欲解也，虽烦下利，必自愈。

288. 少阴病，下利，若利自止，恶寒而踡卧，手足温者，可治。

289. 少阴病，恶寒而踡，时自烦，欲去衣被者，可治。

290. 少阴中风，脉阳微阴浮者，为欲愈。

291. 少阴病欲解时，从子至寅上[①]。

292. 少阴病，吐利，手足不逆冷，反发热者，不死。脉不至者至一作足[②]，灸少阴七壮。

293. 少阴病，八九日，一身手足尽热者，以热在膀胱，必便血也。

294. 少阴病，但厥无汗，而强发之，必动其血，未知从何道出，或从口鼻，或从目出者，是名下厥上竭，为难治。

295. 少阴病，恶寒身踡而利，手足逆冷者，不治。

---

① 从子至寅：《金匮玉函经》、孙思邈本《伤寒论·少阴病状》作“从子尽寅”。

② 至一作足：江南秘本《伤寒论·辨可灸形证》作“足”。孙思邈本《伤寒论·少阴病状》亦作“足”。

296. 少阴病，吐利躁烦，四逆者死。

297. 少阴病，下利止而头眩，时时自冒者死。

298. 少阴病，四逆，恶寒而身踡，脉不至，不烦而躁者死一作吐利而躁逆者死。

299. 少阴病，六七日，息高者死。

300. 少阴病，脉微细沉，但欲卧，汗出不烦，自欲吐，至五六日自利，复烦躁不得卧寐者死。

301. 少阴病，始得之，反发热、脉沉者，麻黄细辛附子汤主之。方一。

麻黄二两，去节　细辛二两　附子一枚，炮，去皮，破八片

右三味，以水一斗，先煮麻黄，减二升，去上沫，内诸药，煮取三升，去滓，温服一升，日三服。

302. 少阴病，得之二三日，麻黄附子甘草汤微发汗。以二三日无证①，故微发汗也。方二。

麻黄二两，去节　甘草二两，炙　附子一枚，炮，去皮，破八片

右三味，以水七升，先煮麻黄一两沸，去上沫，内诸药，煮取三升，去滓，温服一升，日三服。

303. 少阴病，得之二三日以上，心中烦，不得卧，黄连阿胶汤主之。方三。

---

① 无证：《金匮玉函经·辨少阴病形证治》作“无里证”。中国所藏五部宋本《伤寒论》、元刻本《注解伤寒论》、赵开美校定本《注解伤寒论》、孙思邈本《伤寒论》均无“里”字。

黄连四两　黄芩二两　芍药二两　鸡子黄二枚　阿胶三两，一云三挺

右五味，以水六升，先煮三物，取二升，去滓，内胶烊尽，小冷，内鸡子黄，搅令相得，温服七合，日三服。

304. 少阴病，得之一二日，口中和，其背恶寒者，当灸之，附子汤主之。方四。

附子二枚，炮，去皮，破八片　茯苓三两　人参二两　白术四两　芍药三两

右五味，以水八升，煮取三升，去滓，温服一升，日三服。

305. 少阴病，身体痛，手足寒，骨节痛，脉沉者，附子汤主之。五。用前第四方。

306. 少阴病，下利便脓血者，桃花汤主之。方六。

赤石脂一斤，一半全用，一半筛末　干姜一两　粳米一升

右三味，以水七升，煮米令熟，去滓，温服七合，内赤石脂末方寸匕，日三服。若一服愈，余勿服。

307. 少阴病，二三日至四五日，腹痛，小便不利，下利不止，便脓血者，桃花汤主之。七。用前第六方。

308. 少阴病，下利便脓血者，可刺。

309. 少阴病，吐利，手足逆冷，烦躁欲死者，吴茱萸汤主之。方八。

吴茱萸一升　人参二两　生姜六两，切　大枣十二枚，擘

右四味，以水七升，煮取二升，去滓，温服七合，日三服。

310. 少阴病，下利咽痛，胸满心烦，猪肤汤主之。方九。

猪肤一斤

右一味，以水一斗，煮取五升，去滓，加白蜜一升，白粉五合熬香，和令相得，温分六服。

311. 少阴病，二三日，咽痛者，可与甘草汤，不差，与桔梗汤。十[1]。

### ·甘草汤方

甘草二两

右一味，以水三升，煮取一升半，去滓，温服七合，日二服。

### ·桔梗汤方

桔梗一两　甘草二两

右二味，以水三升，煮取一升，去滓，温分再服。

312. 少阴病，咽中伤，生疮，不能语言，声不出者，苦酒汤主之。方十一。

半夏洗，破如枣核，十四枚　鸡子一枚，去黄，内上苦酒，着鸡子壳中

右二味，内半夏着苦酒中，以鸡子壳置刀环中，安火上，

---

① 十：此条有方，当云“方十”。脱“方”字。

令三沸，去滓，少少含咽之，不差，更作三剂。

313. 少阴病，咽中痛，半夏散及汤主之。方十二。

半夏洗 桂枝去皮 甘草炙

右三味，等分。各别捣筛已，合治之，白饮和服方寸匕，日三服。若不能散服者，以水一升，煎七沸，内散两方寸匕，更煮三沸，下火令小冷，少少咽之。半夏有毒，不当散服。

314. 少阴病，下利，白通汤主之。方十三。

葱白四茎 干姜一两 附子一枚，生，去皮，破八片

右三味，以水三升，煮取一升，去滓，分温再服。

315. 少阴病，下利脉微者，与白通汤。利不止，厥逆无脉，干呕烦者，白通加猪胆汁汤主之。服汤脉暴出者死，微续者生。白通加猪胆汤。方十四。白通汤用上方。

葱白四茎 干姜一两 附子一枚，生，去皮，破八片 人尿五合 猪胆汁一合

右五味，以水三升，煮取一升，去滓，内胆汁、人尿，和令相得，分温再服。若无胆，亦可用。

316. 少阴病，二三日不已，至四五日，腹痛，小便不利，四肢沉重疼痛，自下利者，此为有水气，其人或咳，或小便利，或下利，或呕者，真武汤主之。方十五。

茯苓三两 芍药三两 白术二两 生姜三两，切 附子一枚，炮，去皮，破八片

右五味，以水八升，煮取三升，去滓，温服七合，日三

服。若咳者，加五味子半升，细辛一两，干姜一两；若小便利者，去茯苓；若下利者，去芍药，加干姜二两；若呕者，去附子，加生姜，足前为半斤。

317. 少阴病，下利清谷，里寒外热，手足厥逆，脉微欲绝，身反不恶寒，其人面色赤，或腹痛，或干呕，或咽痛，或利止脉不出者，通脉四逆汤主之。方十六。

甘草二两，炙　附子大者一枚，生用，去皮，破八片　干姜三两，强人可四两

右三味，以水三升，煮取一升二合，去滓，分温再服，其脉即出者愈。面色赤者，加葱九茎；腹中痛者，去葱，加芍药二两；呕者，加生姜二两；咽痛者，去芍药，加桔梗一两；利止脉不出者，去桔梗，加人参二两。病皆与方相应者，乃服之。

318. 少阴病，四逆，其人或咳，或悸，或小便不利，或腹中痛，或泄[①]利下重者，四逆散主之。方十七。

甘草炙　枳实破，水渍，炙干　柴胡　芍药

右四味，各十分，捣筛，白饮和服方寸匕，日三服。咳者，加五味子、干姜各五分，并主下利；悸者，加桂枝五分；小便不利者，加茯苓五分；腹中痛者，加附子一枚，炮令坼；泄利下重者，先以水五升煮薤白三升，煮取三升，去滓，以散三方寸匕内汤中，煮取一升半，分温再服。

---

① 泄：中国所藏五部宋本《伤寒论》“泄”或作“洩”，以避李世民之名讳。孙思邈本《伤寒论·少阴病状》作“洩”。

319. 少阴病，下利六七日，咳而呕渴，心烦不得眠者，猪苓汤主之。方十八。

猪苓去皮　茯苓　阿胶　泽泻　滑石各一两

右五味，以水四升，先煮四物，取二升，去滓，内阿胶烊尽，温服七合，日三服。

320. 少阴病，得之二三日，口燥咽干者，急下之，宜大承气汤。方十九。

枳实五枚，炙　厚朴半斤，去皮，炙　大黄四两，酒洗　芒消三合

右四味，以水一斗，先煮二味，取五升，去滓，内大黄，更煮取二升，去滓，内芒消，更上火令一两沸，分温再服。一服得利，止后服。

321. 少阴病，自利清水，色纯青，心下必痛，口干燥者，可下之，宜大承气汤。二十。用前第十九方。一法用大柴胡[①]。

322. 少阴病，六七日，腹胀[②]不大便者，急下之，宜大承气汤。二十一。用前第十九方。

323. 少阴病，脉沉者，急温之，宜四逆汤。方二十二。

甘草二两，炙　干姜一两半　附子一枚，生用，去皮，破八片

右三味，以水三升，煮取一升二合，去滓，分温再服。强

---

① 一法用柴胡：《脉经·病可下证》作“属大柴胡汤”。江南秘本《伤寒论·辨厥阴病形证》作“宜大柴胡汤”。

② 腹胀：《脉经·病可下证》、江南秘本《伤寒论·辨可下证》、孙思邈本《伤寒论·宜下》均作“腹满”。

人可大附子一枚，干姜三两。

324. 少阴病，饮食入口则吐，心中温温欲吐，复不能吐，始得之，手足寒，脉弦迟者，此胸中实，不可下也，当吐之。若膈上有寒饮，干呕者，不可吐也，当温之，宜四逆汤。二十三。方依上法。

325. 少阴病，下利，脉微涩，呕而汗出，必数更衣，反少者，当温其上，灸之。《脉经》云：灸厥阴可五十壮[1]。

## 辨厥阴病脉证并治第十二

《厥利呕哕》附[2]，合一十九法，方一十六首。

伤寒病，蚘厥，静而时烦，为藏寒。蚘上入膈，故

---

① 《脉经》云：灸厥阴可五十壮："灸厥阴可五十壮"七字非《脉经》原文而是北宋校正医书局小注。孙思邈本《伤寒论·宜灸》小注亦有此句，其亦非原文。《金匮玉函经·辨可灸病形证治》原文亦无此七字。

② 《厥利呕哕》附：北宋校正医书局所据底本（高继冲进献本）《厥阴病脉证并治》与《厥利呕哕病形证治》分为两篇，校正医书局将《厥利呕哕病形证治》附于《厥阴病脉证并治》之后而留此"《厥利呕哕》附"五字。《金匮玉函经》卷四将《厥阴病脉证并治》与《厥利呕哕病形证治》分为两篇，尚存古貌。《章太炎全集·医论集·苏州国医学校讲演词》云："近世坊间流传之《伤寒论》误将《厥利呕哕》列入《厥阴》篇中，殊失仲景立论之本旨。其实《厥阴》篇中，仅首条提纲及各条上著有'厥阴病'三字者，乃为厥阴之本病。其余厥、利、呕、哕诸条，当照《金匮玉函经》与《霍乱》《劳复》《阴阳易》等另列一篇，庶几无误。"北宋校正医书局虽误合之，但留此五字尚可供后人追踪古貌。王履《医经溯洄集》对此误合亦有评说。

烦。得食而呕吐蚘者，乌梅丸主之。第一。十味。前后有厥阴病四证，厥逆一十九证。

伤寒，脉滑而厥，里有热，白虎汤主之。第二。四味。

手足厥寒，脉细欲绝者，当归四逆汤主之。第三。七味。

若内有寒者，宜当归四逆加吴茱萸生姜汤。第四。九味。

大汗出，热不去，内拘急，四肢疼，下利厥逆，恶寒者，四逆汤主之。第五。三味。

大汗，若大下利而厥冷者，四逆汤主之。第六。用前第五方。

病人手足厥冷，脉乍紧，心下满而烦，宜瓜蒂散。第七。三味。

伤寒厥而心下悸，宜先治水，当服茯苓甘草汤。第八。四味。

伤寒六七日，大下后，寸脉沉迟，手足厥逆，麻黄升麻汤主之。第九。十四味。下有欲自利一证。

伤寒本自寒下，医复吐下之，若食入口即吐，干姜黄芩黄连人参汤主之。第十。四味。下有下利一十病证。

下利清谷，里寒外热，汗出而厥者，通脉四逆汤主之。第十一。三味。

热利下重者，白头翁汤主之。第十二。四味。

下利腹胀满，身疼痛者，先温里，乃攻表。温里宜四逆汤，攻表宜桂枝汤。第十三。四逆汤用前第五方。桂枝汤，五味。

下利欲饮水者，以有热也，白头翁汤主之。第十四。用前第十二方。

下利谵语者，有燥屎也，宜小承气汤。第十五。三味。

下利后更烦，按之心下濡者，虚烦也，宜栀子豉汤。第十六。二味。

呕而脉弱，小便利，身有微热，见厥者难治，四逆汤主之。第十七。用前第五方。前有呕脓一证。

干呕，吐涎沫，头痛者，吴茱萸汤主之。第十八。四味。

呕而发热者，小柴胡汤主之。第十九。七味。下有哕二证。

326. 厥阴[①]之为病，消渴，气上撞心，心中疼热，饥而不欲食，食则吐蚘。下之，利不止。

327. 厥阴中风，脉微浮为欲愈，不浮为未愈。

328. 厥阴病欲解时，从丑至卯上。

329. 厥阴病，渴欲饮水者，少少与之，愈。

330. 诸四逆厥者，不可下之，虚家亦然。

331. 伤寒，先厥后发热而利者，必自止，见厥复利。

332. 伤寒始发热六日，厥反九日而利。凡厥利者，当不

---

① 厥阴：《脉经·平消渴小便利淋脉证》"厥阴"二字上有"师曰"二字，《脉经·病不可下证》无"师曰"二字。

能食，今反能食者，恐为除中一云消中。食以索饼，不发热者，知胃气尚在，必愈，恐暴热来出而复去也。后日脉之，其热续在者，期之旦日夜半愈。所以然者，本发热六日，厥反九日，复发热三日，并前六日，亦为九日，与厥相应，故期之旦日夜半愈。后三日脉之，而脉数，其热不罢者，此为热气有余，必发痈脓也。

333. 伤寒脉迟六七日，而反与黄芩汤彻其热，脉迟为寒，今与黄芩汤，复除其热，腹中应冷，当不能食，今反能食，此名除中，必死。

334. 伤寒先厥后发热，下利必自止，而反汗出，咽中痛者，其喉为痹。发热无汗，而利必自止，若不止，必便脓血，便脓血者，其喉不痹。

335. 伤寒一二日至四五日厥者，必发热，前热者后必厥[①]，厥深者热亦深，厥微者热亦微。厥应下之，而反发汗者，必口伤烂赤。

336. 伤寒病，厥五日，热亦五日，设六日当复厥，不厥者自愈。厥终不过五日，以热五日，故知自愈。

337. 凡厥者，阴阳气不相顺接，便为厥。厥者，手足逆

① 前热者后必厥：本书《辨不可发汗病脉证并治》同条作“前厥者后必热”，是。《脉经·病不可发汗证》《金匮玉函经·辨不可发汗病形证治》、孙思邈本《伤寒论·辨厥阴病》均作“前厥者后必热”。《金匮玉函经·辨厥利呕哕病形证治》误作“前热者后必厥”。当以《金匮玉函经·辨不可发汗病形证治》之“前厥者后必热”为准。

冷者是也。

338. 伤寒脉微而厥，至七八日肤冷，其人躁无暂安时者，此为藏厥，非蚘厥也。蚘厥者，其人当吐蚘。令病者静，而复时烦者，此为藏寒。蚘上入其膈，故烦，须臾复止，得食而呕，又烦者，蚘闻食臭出，其人常自吐蚘。蚘厥者，乌梅丸主之。又主久利。方一。

乌梅三百枚　细辛六两　干姜十两　黄连十六两　当归四两　附子六两，炮，去皮　蜀椒四两，出汗　桂枝去皮，六两　人参六两　黄蘗六两

右十味，异捣筛，合治之，以苦酒渍乌梅一宿，去核，蒸之五斗米下，饭熟捣成泥，和药令相得，内臼中，与蜜杵二千下，丸如梧桐子大，先食饮服十丸，日三服，稍加至二十丸。禁生冷滑物臭食等。

339. 伤寒热少微厥，指一作稍①头寒，嘿嘿不欲食，烦躁，数日小便利，色白者，此热除也，欲得食，其病为愈。若厥而呕，胸胁烦满者，其后必便血。

340. 病者手足厥冷，言我不结胸，小腹满，按之痛者，此冷结在膀胱关元也。

341. 伤寒发热四日，厥反三日，复热四日，厥少热多者，其病当愈。四日至七日，热不除者，必便脓血。

---

① 一作稍：作“稍”义长。

342. 伤寒厥四日，热反三日，复厥五日，其病为进。寒多热少，阳气退，故为进也。

343. 伤寒六七日，脉微，手足厥冷，烦躁，灸厥阴，厥不还者，死。

344. 伤寒发热，下利厥逆，躁不得卧者，死。

345. 伤寒发热，下利至甚，厥不止者，死。

346. 伤寒六七日，不利，便发热而利，其人汗出不止者，死。有阴无阳故也。

347. 伤寒五六日，不结胸，腹濡，脉虚复厥者，不可下，此亡血，下之死。

348. 发热[①]而厥，七日下利者，为难治。

349. 伤寒脉促，手足厥逆，可灸之。促一作纵。

350. 伤寒脉滑而厥者，里有热[②]，白虎汤主之。方二。

知母六两　石膏一斤，碎，绵裹　甘草二两，炙　粳米六合

右四味，以水一斗，煮米熟汤成，去滓，温服一升，日三服。

351. 手足厥寒，脉细欲绝者，当归四逆汤主之。方三。

当归三两　桂枝三两，去皮　芍药三两　细辛三两　甘草二两，炙

---

① 发热：《金匮玉函经·辨厥利呕哕病形证治》、孙思邈本《伤寒论·厥阴病状》“发热”上均有“伤寒”二字，是也。

② 里有热：孙思邈本《伤寒论·厥阴病状》作“其表有热”，北宋校正医书局注云：“表热见（xiàn）里，方见《杂疗》中。”按，“表热见里”亦是“里有热”之意。

通草二两　大枣二十五枚，擘，一法十二枚

右七味，以水八升，煮取三升，去滓，温服一升，日三服。

352. 若其人内有久寒者，宜当归四逆加吴茱萸生姜汤。方四。

当归三两　芍药三两　甘草二两，炙　通草二两　桂枝三两，去皮　细辛三两　生姜半斤，切　吴茱萸二升　大枣二十五枚，擘

右九味，以水六升，清酒六升和，煮取五升，去滓，温分五服。一方，水酒各四升。

353. 大汗出，热不去，内拘急，四肢疼，又下利厥逆而恶寒者，四逆汤主之。方五。

甘草二两，炙　干姜一两半　附子一枚，生用，去皮，破八片

右三味，以水三升，煮取一升二合，去滓，分温再服。若强人可用大附子一枚，干姜三两。

354. 大汗，若大下利，而厥冷者，四逆汤主之。六。用前第五方。

355. 病人手足厥冷，脉乍紧者，邪结在胸中，心下满而烦，饥不能食者，病在胸中，当须吐之，宜瓜蒂散。方七。

瓜蒂　赤小豆

右二味，各等分，异捣筛，合内臼中，更治之，别以香豉一合，用热汤七合，煮作稀糜，去滓，取汁和散一钱匕，温顿服之。不吐者，少少加，得快吐乃止。诸亡血虚家，不可与瓜

蒂散。

356. 伤寒厥而心下悸，宜先治水，当服茯苓甘草汤，却治其厥；不尔，水渍入胃，必作利也。茯苓甘草汤。方八。

茯苓二两　甘草一两，炙　生姜三两，切　桂枝二两，去皮

右四味，以水四升，煮取二升，去滓，分温三服。

357. 伤寒六七日，大下后，寸脉沉而迟，手足厥逆，下部脉不至，喉咽不利，唾脓血，泄利不止者，为难治，麻黄升麻汤主之。方九。

麻黄二两半，去节　升麻一两一分　当归一两一分　知母十八铢　黄芩十八铢　萎蕤十八铢，一作菖蒲　芍药六铢　天门冬六铢，去心　桂枝六铢，去皮　茯苓六铢　甘草六铢，炙　石膏六铢，碎，绵裹　白术六铢　干姜六铢

右十四味，以水一斗，先煮麻黄一两沸，去上沫，内诸药，煮取三升，去滓，分温三服，相去如炊三斗米顷令尽，汗出愈。

358. 伤寒四五日，腹中痛，若转气下趣少腹者，此欲自利也。

359. 伤寒本自寒下，医复吐下之，寒格更逆吐下，若食入口即吐，干姜黄芩黄连人参汤主之。方十。

干姜　黄芩　黄连　人参各三两

右四味，以水六升，煮取二升，去滓，分温再服。

360. 下利，有微热而渴，脉弱者，今自愈。

361. 下利，脉数，有微热汗出，今自愈，设复紧为未解一云设脉浮复紧。

362. 下利，手足厥冷，无脉者，灸之不温，若脉不还，反微喘者，死。少阴负趺阳者，为顺也。

363. 下利，寸脉反浮数，尺中自涩者，必清脓血。

364. 下利清谷，不可攻表，汗出必胀满。

365. 下利，脉沉弦者，下重也；脉大者为未止；脉微弱数者，为欲自止，虽发热，不死。

366. 下利，脉沉而迟，其人面少赤，身有微热，下利清谷者，必郁冒汗出而解，病人必微厥。所以然者，其面戴阳，下虚故也。

367. 下利，脉数而渴者，今自愈。设不差，必清脓血，以有热故也。

368. 下利后脉绝，手足厥冷，晬时脉还，手足温者生，脉不还者死。

369. 伤寒下利，日十余行，脉反实者，死。

370. 下利清谷，里寒外热，汗出而厥者，通脉四逆汤主之。方十一。

甘草二两，炙　附子大者一枚，生，去皮，破八片　干姜三两，强人可四两

右三味，以水三升，煮取一升二合，去滓，分温再服，其脉即出者愈。

371. 热利下重者，白头翁汤主之。方十二。

白头翁二两　黄蘗三两　黄连三两　秦皮三两

右四味，以水七升，煮取二升，去滓，温服一升，不愈更服一升。

372. 下利，腹胀满，身体疼痛者，先温其里，乃攻其表，温里宜四逆汤，攻表宜桂枝汤。十三。四逆汤，用前第五方。

### ·桂枝汤方

桂枝三两，去皮　芍药三两　甘草二两，炙　生姜三两，切　大枣十二枚，擘

右五味，以水七升，煮取三升，去滓，温服一升。须臾啜热稀粥一升。以助药力。

373. 下利欲饮水者，以有热故也，白头翁汤主之。十四。用前第十二方。

374. 下利谵语者，有燥屎也，宜小承气汤。方十五。

大黄四两，酒洗　枳实三枚，炙　厚朴二两，去皮，炙

右三味，以水四升，煮取一升二合，去滓，分二服。初一服谵语止，若更衣者，停后服，不尔尽服之。

375. 下利后更烦，按之心下濡者，为虚烦也，宜栀子豉汤。方十六。

肥栀子十四个，擘　香豉四合，绵裹

右二味，以水四升，先煮栀子，取二升半，内豉，更煮取

一升半，去滓，分再服。一服得吐，止后服。

376. 呕家有痈脓者，不可治呕，脓尽自愈。

377. 呕而脉弱，小便复利，身有微热，见厥者难治，四逆汤主之。十七。用前第五方。

378. 干呕吐涎沫，头痛者，吴茱萸汤主之。方十八。

吴茱萸一升，汤洗七遍　人参三两　大枣十二枚，擘　生姜六两，切

右四味，以水七升，煮取二升，去滓，温服七合，日三服。

379. 呕而发热者，小柴胡汤主之。方十九。

柴胡八两　黄芩三两　人参三两　甘草三两，炙　生姜三两，切　半夏半升，洗　大枣十二枚，擘

右七味，以水一斗二升，煮取六升，去滓，更煎取三升，温服一升，日三服。

380. 伤寒大吐大下之，极虚，复极汗者，其人外气怫郁，复与之水，以发其汗，因得哕。所以然者，胃中寒冷故也。

381. 伤寒哕而腹满，视其前后，知何部不利，利之即愈。

# 伤寒论卷第七

汉　张仲景述　晋　王叔和　撰次

宋　林　亿　校正

明　赵开美　校刻

沈　琳　仝校

# 辨霍乱病脉证并治第十三

合六法，方六首。

恶寒，脉微而利，利止者，亡血也，四逆加人参汤主之。第一。四味。前有吐利三证①。

霍乱，头痛，发热，身疼，热多饮水者，五苓散主之。寒多不用水者，理中丸主之。第二。五苓散，五味。理中丸，四味。作加减法附。

吐利止，身痛不休，宜桂枝汤小和之。第三。五味。

吐利汗出，发热恶寒，四肢拘急，手足厥冷者，四逆汤主之。第四。三味。

吐利，小便利，大汗出，下利清谷，内寒外热，脉微欲绝，四逆汤主之。第五。用前第四方。

吐已下断，汗出而厥，四肢不解，脉微绝，通脉四逆加猪胆汤主之。第六。四味。下有不胜谷气一证。

382. 问曰：病有霍乱者何？答曰：呕吐而利，此名霍乱。

383. 问曰：病发热头痛，身疼恶寒，吐利者，此属何病？

---

① 前有吐利三证：这是第 385 条子目的小注，第 385 条前之第 382、383、384 条均无方剂，故曰“证”。

答曰：此名霍乱，霍乱自吐下，又利止，复更发热也。

384. 伤寒，其脉微涩者，本是霍乱，今是伤寒，却四五日，至阴经上，转入阴必利。本呕，下利者，不可治也。欲似大便，而反失气，仍不利者，此属阳明也，便必鞕，十三日愈。所以然者，经尽故也。下利后当便鞕，鞕则能食者愈，今反不能食，到后经中，颇能食，复过一经能食，过之一日当愈；不愈者，不属阳明也。

385. 恶寒，脉微一作缓，而复利，利止亡血也，四逆加人参汤主之。方一。

甘草二两，炙　附子一枚，生，去皮，破八片　干姜一两半　人参一两

右四味，以水三升，煮取一升二合，去滓，分温再服。

386. 霍乱，头痛发热，身疼痛，热多欲饮水者，五苓散主之；寒多不用水者，理中丸主之。二。

### · 五苓散方

猪苓去皮　白术　茯苓各十八铢　桂枝半两，去皮　泽泻一两六铢

右五味，为散，更治之，白饮和服方寸匕，日三服。多饮暖水，汗出愈。

### · 理中丸方下有作汤加减法。

人参　干姜　甘草炙　白术各三两

右四味，捣筛，蜜和为丸，如鸡子黄许大。以沸汤数合，

和一丸，研碎，温服之，日三四、夜二服。腹中未热，益至三四丸，然不及汤。汤法，以四物，依两数切，用水八升，煮取三升，去滓，温服一升，日三服。若脐上筑者，肾气动也，去术，加桂四两；吐多者，去术，加生姜三两；下多者，还用术；悸者，加茯苓二两；渴欲得水者，加术，足前成四两半；腹中痛者，加人参，足前成四两半；寒者，加干姜，足前成四两半；腹满者，去术，加附子一枚。服汤后，如食顷，饮热粥一升许，微自温，勿发揭衣被。

387. 吐利止，而身痛不休者，当消息和解其外，宜桂枝汤小和之。方三。

桂枝三两，去皮　芍药三两　生姜三两　甘草二两，炙　大枣十二枚，擘

右五味，以水七升，煮取三升，去滓，温服一升。

388. 吐利汗出，发热恶寒，四肢拘急，手足厥冷者，四逆汤主之。方四。

甘草二两，炙　干姜一两半　附子一枚，生，去皮，破八片

右三味，以水三升，煮取一升二合，去滓，分温再服。强人可大附子一枚、干姜三两。

389. 既吐且利，小便复利，而大汗出，下利清谷，内寒外热，脉微欲绝者，四逆汤主之。五。用前第四方。

390. 吐已下断，汗出而厥，四肢拘急不解，脉微欲绝者，通脉四逆加猪胆汤主之。方六。

甘草二两，炙　干姜三两，强人可四两　附子大者一枚，生，去皮，破八片　猪胆汁半合

右四味，以水三升，煮取一升二合，去滓，内猪胆汁，分温再服，其脉即来。无猪胆，以羊胆代之。

391. 吐利发汗，脉平，小烦者，以新虚不胜谷气故也。

## 辨阴阳易差后劳复病脉证并治第十四

合六法，方六首。

伤寒阴易病，身重，少腹里急，热上冲胸，头重不欲举，眼中生花，烧裈散主之。第一。一味。

大病差后，劳复者，枳实栀子汤主之。第二。三味。下有宿食，加大黄法附。

伤寒差以后，更发热，小柴胡汤主之。第三。七味。

大病差后，从腰以下有水气者，牡蛎泽泻散主之。第四。七味。

大病差后，喜唾，久不了了，胸上有寒，当以丸药温之，宜理中丸。第五。四味。

伤寒解后，虚羸少气，气逆欲吐，竹叶石膏汤主之。第六。七味。下有病新差一证。

392. 伤寒阴易[1]之为病，其人身体重，少气，少腹里急，或引阴中拘挛，热上冲胸，头重不欲举，眼中生花花一作眵，膝胫拘急者，烧裈散主之。方一。

妇人中裈近隐处，取烧作灰。

右一味，水服方寸匕，日三服。小便即利，阴头微肿，此为愈矣。妇人病，取男子裈烧服。

393. 大病差后劳复者，枳实栀子汤主之。方二。

枳实三枚，炙　栀子十四个，擘　豉一升，绵裹

右三味，以清浆水七升，空煮取四升，内枳实、栀子，煮取二升，下豉，更煮五六沸，去滓，温分再服，覆令微似汗。若有宿食者，内大黄如博棋子五六枚，服之愈。

394. 伤寒差以后，更发热，小柴胡汤主之。脉浮者，以汗解之，脉沉实一作紧者，以下解之。方三。

柴胡八两　人参二两　黄芩二两　甘草二两，炙　生姜二两　半夏半升，洗　大枣十二枚，擘

右七味，以水一斗二升，煮取六升，去滓，再煎取三升，温服一升，日三服。

395. 大病差后，从腰以下有水气者，牡蛎泽泻散主之。方四。

牡蛎熬　泽泻　蜀漆暖水洗，去腥　葶苈子熬　商陆根熬　海

---

① 阴易：日本安政本作“阴阳易”。

藻洗，去咸 栝楼根各等分

右七味，异捣，下筛为散，更于臼中治之，白饮和服方寸匕，日三服。小便利，止后服[①]。

396. 大病差后，喜唾，久不了了，胸上有寒[②]，当以丸药温之，宜理中丸。方五。

人参 白术 甘草炙 干姜各三两

右四味，捣筛，蜜和为丸，如鸡子黄许大，以沸汤数合，和一丸，研碎，温服之，日三服。

397. 伤寒解后，虚羸少气，气逆欲吐，竹叶石膏汤主之。方六。

竹叶二把 石膏一斤 半夏半斤，洗 麦门冬一升，去心 人参二两 甘草二两，炙 粳米半升

右七味，以水一斗，煮取六升，去滓，内粳米，煮米熟汤成，去米，温服一升，日三服。

398. 病人脉已解，而日暮微烦，以病新差，人强与谷，脾胃气尚弱，不能消谷，故令微烦，损谷则愈。

---

① 小便利止后服：孙思邈本《伤寒论·阴易病已后劳复》作“小便即利”，《金匮玉函经》卷八“牡蛎泽泻散方第一百十三”下作“小便利即止”。

② 胸上有寒：成无己《注解伤寒论·辨阴阳易差病脉证并治》作“胃上有寒”，并注云：“胃中虚寒，不内津液，故喜唾。”作“胃”义长。“胸”的异体字为“胷”，与“胃”形近，故“胃”易讹为“胸”。

# 辨不可发汗病脉证并治第十五

一法，方本阙。

汗家不可发汗，发汗必恍惚心乱，小便已，阴疼，宜禹余粮丸。第一。方本阙。前后有二十九病证。

夫以为疾病至急，仓卒寻按，要者难得，故重集诸可与不可方治，比之三阴三阳篇中，此易见也。又时有不止是三阳三阴，出在诸可与不可中也。①

少阴病，脉细沉数，病为在里，不可发汗。

① 夫以为疾病至急……出在诸可与不可中也：此五十六字为王叔和语。就现有文献观之，王叔和纂集整理张仲景医篇凡三次。第一次整理之文献见《脉经》。第二次整理之文献见《张仲景方》十五卷 。此书在晋代分化为《辨伤寒》《杂病方》两书，见陈延之《小品方・序》（原书已残，今存序言及卷一，见日本影钞本）。今存之《伤寒论》为《辨伤寒》之遗存。第三次纂集整理之文献见宋本《伤寒论》的《辨不可发汗病脉证并治》至《辨发汗吐下后病脉证并治》，内有重集的《脉经》“可”与“不可”之条文。《章太炎全集・医论集・论〈伤寒论〉原本及注家优劣》云：“叔和于伤寒论真本有所改易者，唯是方名，如生姜泻心汤等。有所改编者，唯《痉湿暍》一篇，其文曰：伤寒所致太阳痉、湿、暍三种，宜应别论，以为与伤寒相似，故此见之。此则痉、湿、暍等本在《太阳》篇中，叔和乃别次于《太阳》篇外……有所出入，一皆著之明文，不于冥冥中私自更置也。‘可’‘不可’诸篇，叔和自言重集，亦不于冥冥中私自增益也。详此诸证，即知叔和搜集仲景遗文，施以编次，其矜慎也如此，犹可以改窜诬之耶?”明代王肯堂《伤寒证治准绳》亦论证王叔和三次整理张仲景遗文之事，可参。

脉浮紧者，法当身疼痛，宜以汗解之。假令尺中迟者，不可发汗。何以知然？以荣气不足，血少故也。

少阴病，脉微，不可发汗，亡阳故也。

脉濡而弱，弱反在关，濡反在巅，微反在上，涩反在下。微则阳气不足，涩则无血，阳气反微，中风汗出，而反躁烦，涩则无血，厥而且寒。阳微发汗，躁不得眠。

动气在右，不可发汗，发汗则衄而渴，心苦烦，饮即吐水。

动气在左，不可发汗，发汗则头眩，汗不止，筋惕[①]肉瞤。

动气在上，不可发汗，发汗则气上冲，正在心端。

动气在下，不可发汗，发汗则无汗，心中大烦，骨节苦疼，目运恶寒，食则反吐，谷不得前。

咽中闭塞，不可发汗，发汗则吐血，气微绝，手足厥冷，欲得踡卧，不能自温。

诸脉得数，动微弱者，不可发汗，发汗则大便难，腹中干一云小便难，胞中干[②]，胃躁而烦，其形相象，根本异源。

脉濡而弱，弱反在关，濡反在巅，弦反在上，微反在下。弦为阳运，微为阴寒，上实下虚，意欲得温。微弦为虚，不可发汗，发汗则寒栗，不能自还。

---

① 筋惕："惕"字误，当作"愓"。

② 一云小便难，胞中干：江南秘本《伤寒论·辨不可发汗形证》作"小便难，胞中干"。北宋校正医书局校定《伤寒论》时，曾以江南秘本《伤寒论》为校本也。

咳者则剧，数吐涎沫，咽中必干，小便不利，心中饥烦，晬时而发，其形似疟，有寒无热，虚而寒栗。咳而发汗，踡而苦满，腹中复坚。

厥，脉紧，不可发汗。发汗则声乱，咽嘶舌萎，声不得前。

诸逆发汗，病微者难差，剧者言乱，目眩者，死一云谵言目眩睛乱者，死，命将难全。

23. 太阳病，得之八九日，如疟状，发热恶寒，热多寒少，其人不呕，清便续自可，一日二三度发，脉微而恶寒者，此阴阳俱虚，不可更发汗也。

27. 太阳病，发热恶寒，热多寒少，脉微弱者，无阳也，不可发汗。

83. 咽喉干燥者，不可发汗。

87. 亡血不可发汗，发汗则寒栗而振。

86. 衄家不可发汗，汗出必额上陷，脉急紧，直视不能眴，不得眠音见上。

88. 汗家不可发汗，发汗必恍惚心乱，小便已，阴疼，宜禹余粮丸。一。方本阙。

84. 淋家不可发汗，发汗必便血。

85. 疮家虽身疼痛，不可发汗，汗出则痓。

364. 下利不可发汗，汗出必胀满。

咳而小便利，若失小便者，不可发汗，汗出则四肢厥逆冷。

335. 伤寒一二日至四五日厥者，必发热，前厥者后必热，厥深者热亦深，厥微者热亦微。厥应下之，而反发汗者，必口伤烂赤。

265. 伤寒脉弦细，头痛发热者，属少阳，少阳不可发汗。

伤寒头痛，翕翕发热，形象中风，常微汗出，自呕者，下之益烦，心懊憹如饥；发汗则致痓，身强难以伸屈；熏之则发黄，不得小便，久则发咳唾。

142. 太阳与少阳并病，头项强痛，或眩冒，时如结胸，心下痞鞕者，不可发汗。

太阳病发汗，因致痓。

284. 少阴病，咳而下利，谵语者，此被火气劫故也。小便必难，以强责少阴汗也。

294. 少阴病，但厥无汗，而强发之，必动其血，未知从何道出，或从口鼻，或从目出者，是名下厥上竭，为难治。

## 辨可发汗病脉证并治第十六

合四十一法，方一十四首。

太阳病，外证未解，脉浮弱，当以汗解，宜桂枝汤。第一。五味。前有四法。

脉浮而数者，可发汗，属桂枝汤证。第二。用前第一方。一法用麻黄汤。

阳明病，脉迟，汗出多，微恶寒，表未解也，属桂枝汤证。第三。用前第一方。下有可汗二证。

病人烦热，汗出解，又如疟状，脉浮虚者，当发汗，属桂枝汤证。第四。用前第一方。

病常自汗出也，此荣卫不和也，发汗则愈，属桂枝汤证。第五。用前第一方。

病人藏无他病，时发热汗出，此卫气不和也，先其时发汗则愈，属桂枝汤证。第六。用前第一方。

脉浮紧，浮为风，紧为寒，风伤卫，寒伤荣，荣卫俱病，骨节烦疼，可发汗，宜麻黄汤。第七。四味。

太阳病不解，热结膀胱，其人如狂，血自下，愈。外未解者，属桂枝汤证。第八。用前第一方。

太阳病，下之微喘者，表未解，宜桂枝加厚朴杏子汤。第九。七味。

伤寒脉浮紧，不发汗，因衄者，属麻黄汤证。第十。用前第七方。

阳明病，脉浮无汗而喘者，发汗愈，属麻黄汤证。第十一。用前第七方。

太阴病，脉浮者，可发汗，属桂枝汤证。第十二。用前第一方。

太阳病，脉浮紧，无汗，发热身疼痛，八九日表证在，当发汗，属麻黄汤证。第十三。用前第七方。

脉浮者，病在表，可发汗，属麻黄汤证。第十四。用前第七方。一法用桂枝汤。

伤寒不大便六七日，头痛有热者，与承气汤。其小便清者，知不在里，续在表，属桂枝汤证。第十五。用前第一方。

下利，腹胀满，身疼痛者，先温里，乃攻表。温里宜四逆汤，攻表宜桂枝汤。第十六。四逆汤，三味[①]。桂枝汤用前第一方。

下利后，身疼痛，清便自调者，急当救表，宜桂枝汤。第十七。用前第一方。

太阳病，头痛发热，汗出恶风寒者，属桂枝汤证。第十八。用前第一方。

太阳中风，阳浮阴弱，热发汗出，恶寒恶风，鼻鸣干呕者，属桂枝汤证。第十九。用前第一方。

太阳病，发热汗出，此为荣弱卫强，属桂枝汤证。第二十。用前第一方。

太阳病下之，气上冲者，属桂枝汤证。第二十一。用前第一方。

太阳病，服桂枝汤反烦者，先刺风池、风府，却与桂

① 三味：中国所藏五部宋本《伤寒论》皆讹作“二味”。日本安政本作“三味”，是。据改。

枝汤愈。第二十二。用前第一方。

烧针被寒，针处核起者，必发奔豚气，与桂枝加桂汤。第二十三。五味。

太阳病，项背强几几，汗出恶风者，宜桂枝加葛根汤。第二十四。七味。注见第二卷中。

太阳病，项背强几几，无汗恶风者，属葛根汤证。第二十五。用前方。

太阳阳明合病，自利，属葛根汤证。第二十六。用前方。一云用后第二十八方。

太阳阳明合病，不利，但呕者，属葛根加半夏汤。第二十七。八味。

太阳病，桂枝证，反下之，利遂不止，脉促者，表未解也；喘而汗出，属葛根黄芩黄连汤。第二十八。四味。

太阳病，头痛发热，身疼，恶风无汗，属麻黄汤证。第二十九。用前第七方。

太阳阳明合病，喘而胸满者，不可下，属麻黄汤证。第三十。用前第七方。

太阳中风，脉浮紧，发热恶寒，身疼不汗而烦躁者，大青龙汤主之。第三十一。七味。下有一病证。

阳明中风，脉弦浮大，短气，腹满，胁下及心痛，鼻干，不得汗，嗜卧，身黄，小便难，潮热，外不解，过十日，脉浮者，与小柴胡汤。脉但浮，无余证者，与麻黄汤。第三十二。小柴胡汤，七味。麻黄汤用前第七方。

太阳病，十日以去，脉浮细，嗜卧者，外解也；设胸满胁痛者，与小柴胡汤；脉但浮，与麻黄汤。第三十三。并用前方。

伤寒脉浮缓，身不疼但重，乍有轻时，无少阴证，可与大青龙汤发之。第三十四。用前第三十一方。

伤寒表不解，心下有水气，干呕，发热而咳，或渴，或利，或噎，或小便不利，或喘，小青龙汤主之。第三十五。八味。加减法附。

伤寒心下有水气，咳而微喘，发热不渴，属小青龙汤证。第三十六。用前方。

伤寒五六日中风，往来寒热，胸胁苦满，不欲饮食，心烦喜呕者，属小柴胡汤证。第三十七。用前第三十二方。

伤寒四五日，身热恶风，颈项强，胁下满，手足温而渴，属小柴胡汤证。第三十八。用前第三十二方。

伤寒六七日，发热微恶寒，支节烦疼，微呕，心下支结，外证未去者，柴胡桂枝汤主之。第三十九。九味。

少阴病，得之二三日，麻黄附子甘草汤，微发汗。第四十。三味。

脉浮，小便不利，微热消渴者，与五苓散。第四十一。五味。

大法，春夏宜发汗。

凡发汗，欲令手足俱周，时出似漐漐然，一时间许益佳。不可令如水流离。若病不解，当重发汗。汗多者必亡阳，阳虚不得重发汗也。

凡服汤发汗，中病便止，不必尽剂也。

凡云可发汗，无汤者，丸散亦可用，要以汗出为解，然不如汤随证良验。

42. 太阳病，外证未解，脉浮弱者，当以汗解，宜桂枝汤。方一。

桂枝三两，去皮　芍药三两　甘草二两，炙　生姜三两，切　大枣十二枚，擘

右五味，以水七升，煮取三升，去滓，温服一升。啜粥，将息如初法。

52. 脉浮而数者，可发汗，属桂枝汤证。二。用前第一方。一法用麻黄汤。

234. 阳明病，脉迟，汗出多，微恶寒者，表未解也，可发汗，属桂枝汤证。三。用前第一方。

夫病脉浮大，问病者，言但便鞕耳。设利者，为大逆。鞕为实，汗出而解。何以故？脉浮当以汗解。

113. 伤寒，其脉不弦紧而弱，弱者必渴，被火必谵语，弱者发热脉浮，解之，当汗出愈。

240. 病人烦热，汗出即解，又如疟状，日晡所发热者，

属阳明也。脉浮虚者，当发汗，属桂枝汤证。四。用前第一方。

50. 病常自汗出者，此为荣气和，荣气和者，外不谐，以卫气不共荣气谐和故尔。以荣行脉中，卫行脉外，复发其汗，荣卫和则愈，属桂枝汤证。五。用前第一方。

54. 病人藏无他病，时发热自汗出，而不愈者，此卫气不和也。先其时发汗则愈，属桂枝汤证。六。用前第一方。

脉浮而紧，浮则为风，紧则为寒，风则伤卫，寒则伤荣，荣卫俱病，骨节烦疼，可发其汗，宜麻黄汤。方七。

麻黄三两，去节　桂枝二两　甘草一两，炙　杏仁七十个，去皮尖

右四味，以水八升，先煮麻黄，减二升，去上沫，内诸药，煮取二升半，去滓，温服八合。温覆取微似汗，不须啜粥，余如桂枝将息。

106. 太阳病不解，热结膀胱，其人如狂，血自下，下者愈。其外未解者，尚未可攻，当先解其外，属桂枝汤证。八。用前第一方。

43. 太阳病，下之微喘者，表未解也，宜桂枝加厚朴杏子汤。方九。

桂枝三两，去皮　芍药三两　生姜三两，切　甘草二两，炙　厚朴二两，炙，去皮　杏仁五十个，去皮尖　大枣十二枚，擘

右七味，以水七升，煮取三升，去滓，温服一升。

55. 伤寒脉浮紧，不发汗，因致衄者，属麻黄汤证。十。用前第七方。

235. 阳明病，脉浮，无汗而喘者，发汗则愈，属麻黄汤证。十一。用前第七方。

276. 太阴病，脉浮者，可发汗，属桂枝汤证。十二。用前第一方。

46. 太阳病，脉浮紧，无汗发热，身疼痛，八九日不解，表证仍在，当复发汗。服汤已，微除，其人发烦目瞑，剧者必衄，衄乃解。所以然者，阳气重故也。属麻黄汤证。十三。用前第七方。

51. 脉浮者，病在表，可发汗，属麻黄汤证。十四。用前第七方。一法用桂枝汤。

56. 伤寒不大便六七日，头痛有热者，与承气汤。其小便清者一云大便青，知不在里，续在表也，当须发汗。若头痛者，必衄，属桂枝汤证。十五。用前第一方。

372. 下利腹胀满，身体疼痛者，先温其里，乃攻其表，温里宜四逆汤，攻表宜桂枝汤。十六。用前第一方。

### ·四逆汤方

甘草二两，炙　干姜一两半　附子一枚，生，去皮，破八片

右三味，以水三升，煮取一升二合，去滓，分温再服。强人可大附子一枚，干姜三两。

91. 下利后，身疼痛，清便自调者，急当救表，宜桂枝汤发汗。十七。用前第一方。

13. 太阳病，头痛发热，汗出恶风寒者，属桂枝汤证。十

八。用前第一方。

12. 太阳中风，阳浮而阴弱，阳浮者，热自发；阴弱者，汗自出；啬啬恶寒，淅淅恶风，翕翕发热，鼻鸣干呕者，属桂枝汤证。十九。用前第一方。

95. 太阳病，发热汗出者，此为荣弱卫强，故使汗出，欲救邪风，属桂枝汤证。二十。用前第一方。

15. 太阳病，下之后，其气上冲者，属桂枝汤证。二十一。用前第一方。

24. 太阳病，初服桂枝汤，反烦不解者，先刺风池、风府，却与桂枝汤则愈。二十二。用前第一方。

117. 烧针令其汗，针处被寒，核起而赤者必发奔豚。气从少腹上撞心者，灸其核上各一壮，与桂枝加桂汤。方二十三。

桂枝五两，去皮　甘草二两，炙　大枣十二枚，擘　芍药三两　生姜三两，切

右五味，以水七升，煮取三升，去滓，温服一升。本云，桂枝汤今加桂满五两，所以加桂者，以能泄奔豚气也。

14. 太阳病，项背强几几，反汗出恶风者，宜桂枝加葛根汤。方二十四。

葛根四两　麻黄三两，去节　甘草二两，炙　芍药三两　桂枝二两　生姜三两　大枣十二枚，擘

右七味，以水一斗，煮麻黄、葛根，减二升，去上沫，内

诸药，煮取三升，去滓，温服一升。覆取微似汗，不须啜粥助药力，余将息依桂枝法。注见第二卷中。

31. 太阳病，项背强几几，无汗恶风者，属葛根汤证。二十五。用前第二十四方。

32. 太阳与阳明合病，必自下利，不呕者，属葛根汤证。二十六。用前方。一云用后第二十八方。

33. 太阳与阳明合病，不下利，但呕者，宜葛根加半夏汤。方二十七。

葛根四两　半夏半升，洗　大枣十二枚，擘　桂枝去皮，二两　芍药二两　甘草二两，炙　麻黄三两，去节　生姜三两

右八味，以水一斗，先煮葛根、麻黄，减二升，去上沫，内诸药，煮取三升，去滓，温服一升。覆取微似汗。

34. 太阳病，桂枝证，医反下之，利遂不止，脉促者，表未解也，喘而汗出者，宜葛根黄芩黄连汤。方二十八。促作纵。

葛根八两　黄连三两　黄芩三两　甘草二两，炙

右四味，以水八升，先煮葛根，减二升，内诸药，煮取二升，去滓，分温再服。

35. 太阳病，头痛发热，身疼腰痛，骨节疼痛，恶风无汗而喘者，属麻黄汤证。二十九。用前第七方。

36. 太阳与阳明合病，喘而胸满者，不可下，属麻黄汤证。三十。用前第七方。

38. 太阳中风，脉浮紧，发热恶寒，身疼痛，不汗出而烦

躁者，大青龙汤主之。若脉微弱，汗出恶风者，不可服之；服之则厥逆，筋惕肉瞤，此为逆也。大青龙汤。方三十一。

麻黄六两，去节　桂枝二两，去皮　杏仁四十枚，去皮尖　甘草二两，炙　石膏如鸡子大，碎　生姜三两，切　大枣十二枚，擘

右七味，以水九升，先煮麻黄，减二升，去上沫，内诸药，煮取三升，温服一升。覆取微似汗。汗出多者，温粉粉之。一服汗者，勿更服。若复服，汗出多者，亡阳遂一作逆虚，恶风烦躁，不得眠也。

231. 阳明中风，脉弦浮大而短气，腹都满，胁下及心痛，久按之气不通，鼻干不得汗，嗜卧，一身及目悉黄，小便难，有潮热，时时哕，耳前后肿，刺之小差，外不解，过十日，脉续浮者，与小柴胡汤。脉但浮，无余证者，与麻黄汤用前第七方。不溺，腹满加哕者，不治。三十二。

### · 小柴胡汤方

柴胡八两　黄芩三两　人参三两　甘草三两，炙　生姜三两，切　半夏半升，洗　大枣十二枚，擘

右七味，以水一斗二升，煮取六升，去滓，再煎取三升，温服一升，日三服。

37. 太阳病，十日以去，脉浮而细，嗜卧者，外已解也。设胸满胁痛者，与小柴胡汤。脉但浮者，与麻黄汤。三十三。并用前方。

39. 伤寒脉浮缓，身不疼，但重，乍有轻时，无少阴证者，可与大青龙汤发之。三十四。用前第三十一方。

40. 伤寒表不解，心下有水气，干呕，发热而咳，或渴，或利，或噎，或小便不利、少腹满，或喘者，宜小青龙汤。方三十五。

麻黄二两，去节　芍药二两　桂枝二两，去皮　甘草二两，炙　细辛二两　五味子半升　半夏半升，洗　干姜三两

右八味，以水一斗，先煮麻黄，减二升，去上沫，内诸药，煮取三升，去滓，温服一升。若渴，去半夏，加栝楼根三两。若微利，去麻黄，加荛花如一鸡子，熬令赤色。若噎，去麻黄，加附子一枚，炮。若小便不利，少腹满，去麻黄，加茯苓四两。若喘，去麻黄，加杏仁半升，去皮尖。且荛花不治利，麻黄主喘，今此语反之。疑非仲景意。注见第三卷中。

41. 伤寒心下有水气，咳而微喘，发热不渴，服汤已渴者，此寒去欲解也，属小青龙汤证。三十六。用前方。

96. 中风往来寒热，伤寒五六日以后，胸胁苦满，嘿嘿不欲饮食，烦心喜呕，或胸中烦而不呕，或渴，或腹中痛，或胁下痞鞕，或心下悸、小便不利，或不渴、身有微热，或咳者，属小柴胡汤证。三十七。用前第三十二方。

99. 伤寒四五日，身热恶风，颈项强，胁下满，手足温而渴者，属小柴胡汤证。三十八。用前第三十二方。

146. 伤寒六七日，发热微恶寒，支节烦疼，微呕，心下

支结，外证未去者，柴胡桂枝汤主之。方三十九。

柴胡四两 黄芩一两半 人参一两半 桂枝一两半，去皮 生姜一两半，切 半夏二合半，洗 芍药一两半 大枣六枚，擘 甘草一两，炙

右九味，以水六升，煮取三升，去滓，温服一升，日三服。本云，人参汤，作如桂枝法，加半夏、柴胡、黄芩，如柴胡法，今着人参作半剂。

302. 少阴病，得之二三日，麻黄附子甘草汤微发汗，以二三日无证，故微发汗也。四十。

麻黄二两，去根节 甘草二两，炙 附子一枚，炮，去皮，破八片

右三味，以水七升，先煮麻黄一二沸，去上沫，内诸药，煮取二升半，去滓，温服八合，日三服。

71. 脉浮，小便不利，微热消渴者，与五苓散，利小便，发汗。四十一。

猪苓十八铢，去皮 茯苓十八铢 白术十八铢 泽泻一两六铢 桂枝半两，去皮

右五味，捣为散，以白饮和服方寸匕，日三服。多饮暖水，汗出愈。

# 伤寒论卷第八

汉　张仲景述　晋　王叔和　撰次

宋　林　亿　校正

明　赵开美　校刻

沈　琳　仝校

# 辨发汗后病脉证并治第十七

合二十五法,方二十四首。

太阳病，发汗，遂漏不止，恶风，小便难，四肢急，难以屈伸者，属桂枝加附子汤。第一。六味。前有八病证。

太阳病，服桂枝汤，烦不解，先刺风池、风府，却与桂枝汤。第二。五味。

服桂枝汤，汗出，脉洪大者，与桂枝汤。若形似疟，一日再发者，属桂枝二麻黄一汤。第三。七味。

服桂枝汤，汗出后，烦渴不解，脉洪大者，属白虎加人参汤。第四。五味。

伤寒，脉浮，自汗出，小便数，心烦，恶寒，脚挛急，与桂枝攻表，得之便厥，咽干，烦躁吐逆，作甘草干姜汤。厥愈，更作芍药甘草汤，其脚即伸。若胃气不和，与调胃承气汤。若重发汗，加烧针者，与四逆汤。第五。甘草干姜汤、芍药甘草汤并二味。调胃承气汤、四逆汤并三味。

太阳病，脉浮紧，无汗发热，身疼，八九日不解，服汤已，发烦必衄，宜麻黄汤。第六。四味。

伤寒发汗已解，半日复烦，脉浮数者，属桂枝汤证。第七。用前第二方。

发汗后，身疼，脉沉迟者，属桂枝加芍药生姜各一两人参三两新加汤。第八。六味。

发汗后，不可行桂枝汤，汗出而喘，无大热者，可与麻黄杏子甘草石膏汤。第九。四味。

发汗过多，其人叉手自冒心，心下悸，欲得按者，属桂枝甘草汤。第十。二味。

发汗后，脐下悸，欲作奔豚，属茯苓桂枝甘草大枣汤。第十一。四味。甘烂水法附。

发汗后，腹胀满者，属厚朴生姜半夏甘草人参汤。第十二。五味。

发汗病不解，反恶寒者，虚也，属芍药甘草附子汤。第十三。三味。

发汗后，不恶寒，但热者，实也，当和胃气，属调胃承气汤证。十四。用前第五方。

太阳病，发汗后，大汗出，胃中干，烦躁不得眠。若脉浮，小便不利，渴者，属五苓散。第十五。五味。

发汗已，脉浮数，烦渴者，属五苓散证。第十六。用前第十五方。

伤寒汗出而渴者，宜五苓散；不渴者，属茯苓甘草汤。第十七。四味。

太阳病，发汗不解，发热，心悸，头眩，身瞤动，欲擗一作僻地者，属真武汤。第十八。五味。

伤寒汗出，解之后，胃中不和，心下痞，干噫，腹中雷鸣下利者，属生姜泻心汤。第十九。八味。

伤寒汗出不解，心中痞，呕吐下利者，属大柴胡汤。第二十。八味。

阳明病自汗，若发其汗，小便自利，虽鞕不可攻，须自欲大便，宜蜜煎、若土瓜根、猪胆汁为导。第二十一。蜜煎一味，猪胆方二味。

太阳病三日，发汗不解，蒸蒸发热者，属调胃承气汤证。第二十二。用前第五方。

大汗出，热不去，内拘急，四肢疼，又下利厥逆恶寒者，属四逆汤证。第二十三。用前第五方。

发汗后不解，腹满痛者，急下之，宜大承气汤。第二十四。四味。

发汗多，亡阳谵语者，不可下，与柴胡桂枝汤和其荣卫，后自愈。第二十五。九味。

48. 二阳并病，太阳初得病时，发其汗，汗先出不彻，因转属阳明，续自微汗出，不恶寒。若太阳病证不罢者，不可下，下之为逆，如此可小发汗。设面色缘缘正赤者，阳气怫郁在表，当解之熏之。若发汗不彻，不足言，阳气怫郁不得越，当汗不汗，其人烦躁，不知痛处，乍在腹中，乍在四肢，按之不可得，其人短气，但坐以汗出不彻故也，更发汗则愈。何以知汗出不彻，以脉涩故知也。

75. 未持脉时，病人叉手自冒心，师因教试令咳，而不即咳者，此必两耳聋无闻也。所以然者，以重发汗虚故如此。

75. 发汗后，饮水多必喘，以水灌之亦喘。

76. 发汗后，水药不得入口为逆。若更发汗，必吐下不止。

203. 阳明病，本自汗出，医更重发汗，病已差，尚微烦不了了者，必大便鞕故也。以亡津液，胃中干燥，故令大便鞕。当问小便日几行，若本小便日三四行，今日再行，故知大便不久出。今为小便数少，以津液当还入胃中，故知不久必大便也。

211. 发汗多，若重发汗者，亡其阳，谵语。脉短者死，脉自和者不死。

259. 伤寒发汗已，身目为黄。所以然者，以寒湿一作温在里不解故也。以为不可下也，于寒湿中求之。

89. 病人有寒，复发汗，胃中冷，必吐蚘。

20. 太阳病，发汗，遂漏不止，其人恶风，小便难，四肢微急，难以屈伸者，属桂枝加附子汤。方一。

桂枝三两，去皮　芍药三两　甘草二两，炙　生姜三两，切　大枣十二枚，擘　附子一枚，炮

右六味，以水七升，煮取三升，去滓，温服一升。本云，桂枝汤，今加附子。

24. 太阳病，初服桂枝汤，反烦不解者，先刺风池、风

府，却与桂枝汤则愈。方二。

桂枝三两，去皮　芍药三两　生姜三两，切　甘草二两，炙　大枣十二枚，擘

右五味，以水七升，煮取三升，去滓，温服一升。须臾啜热稀粥一升，以助药力。

25. 服桂枝汤，大汗出，脉洪大者，与桂枝汤，如前法。若形似疟，一日再发者，汗出必解，属桂枝二麻黄一汤。方三。

桂枝一两十七铢　芍药一两六铢　麻黄一十六铢，去节　生姜一两六铢　杏仁十六个，去皮尖　甘草一两二铢，炙　大枣五枚，擘

右七味，以水五升，先煮麻黄一二沸，去上沫，内诸药，煮取二升，去滓，温服一升，日再服。本云，桂枝汤二分，麻黄汤一分，合为二升，分再服，今合为一方。

26. 服桂枝汤，大汗出后，大烦渴不解，脉洪大者，属白虎加人参汤。方四。

知母六两　石膏一斤，碎，绵裹　甘草二两，炙　粳米六合　人参二两

右五味，以水一斗，煮米熟汤成，去滓，温服一升，日三服。

29. 伤寒脉浮，自汗出，小便数，心烦，微恶寒，脚挛急。反与桂枝，欲攻其表，此误也。得之便厥，咽中干，烦躁吐逆者，作甘草干姜汤与之，以复其阳；若厥愈足温者，更作芍药甘草汤与之，其脚即伸；若胃气不和，谵语者，少与调胃

承气汤；若重发汗，复加烧针者，与四逆汤。五。

### ·甘草干姜汤方

甘草四两，炙 干姜二两

右二味，以水三升，煮取一升五合，去滓，分温再服。

### ·芍药甘草汤方

白芍药四两 甘草四两，炙

右二味，以水三升，煮取一升五合，去滓，分温再服。

### ·调胃承气汤方

大黄四两，去皮，清酒洗 甘草二两，炙 芒消半升

右三味，以水三升，煮取一升，去滓，内芒消，更上微火，煮令沸，少少温服之。

### ·四逆汤方

甘草二两，炙 干姜一两半 附子一枚，生用，去皮，破八片

右三味，以水三升，煮取一升二合，去滓，分温再服。强人可大附子一枚，干姜三两。

46. 太阳病，脉浮紧，无汗发热，身疼痛，八九日不解，表证仍在，此当复发汗。服汤已，微除，其人发烦目瞑，剧者必衄，衄乃解。所以然者，阳气重故也，宜麻黄汤。方六。

麻黄三两，去节　桂枝二两，去皮　甘草一两，炙　杏仁七十个，去皮尖

右四味，以水九升，先煮麻黄，减二升，去上沫，内诸药，煮取二升半，去滓，温服八合。覆取微似汗，不须啜粥。

57. 伤寒发汗已解，半日许复烦，脉浮数者，可更发汗，属桂枝汤证。七。用前第二方。

62. 发汗后身疼痛，脉沉迟者，属桂枝加芍药生姜各一两人参三两新加汤。方八。

桂枝三两，去皮　芍药四两　生姜四两　甘草二两，炙　人参三两　大枣十二枚，擘

右六味，以水一斗二升，煮取三升，去滓，温服一升。本云，桂枝汤今加芍药、生姜、人参。

63. 发汗后，不可更行桂枝汤，汗出而喘，无大热者，可与麻黄杏子甘草石膏汤。方九。

麻黄四两，去节　杏仁五十个，去皮尖　甘草二两，炙　石膏半斤，碎

右四味，以水七升，先煮麻黄，减二升，去上沫，内诸药，煮取二升，去滓，温服一升。本云，黄耳杯。

64. 发汗过多，其人叉手自冒心，心下悸，欲得按者，属桂枝甘草汤。方十。

桂枝二两，去皮　甘草二两，炙

右二味，以水三升，煮取一升，去滓，顿服。

65. 发汗后，其人脐下悸者，欲作奔豚，属茯苓桂枝甘草大枣汤。方十一。

茯苓半斤　桂枝四两，去皮　甘草一两，炙　大枣十五枚，擘

右四味，以甘烂水一斗，先煮茯苓，减二升，内诸药，煮取三升，去滓，温服一升，日三服。

作甘烂水法：取水二斗，置大盆内，以杓扬之，水上有珠子五六千颗相逐，取用之。

66. 发汗后，腹胀满者，属厚朴生姜半夏甘草人参汤。方十二。

厚朴半斤，炙　生姜半斤　半夏半升，洗　甘草二两，炙　人参一两

右五味，以水一斗，煮取三升，去滓，温服一升，日三服。

68. 发汗病不解，反恶寒者，虚故也，属芍药甘草附子汤。方十三。

芍药三两　甘草三两　附子一枚，炮，去皮，破六片

右三味，以水三升，煮取一升二合，去滓，分温三服。疑非仲景方。

70. 发汗后，恶寒者，虚故也；不恶寒，但热者，实也，当和胃气，属调胃承气汤证。十四。用前第五方。一法用小承气汤。

71. 太阳病，发汗后，大汗出，胃中干，烦躁不得眠，欲得饮水者，少少与饮之，令胃气和则愈。若脉浮，小便不利，微热消渴者，属五苓散。方十五。

猪苓十八铢，去皮　泽泻一两六铢　白术十八铢　茯苓十八铢　桂

枝半两，去皮

右五味，捣为散，以白饮和服方寸匕，日三服，多饮暖水，汗出愈。

72. 发汗已，脉浮数，烦渴者，属五苓散证。十六。用前第十五方。

73. 伤寒汗出而渴者，宜五苓散；不渴者，属茯苓甘草汤。方十七。

茯苓二两　桂枝二两　甘草一两，炙　生姜一两

右四味，以水四升，煮取二升，去滓，分温三服。

82. 太阳病发汗，汗出不解，其人仍发热，心下悸，头眩，身瞤动，振振欲擗一作僻地者，属真武汤。方十八。

茯苓三两　芍药三两　生姜三两，切　附子一枚，炮，去皮，破八片　白术二两

右五味，以水八升，煮取三升，去滓，温服七合，日三服。

157. 伤寒汗出解之后，胃中不和，心下痞鞕，干噫食臭，胁下有水气，腹中雷鸣下利者，属生姜泻心汤。方十九。

生姜四两　甘草三两，炙　人参三两　干姜一两　黄芩三两　半夏半升，洗　黄连一两　大枣十二枚，擘

右八味，以水一斗，煮取六升，去滓，再煎取三升，温服一升，日三服。生姜泻心汤，本云，理中人参黄芩汤去桂枝、术，加黄连，并泻肝法。

165. 伤寒发热，汗出不解，心中痞鞕，呕吐而下利者，属大柴胡汤。方二十。

柴胡半斤 枳实四枚，炙 生姜五两 黄芩三两 芍药三两 半夏半升，洗 大枣十二枚，擘

右七味，以水一斗二升，煮取六升，去滓，再煎取三升，温服一升，日三服。一方加大黄二两，若不加，恐不名大柴胡汤。

233. 阳明病，自汗出，若发汗，小便自利者，此为津液内竭，虽鞕不可攻之。须自欲大便，宜蜜煎导而通之。若土瓜根及大猪胆汁，皆可为导。二十一[1]。

### ·蜜[2]煎方

食蜜七合

右一味，于铜器内，微火煎，当须凝如饴状，搅之勿令焦着，欲可丸，并手捻[3]作挺，令头锐，大如指许，长二寸。当热时急作，冷则鞕，以内谷道中，以手急抱，欲大便时，乃去之。疑非仲景意。已试，甚良。

又大猪胆一枚，泻汁，和少许法醋，以灌谷道内，如一食顷，当大便出宿食恶物，甚效。

---

① 二十一：此条有方，当作“方二十一”，脱“方”字。

② 蜜：日本安政本讹作“家”。

③ 捻：日本安政本讹作“检”。

248. 太阳病三日，发汗不解，蒸蒸发热者，属胃也，属调胃承气汤证。二十二。用前第五方。

253. 大汗出，热不去，内拘急，四肢疼，又下利厥逆而恶寒者，属四逆汤证。二十三。用前第五方。

254. 发汗后不解，腹满痛者，急下之，宜大承气汤。方二十四。

大黄四两，酒洗　厚朴半斤，炙　枳实五枚，炙　芒消三合

右四味，以水一斗，先煎二物，取五升，内大黄，更煮取二升，去滓，内芒消，更一二沸，分再服。得利者，止后服。

发汗多，亡阳谵语者，不可下，与柴胡桂枝汤，和其荣卫，以通津液，后自愈。方二十五。

柴胡四两　桂枝一两半，去皮　黄芩一两半　芍药一两半　生姜一两半　大枣六个，擘　人参一两半　半夏二合半，洗　甘草一两，炙

右九味，以水六升，煮取三升，去滓，温服一升，日三服。

# 辨不可吐第十八

合四证[1]。

120. 太阳病，当恶寒发热，今自汗出，反不恶寒发热，

① 合四证：此4条无方，故云"合四证"。无方曰"证"，此处表现得尤为明显。

关上脉细数者，以医吐之过也。若得病一二日吐之者，腹中饥，口不能食；三四日吐之者，不喜糜粥，欲食冷食，朝食暮吐。以医吐之所致也，此为小逆。

121. 太阳病，吐之，但太阳病当恶寒，今反不恶寒，不欲近衣者，此为吐之内烦也。

324. 少阴病，饮食入口则吐，心中温温欲吐，复不能吐，始得之，手足寒，脉弦迟者，此胸中实，不可下也。若膈上有寒饮，干呕者，不可吐也，当温之。

330. 诸四逆厥者，不可吐之，虚家亦然。

## 辨可吐第十九

合二法[①]，五证。

大法，春宜吐。

凡用吐汤，中病便止，不必尽剂也。

166. 病如桂枝证，头不痛，项不强，寸脉微浮，胸中痞

---

① 合二法：此注误。此节凡7条，皆为“法”，无“证”。元代王履《医经溯洄集·伤寒三百九十七法辨》云：“又《可吐》篇却有五法，只言二法者，恐误也。”王履称“五法”，未计“大法，春宜吐”“凡用吐汤，中病便止，不必尽剂也”。考宋本《伤寒论·辨可下病脉证并治》子目“阳明病，汗多者，急下之，宜大柴胡汤。第一”下小注云：“前别有二法。”此“二法”指“大法，秋宜下”“凡可下者，用汤胜丸散，中病便止，不必尽剂也”。准此，则宋本《伤寒论·辨可吐》开首2条亦为“法”也。

鞕，气上撞咽喉不得息者，此为有寒，当吐之。一云此以内有久痰，宜吐之①。

病胸上诸实一作寒②，胸中郁郁而痛，不能食，欲使人按之，而反有涎唾，下利日十余行，其脉反迟，寸口脉微滑，此可吐之。吐之，利则止。

324. 少阴病，饮食入口则吐，心中温温欲吐复不能吐者，宜吐之。

宿食在上管③者，当吐之。

355. 病手足逆冷，脉乍结，以客气在胸中，心下满而烦，欲食不能食者，病在胸中，当吐之。

## 伤寒论卷第八

① 此以内有久痰，宜吐之：此九字见《千金要方·宜吐》。

② 一作寒：《千金要方·宜吐》作“寒”。宋本《伤寒论·辨可吐》凡7条，见江南秘本《伤寒论》、《千金要方·宜吐》、孙思邈本《伤寒论·宜吐》。《千金要方》卷九所云“江南诸师秘仲景要方不传”，盖指其《伤寒论》全本不可见，而局部章节如《辨可吐》尚可见。

③ 上管：江南秘本《伤寒论》作“胃管”，成无己《注解伤寒论·辨可吐》作“上脘”。

# 伤寒论卷第九

汉　张仲景述　晋　王叔和　撰次
宋　林　亿　校正
明　赵开美　校刻
沈　琳　仝校

# 辨不可下病脉证并治第二十

合四法，方六首。

阳明病，潮热，大便微鞕，与大承气汤；若不大便六七日，恐有燥屎，与小承气汤和之。第一。大承气，四味。小承气，三味。前有四十病证。

伤寒，中风，反下之，心下痞，医复下之，痞益甚，属甘草泻心汤。第二。六味。

下利脉大者，虚也，以强下之也，设脉浮革，肠鸣者，属当归四逆汤。第三。七味。下有阳明病二证。

阳明病，汗自出，若发汗，小便利，津液内竭，虽鞕，不可攻，须自大便，宜蜜煎，若土瓜根、猪胆汁导之。第四。蜜煎，一味。猪胆汁，二味。

脉濡而弱，弱反在关，濡反在巅，微反在上，涩反在下。微则阳气不足，涩则无血，阳气反微，中风汗出，而反躁烦；涩则无血，厥而且寒。阳微则不可下，下之则心下痞鞕。

动气在右，不可下，下之则津液内竭，咽燥鼻干，头眩心悸也。

动气在左，不可下，下之则腹内拘急，食不下，动气更剧，虽有身热，卧则欲踡。

动气在上，不可下，下之则掌握热烦，身上浮冷，热汗自泄，欲得水自灌。

动气在下，不可下，下之则腹胀满，卒起头眩，食则下清谷，心下痞也。

咽中闭塞，不可下，下之则上轻下重，水浆不下，卧则欲踡，身急痛，下利日数十行。

诸外实者，不可下，下之则发微热，亡脉厥者，当齐握热。

诸虚者，不可下，下之则大渴，求水者易愈，恶水者剧。

脉濡而弱，弱反在关，濡反在巅，弦反在上，微反在下。弦为阳运，微为阴寒，上实下虚，意欲得温。微弦为虚，虚者不可下也。微则为咳，咳则吐涎，下之则咳止，而利因不休，利不休，则胸中如虫齧，粥入则出，小便不利，两胁拘急，喘息为难，颈背相引，臂则不仁，极寒反汗出，身冷若冰，眼睛不慧，语言不休，而谷气多入，此为除中亦云消中，口虽欲言，舌不得前。

脉濡而弱，弱反在关，濡反在巅，浮反在上，数反在下。浮为阳虚，数为无血。浮为虚，数生热。浮为虚，自汗出而恶寒；数为痛，振而寒栗。微弱在关，胸下为急，喘汗而不得呼吸，呼吸之中，痛在于胁，振寒相抟[①]，形如疟状。医反下之，故令脉数发热，狂走见鬼，心下为痞，小便淋漓，少腹甚鞕，小便则尿血也。

脉濡而紧，濡则卫气微，紧则荣中寒，阳微卫中风，发热而恶寒，荣紧胃气冷，微呕心内烦。医谓有大热，解肌而发汗，亡阳虚烦躁，心下苦痞坚[②]，表里俱虚竭，卒起而头眩，客热在皮肤，怅怏不得眠。不知胃气冷，紧寒在关元，技巧无所施，汲水灌其身。客热应时罢，栗栗而振寒，重被而覆之，汗出而冒巅，体惕而又振，小便为微难。寒气因水发，清谷不容间，呕变反肠出，颠倒不得安，手足为微逆，身冷而内烦，迟欲从后救，安可复追还。

脉浮而大，浮为气实，大为血虚。血虚为无阴，孤阳独下阴部者，小便当赤而难，胞中当虚，今反小便利而大汗出，法应卫家当微，今反更实，津液四射，荣竭血尽，干烦而不眠，血薄肉消，而成暴一云黑液。医复以毒药攻其胃，此为重虚，客阳去有期，必下如污泥而死。

脉浮而紧，浮则为风，紧则为寒，风则伤卫，寒则伤荣，荣卫俱病，骨节烦疼，当发其汗，而不可下也。

---

① 相抟：通行本讹作“相搏”，当正。日本《东洋善本医学丛书》影印南宋嘉定十年（1217）何大任本作“抟”之繁体“摶”字，是。

② 心下苦痞坚：从“脉濡而紧”至“安可复追还”是一段真、文、元古韵合韵的韵文，为保持押韵和谐，权存“坚”字，而不避之。从押韵特点观之，此段文字反映的是汉代押韵特点。

趺阳脉迟而缓，胃气如经也。趺阳脉浮而数，浮则伤胃，数则动脾，此非本病，医特下之所为也。荣卫内陷，其数先微，脉反但浮，其人必大便鞕，气噫而除。何以言之，本以数脉动脾，其数先微，故知脾气不治，大便鞕，气噫而除。今脉反浮，其数改微，邪气独留，心中则饥，邪热不杀谷，潮热发渴，数脉当迟缓，脉因前后度数如法①，病者则饥。数脉不时，则生恶疮也。

脉数者，久数不止。止则邪结，正气不能复，正气却结于藏，故邪气浮之，与皮毛相得。脉数者不可下，下之必烦，利不止。

286. 少阴病，脉微，不可发汗，亡阳故也。阳已虚，尺中弱涩者，复不可下之。

脉浮大，应发汗，医反下之，此为大逆也。

脉浮而大，心下反鞕，有热，属藏者，攻之，不令发汗；属府者，不令溲数。溲数则大便鞕，汗多则热愈，汗少则便难，脉迟尚未可攻。

48. 二阳并病，太阳初得病时，而发其汗，汗先出不彻，因转属阳明，续自微汗出，不恶寒。若太阳证不罢者，不可下，下之为逆。

132. 结胸证，脉浮大者，不可下，下之即死。

---

① 如法：《脉经·病不可下证》作“如前”，北宋校正医书局小注云：“仲景前字作法。”是北宋校正医书局认为《辨不可下病脉证并治》等篇出于张仲景也。

36. 太阳与阳明合病，喘而胸满者，不可下。

171. 太阳与少阳合病者，心下鞕，颈项强而眩者，不可下。

330. 诸四逆厥者，不可下之，虚家亦然。

病欲吐者，不可下。

44. 太阳病，有外证未解，不可下，下之为逆。

131. 病发于阳，而反下之，热入因作结胸；病发于阴，而反下之，因作痞。

151. 病脉浮而紧，而复下之，紧反入里，则作痞。

夫病阳多者热，下之则鞕。

194. 本虚，攻其热必哕。

无阳阴强，大便鞕者，下之必清谷腹满。

273. 太阴之为病，腹满而吐，食不下，自利益甚，时腹自痛，下之必胸下结鞕。

326. 厥阴之为病，消渴，气上撞心，心中疼热，饥而不欲食，食则吐蚘。下之利不止。

324. 少阴病，饮食入口则吐，心中温温欲吐复不能吐，始得之，手足寒，脉弦迟者，此胸中实，不可下也。

347. 伤寒五六日，不结胸，腹濡，脉虚，复厥者，不可下。此亡血，下之死。

伤寒发热头痛，微汗出，发汗则不识人；熏之则喘，不得小便，心腹满；下之则短气，小便难，头痛背强；加温针则衄。

伤寒脉阴阳俱紧，恶寒发热，则脉欲厥。厥者，脉初来大，渐渐小，更来渐大，是其候也。如此者恶寒，甚者翕翕汗出，喉中痛，若热多者，目赤脉多，睛不慧。医复发之，咽中则伤；若复下之，则两目闭，寒多便清谷，热多便脓血；若熏之，则身发黄；若熨之，则咽燥。若小便利者，可救之；若小便难者，为危殆。

伤寒发热，口中勃勃气出，头痛目黄，衄不可制，贪水者必呕，恶水者厥。若下之咽中生疮，假令手足温者，必下重，便脓血。头痛目黄者，若下之，则目闭。贪水者，若下之，其脉必厥，其声嘤，咽喉塞；若发汗，则战栗，阴阳俱虚。恶水者，若下之，则里冷，不嗜食，大便完谷出；若发汗，则口中伤，舌上白胎[①]，烦躁。脉数实，不大便六七日，后必便血；若发汗，则小便自利也。

251. 得病二三日，脉弱，无太阳柴胡证，烦躁，心下痞。至四日，虽能食，以承气汤，少少与微和之，令小安，至六日与承气汤一升。若不大便六七日，小便少，虽不大便，但头鞕，后必溏，未定成鞕，攻之必溏；须小便利，屎定鞕，乃可攻之。

130. 藏结无阳证，不往来寒热，其人反静，舌上胎滑者，

---

① 白胎：《脉经·病不可下证》作“胎滑”。

不可攻也。

204. 伤寒呕多，虽有阳明证，不可攻之。

209. 阳明病，潮热，大便微鞭者，可与大承气汤；不鞭者，不可与之。若不大便六七日，恐有燥屎，欲知之法，少与小承气汤，汤入腹中，转失气者，此有燥屎也，乃可攻之。若不转失气者，此但初头鞭，后必溏，不可攻之，攻之必胀满不能食也，欲饮水者，与水则哕。其后发热者，大便必复鞭而少也，宜小承气汤和之。不转失气者，慎不可攻也。大承气汤。方一。

大黄四两　厚朴八两，炙　枳实五枚，炙　芒消三合

右四味，以水一斗，先煮二味，取五升，下大黄，煮取二升，去滓，下芒消，再煮一二沸，分二服，利则止后服。

### ·小承气汤方

大黄四两，酒洗　厚朴二两，炙，去皮　枳实三枚，炙

右三味，以水四升，煮取一升二合，去滓，分温再服。

158. 伤寒中风，医反下之，其人下利日数十行，谷不化，腹中雷鸣，心下痞鞭而满，干呕，心烦不得安。医见心下痞，谓病不尽，复下之，其痞益甚。此非结热，但以胃中虚，客气上逆，故使鞭也，属甘草泻心汤。方二。

甘草四两，炙　黄芩三两　干姜三两　大枣十二枚，擘　半夏半升，洗　黄连一两

右六味，以水一斗，煮取六升，去滓，再煎，取三升，温服一升，日三服。有人参，见第四卷中。

下利脉大者，虚也，以强下之故也。设脉浮革，因尔肠鸣者，属当归四逆汤。方三。

当归三两　桂枝三两，去皮　细辛三两　甘草二两，炙　通草二两　芍药三两　大枣二十五枚，擘

右七味，以水八升，煮取三升，去滓，温服一升半，日三服。

206. 阳明病，身合色赤，不可攻之，必发热色黄者，小便不利也。

205. 阳明病，心下鞕满者，不可攻之。攻之，利遂不止者死，利止者愈。

233. 阳明病，自汗出，若发汗，小便自利者，此为津液内竭，虽鞕不可攻之。须自欲大便，宜蜜煎导而通之，若土瓜根，及猪胆汁，皆可为导。方四。

食蜜七合

右一味，于铜器内，微火煎，当须凝如饴状，搅之勿令焦着，欲可丸，并手捻作挺，令头锐，大如指，长二寸许。当热时急作，冷则鞕，以内谷道中。以手急抱，欲大便时，乃去之。疑非仲景意。已试，甚良。又大猪胆一枚，泻汁，和少许法醋，以灌谷道内。如一食顷，当大便出宿食恶物，甚效。

# 辨可下病脉证并治第二十一

合四十四法[①]，方一十一首。

阳明病，汗多者，急下之，宜大柴胡汤。第一。加大黄，八味。一法用小承气汤。前别有二法。

少阴病，得之二三日，口燥咽干者，急下之，宜大承气汤。第二。四味。

少阴病，六七日，腹满不大便者，急下之，宜大承气汤。第三。用前第二方。

少阴病，下利清水，心下痛，口干者，可下之，宜大柴胡、大承气汤。第四。大柴胡汤用前第一方，大承气汤用前第二方。

下利，三部脉平，心下鞕者，急下之，宜大承气汤。第五。用前第二方。

下利，脉迟滑者，内实也。利未止，当下之，宜大承气汤。第六。用前第二方。

阳明少阳合病，下利，脉不负者，顺也。脉滑数者，有宿食，当下之，宜大承气汤。第七。用前第二方。

---

① 合四十四法：据本节子目第一条小注“前别有二法”（指“大法，秋宜下”及“凡可下者，用汤胜丸散，中病便止，不必尽剂也”）可知，本节有四十六法也。

寸脉浮大反涩，尺中微而涩，故知有宿食。当下之，宜大承气汤。第八。用前第二方。

下利，不欲食者，以有宿食，当下之，宜大承气汤。第九。用前第二方。

下利差，至其年月日时复发者，以病不尽，当下之，宜大承气汤。第十。用前第二方。

病腹中满痛，此为实，当下之，宜大承气、大柴胡汤。第十一。大承气用前第二方，大柴胡用前第一方。

下利，脉反滑，当有所去，下乃愈，宜大承气汤。第十二。用前第二方。

腹满不减，减不足言，当下之，宜大柴胡汤、大承气汤。第十三。大柴胡用前第一方，大承气用前第二方。

伤寒后，脉沉。沉者，内实也，下之解，宜大柴胡汤。第十四。用前第一方。

伤寒六七日，目中不了了，睛不和，无表里证，大便难，身微热者，实也，急下之，宜大承气、大柴胡汤。第十五。大柴胡用前第一方，大承气用前第二方。

太阳病未解，脉阴阳俱停，先振栗汗出而解。阴脉微者，下之解，宜大柴胡汤。第十六。用前第一方。一法用调胃承气汤。

脉双弦而迟者，心下鞕，脉大而紧者，阳中有阴也，可下之，宜大承气汤。第十七。用前第二方。

结胸者，项亦强，如柔痓状，下之和。第十八。结胸门用大陷胸丸。

病人无表里证，发热七八日，虽脉浮数者，可下之，宜大柴胡汤。第十九。用前第一方。

太阳病，表证仍在，脉微而沉，不结胸，发狂，少腹满，小便利，下血愈，宜下之，以抵当汤。第二十。四味。

太阳病，身黄，脉沉结，少腹鞕，小便自利，其人如狂，血证谛，属抵当汤证。第二十一。用前第二十方。

伤寒有热，少腹满，应小便不利，今反利，为有血，当下之，宜抵当丸。第二十二。四味。

阳明病，但头汗出，小便不利，身必发黄，宜下之，茵陈蒿汤。第二十三。三味。

阳明证，其人喜忘，必有畜血，大便色黑，宜抵当汤下之。第二十四。用前第二十方。

汗出谵语，以有燥屎，过经可下之，宜大柴胡、大承气汤。第二十五。大柴胡用前第一方，大承气用前第二方。

病人烦热，汗出，如疟状，日晡发热，脉实者，可下之，宜大柴胡、大承气汤。第二十六。大柴胡用前第一方，大承气用前第二方。

阳明病，谵语，潮热，不能食，胃中有燥屎。若能食，但鞕耳。属大承气汤证。第二十七。用前第二方。

下利谵语者，有燥屎也，属小承气汤。第二十八。

三味。

得病二三日，脉弱，无太阳柴胡证，烦躁，心下痞。小便利，屎定鞕，宜大承气汤。第二十九。用前第二方。一云大柴胡汤。

太阳中风，下利呕逆。表解，乃可攻之。属十枣汤。第三十。二味。

太阳病不解，热结膀胱，其人如狂，宜桃核承气汤。第三十一。五味。

伤寒七八日，身黄如橘子色，小便不利，腹微满者，属茵陈蒿汤证。第三十二。用前第二十三方。

伤寒发热，汗出不解，心中痞鞕，呕吐下利者，属大柴胡汤证。第三十三。用前第一方。

伤寒十余日，热结在里，往来寒热者，属大柴胡汤证。第三十四。用前第一方。

但结胸，无大热，水结在胸胁也，头微汗出者，属大陷胸汤。第三十五。三味。

伤寒六七日，结胸热实，脉沉紧，心下痛者，属大陷胸汤证。第三十六。用前第三十五方。

阳明病，多汗，津液外出，胃中燥，大便必鞕，谵语，属小承气汤证。第三十七。用前第二十八方。

阳明病，不吐下，心烦者，属调胃承气汤。第三十八。三味。

阳明病脉迟，虽汗出不恶寒，身必重，腹满而喘，有潮热，大便鞕，大承气汤主之；若汗出多，微发热恶寒，桂枝汤主之。热不潮，腹大满，不通，与小承气汤。三十九。大承气汤用前第二方，小承气汤用前第二十八方。桂枝汤，五味。

阳明病，潮热，大便微鞕，与大承气汤。若不大便六七日，恐有燥屎，与小承气汤。若不转气，不可攻之。后发热，大便复鞕者，宜以小承气汤和之。第四十。并用前方。

阳明病，谵语，潮热，脉滑疾者，属小承气汤证。第四十一。用前第二十八方。

二阳并病，太阳证罢，但发潮热，汗出，大便难，谵语者，下之愈，宜大承气汤。第四十二。用前第二方。

病人小便不利，大便乍难乍易，微热喘冒者，属大承气汤证。第四十三。用前第二方。

大下，六七日不大便，烦不解，腹满痛者，属大承气汤证。第四十四。用前第二方。

大法，秋宜下。

凡可下者，用汤胜丸散，中病便止，不必尽剂也。

253. 阳明病，发热，汗多者，急下之，宜大柴胡汤。方一。一法用小承气汤。

柴胡八两　枳实四枚，炙　生姜五两　黄芩三两　芍药三两　大

枣十二枚，擘　半夏半升，洗

右七味，以水一斗二升，煮取六升，去滓，更煎取三升，温服一升，日三服。一方云加大黄二两，若不加，恐不成大柴胡汤。

320. 少阴病，得之二三日，口燥咽干者，急下之，宜大承气汤。方二。

大黄四两，酒洗　厚朴半斤，炙，去皮　枳实五枚，炙　芒消三合

右四味，以水一斗，先煮二物，取五升，内大黄，更煮取二升，去滓，内芒消，更上微火一两沸，分温再服。得下，余勿服。

322. 少阴病，六七日腹满不大便者，急下之，宜大承气汤。三。用前第二方。

321. 少阴病，下利清水，色纯青，心下必痛，口干燥者，可下之，宜大柴胡、大承气汤。四。用前第二方。

下利，三部脉皆平，按之心下鞕者，急下之，宜大承气汤。五。用前第二方。

下利，脉迟而滑者，内实也。利未欲止，当下之，宜大承气汤。六。用前第二方。

256. 阳明少阳合病，必下利，其脉不负者，为顺也。负者，失也，互相克贼，名为负也。脉滑而数者，有宿食，当下之，宜大承气汤。七。用前第二方。

问曰：人病有宿食，何以别之？师曰：寸口脉浮而大，按

之反涩，尺中亦微而涩，故知有宿食，当下之，宜大承气汤。八。用前第二方。

下利，不欲食者，以有宿食故也，当下之，宜大承气汤。九。用前第二方。

下利差，至其年月日时复发者，以病不尽故也，当下之，宜大承气汤。十。用前第二方。

病腹中满痛者，此为实也，当下之，宜大承气、大柴胡汤。十一。用前第一、第二方。

下利，脉反滑，当有所去，下乃愈，宜大承气汤。十二。用前第二方。

腹满不减，减不足言，当下之，宜大柴胡、大承气汤。十三。用前第一、第二方。

伤寒后脉沉，沉者，内实也，下之解，宜大柴胡汤。十四。用前第一方。

252. 伤寒六七日，目中不了了，睛不和，无表里证，大便难，身微热者，此为实也，急下之，宜大承气、大柴胡汤。十五。用前第一、第二方。

94. 太阳病未解，脉阴阳俱停一作微，必先振栗汗出而解。但阴脉微一作尺脉实者，下之而解，宜大柴胡汤。十六。用前第一方。一法用调胃承气汤。

脉双弦而迟者，必心下鞕；脉大而紧者，阳中有阴也，可下之，宜大承气汤。十七。用前第二方。

131. 结胸者，项亦强，如柔痓状，下之则和。十八。结胸门用大陷胸丸。

257. 病人无表里证，发热七八日，虽脉浮数者，可下之，宜大柴胡汤。十九。用前第一方。

124. 太阳病六七日，表证仍在，脉微而沉，反不结胸，其人发狂者，以热在下焦，少腹当鞕满，而小便自利者，下血乃愈。所以然者，以太阳随经，瘀热在里故也，宜下之，以抵当汤。方二十。

水蛭三十枚，熬 桃仁二十枚，去皮尖 虻虫三十枚，去翅足，熬 大黄三两，去皮，破六片

右四味，以水五升，煮取三升，去滓，温服一升。不下者，更服。

125. 太阳病，身黄，脉沉结，少腹鞕满，小便不利者，为无血也；小便自利，其人如狂者，血证谛，属抵当汤证。二十一。用前第二十方。

126. 伤寒有热，少腹满，应小便不利，今反利者，为有血也，当下之，宜抵当丸。方二十二。

大黄三两 桃仁二十五个，去皮尖 虻虫去翅足，熬 水蛭各二十个，熬

右四味，捣筛，为四丸，以水一升，煮一丸，取七合，服之。晬时当下血，若不下者，更服。

236. 阳明病，发热汗出者，此为热越，不能发黄也；但

头汗出，身无汗，剂颈而还，小便不利，渴引水浆者，以瘀热在里，身必发黄，宜下之以茵陈蒿汤。方二十三。

茵陈蒿六两　栀子十四个，擘　大黄二两，破

右三味，以水一斗二升，先煮茵陈，减六升，内二味，煮取三升，去滓，分温三服。小便当利，尿如皂荚汁状，色正赤，一宿腹减，黄从小便去也。

237. 阳明证，其人喜忘者，必有畜血。所以然者，本有久瘀血，故令喜忘。屎虽鞕，大便反易，其色必黑，宜抵当汤下之。二十四。用前第二十方。

217. 汗一作卧出谵语者，以有燥屎在胃中，此为风也。须下者，过经乃可下之。下之若早者，语言必乱，以表虚里实故也。下之愈，宜大柴胡、大承气汤。二十五。用前第一、第二方。

240. 病人烦热，汗出则解，又如疟状，日晡所发热者，属阳明也。脉实者，可下之，宜大柴胡、大承气汤。二十六。用前第一、第二方。

215. 阳明病，谵语有潮热，反不能食者，胃中有燥屎五六枚也；若能食者，但鞕耳，属大承气汤证。二十七。用前第二方。

374. 下利谵语者，有燥屎也，属小承气汤。方二十八。

大黄四两　厚朴二两，炙，去皮　枳实三枚，炙

右三味，以水四升，煮取一升二合，去滓，分温再服。若更衣者，勿服之。

251. 得病二三日，脉弱，无太阳柴胡证，烦躁，心下痞，至四五日，虽能食，以承气汤，少少与微和之，令小安，至六日，与承气汤一升。若不大便六七日，小便少者，虽不大便，但初头鞕，后必溏，此未定成鞕也，攻之必溏。须小便利，屎定鞕，乃可攻之，宜大承气汤。二十九。用前第二方。一云大柴胡汤。

152. 太阳病中风，下利呕逆，表解者，乃可攻之。其人漐漐汗出，发作有时，头痛，心下痞鞕满，引胁下痛，干呕则短气，汗出不恶寒者，此表解里未和也，属十枣汤。方三十。

芫花熬赤　甘遂　大戟各等分

右三味，各异捣筛，秤[1]已合治之，以水一升半，煮大肥枣十枚，取八合，去枣，内药末，强人服重一钱匕，羸人半钱，温服之，平旦服。若下少，病不除者，明日更服，加半钱，得快下利后，糜粥自养。

106. 太阳病不解，热结膀胱，其人如狂，血自下，下者愈。其外未解者，尚未可攻，当先解其外；外解已，但少腹急结者，乃可攻之，宜桃核承气汤。方三十一。

桃仁五十枚，去皮尖　大黄四两　甘草二两，炙　芒消二两　桂枝二两，去皮

右五味，以水七升，煮四物，取二升半，去滓，内芒消，更上火煎微沸，先食，温服五合，日三服，当微利。

---

① 秤：日本安政本讹作“科”。

260. 伤寒七八日，身黄如橘子色，小便不利，腹微满者，属茵陈蒿汤证。三十二。用前第二十三方。

165. 伤寒发热，汗出不解，心中痞鞕，呕吐而下利者，属大柴胡汤证。三十三。用前第一方。

136. 伤寒十余日，热结在里，复往来寒热者，属大柴胡汤证。三十四。用前第一方。

136. 但结胸，无大热者，以水结在胸胁也，但头微汗出者，属大陷胸汤。方三十五。

大黄六两 芒消一升 甘遂末一钱匕

右三味，以水六升，先煮大黄，取二升，去滓，内芒消，更煮一二沸，内甘遂末，温服一升。

135. 伤寒六七日，结胸热实，脉沉而紧，心下痛，按之石鞕者，属大陷胸汤证。三十六。用前第三十五方。

213. 阳明病，其人多汗，以津液外出，胃中燥，大便必鞕，鞕则谵语，属小承气汤证。三十七。用前第二十八方。

207. 阳明病不吐不下，心烦者，属调胃承气汤。方三十八。

大黄四两，酒洗 甘草二两，炙 芒消半升

右三味，以水三升，煮取一升，去滓，内芒消，更上火微煮令沸，温顿服之。

208. 阳明病脉迟，虽汗出不恶寒者，其身必重，短气腹满而喘，有潮热者，此外欲解，可攻里也。手足濈然汗出者，此大便已鞭也，大承气汤主之；若汗出多，微发热恶寒者，外未解也，桂枝汤主之。其热不潮，未可与承气汤；若腹大满不通者，与小承气汤，微和胃气，勿令至大泄下。三十九。大承气汤用前第二方，小承气用前第二十八方。

### · 桂枝汤方

桂枝去皮　芍药　生姜切，各三两　甘草二两，炙　大枣十二枚，擘

右五味，以水七升，煮取三升，去滓，温服一升。服汤后，饮热稀粥一升余，以助药力，取微似汗。

209. 阳明病，潮热，大便微鞭者，可与大承气汤；不鞭者，不可与之。若不大便六七日，恐有燥屎，欲知之法，少与小承气汤，汤入腹中，转失气者，此有燥屎也，乃可攻之。若不转失气者，此但初头鞭，后必溏，不可攻之，攻之必胀满不能食也，欲饮水者，与水则哕。其后发热者，大便必复鞭而少也，宜以小承气汤和之。不转失气者，慎不可攻也。四十。并用前方。

214. 阳明病，谵语，发潮热，脉滑而疾者，小承气汤主之。因与承气汤一升，腹中转气者，更服一升；若不转气者，勿更与之。明日又不大便，脉反微涩者，里虚也，为难治，不可更与承气汤。四十一。用前第二十八方。

220. 二阳并病，太阳证罢，但发潮热，手足漐漐汗出，大便难，而谵语者，下之则愈，宜大承气汤。四十二。用前第

二方。

242. 病人小便不利，大便乍难乍易，时有微热，喘冒不能卧者，有燥屎也，属大承气汤证。四十三。用前第二方。

241. 大下后，六七日不大便，烦不解，腹满痛者，此有燥屎也。所以然者，本有宿食故也，属大承气汤证。四十四。用前第二方。

伤寒论卷第九

# 伤寒论卷第十

汉　张仲景述　晋　王叔和　撰次

宋　林　亿　校正

明　赵开美　校刻

沈　琳　仝校

# 辨发汗吐下后病脉证并治第二十二

合四十八法,方三十九首。

太阳病八九日，如疟状，热多寒少，不呕，清便，脉微而恶寒者，不可更发汗吐下也，以其不得小汗，身必痒，属桂枝麻黄各半汤。第一。七味。前有二十二病证。

服桂枝汤，或下之，仍头项强痛，发热，无汗，心下满痛，小便不利，属桂枝去桂加茯苓白术汤。第二。六味。

太阳病，发汗不解，而下之，脉浮者，为在外，宜桂枝汤。第三。五味。

下之后，复发汗，昼日烦躁，夜安静，不呕，不渴，无表证，脉沉微者，属干姜附子汤。第四。二味。

伤寒若吐下后，心下逆满，气上冲胸，起则头眩，脉沉紧，发汗则身为振摇者，属茯苓桂枝白术甘草汤。第五。四味。

发汗若下之，病不解，烦躁者，属茯苓四逆汤。第六。五味。

发汗吐下后，虚烦不眠，若剧者，反覆颠倒，心中懊侬，属栀子豉汤。少气者，栀子甘草豉汤；呕者，栀子生姜豉汤。第七。栀子豉汤，二味。栀子甘草豉汤、栀子生姜豉汤，并三味。

发汗下之，而烦热，胸中窒者，属栀子豉汤证。第八。用上初方。

太阳病，过经十余日，心下欲吐，胸中痛，大便溏，腹满，微烦，先此时极吐下者，与调胃承气汤。第九。三味。

太阳病，重发汗，复下之，不大便五六日，舌上燥而渴，日晡潮热，心腹鞕满痛不可近者，属大陷胸汤。第十。三味。

伤寒五六日，发汗，复下之，胸胁满微结，小便不利，渴而不呕，头汗出，寒热，心烦者，属柴胡桂枝干姜汤。第十一。七味。

伤寒发汗吐下，解后，心下痞鞕，噫气不除者，属旋复代赭汤。第十二。七味。

伤寒下之，复发汗，心下痞，恶寒，表未解也。表解乃可攻痞，解表宜桂枝汤；攻痞宜大黄黄连泻心汤。第十三。桂枝汤用前第三方。大黄泻心汤，二味。

伤寒吐下后，七八日不解，热结在里，表里俱热，恶风，大渴，舌上燥而烦，欲饮水数升者，属白虎加人参汤。第十四。五味。

伤寒吐下后，不解，不大便至十余日，日晡发潮热，不恶寒，如见鬼状。剧者不识人，循衣摸床，惕而不安，微喘直视，发热谵语者，属大承气汤。第十五。四味。

三阳合病，腹满身重，口不仁，面垢，谵语，遗尿。发汗则谵语，下之则额上汗，手足逆冷，自汗出者，属白虎汤。第十六。四味。

阳明病，脉浮紧，咽燥口苦，腹满而喘，发热汗出，反恶热，身重。若发汗则谵语；加温针，必怵惕，烦躁不眠；若下之，则心中懊憹，舌上胎者，属栀子豉汤证。第十七。用前第七方。

阳明病，下之，心中懊憹而烦，胃中有燥屎，可攻，宜大承气汤。第十八。用前第十五方。

太阳病，吐下发汗后，微烦，小便数，大便鞕者，与小承气汤和之。第十九。三味。

大汗大下而厥者，属四逆汤。第二十。三味。

太阳病，下之，气上冲者，与桂枝汤。第二十一。用前第三方。

太阳病，下之后，脉促胸满者，属桂枝去芍药汤。第二十二。四味。

若微寒者，属桂枝去芍药加附子汤。第二十三。五味。

太阳桂枝证，反下之，利不止，脉促，喘而汗出者，属葛根黄芩黄连汤。第二十四。四味。

太阳病，下之微喘者，表未解也，属桂枝加厚朴杏子汤。第二十五。七味。

伤寒，不大便六七日，头痛有热者，与承气汤。小便清者一云大便青，知不在里，当发汗，宜桂枝汤。第二十六。用前第三方。

伤寒五六日，下之后，身热不去，心中结痛者，属栀子豉汤证。第二十七。用前第七方。

伤寒下后，心烦腹满，卧起不安，属栀子厚朴汤。第二十八。三味。

伤寒，以丸药下之，身热不去，微烦者，属栀子干姜汤。第二十九。二味。

伤寒下之，续得下利不止，身疼痛，急当救里。后身疼痛，清便自调者，急当救表。救里宜四逆汤，救表宜桂枝汤。第三十。并用前方。

太阳病，过经十余日，二三下之，柴胡证仍在，与小柴胡。呕止小安，郁郁微烦者，可与大柴胡汤。第三十一。八味。

伤寒十三日不解，胸胁满而呕，日晡发潮热，微利。潮热者，实也。先服小柴胡汤以解外，后以柴胡加芒消汤主之。第三十二。八味。

伤寒十三日，过经谵语，有热也。若小便利，当大便鞕，而反利者，知以丸药下之也。脉和者，内实也，属调胃承气汤证。第三十三。用前第九方。

伤寒八九日，下之，胸满烦惊，小便不利，谵语，身重不可转侧者，属柴胡加龙骨牡蛎汤。第三十四。十二味。

火逆下之，因烧针烦躁者，属桂枝甘草龙骨牡蛎汤。第三十五。四味。

太阳病，脉浮而动数，头痛发热，盗汗，恶寒，反下之，膈内拒痛，短气躁烦，心中懊憹，心下因鞕，则为结胸，属大陷胸汤证。第三十六。用前第十方。

伤寒五六日，呕而发热者，小柴胡汤证具，以他药下之，柴胡证仍在者，复与柴胡汤，必蒸蒸而振，却发热汗出而解。若心满而鞕痛者，此为结胸，大陷胸汤主之。但满而不痛者，为痞，属半夏泻心汤。第三十七。七味。

本以下之，故心下痞，其人渴而口燥烦，小便不利者，属五苓散。第三十八。五味。

伤寒中风，下之，其人下利日数十行，腹中雷鸣，心下痞鞕，干呕，心烦。复下之，其痞益甚，属甘草泻心汤。第三十九。六味。

伤寒服药，下利不止，心下痞鞕。复下之，利不止，与理中，利益甚，属赤石脂禹余粮汤。第四十。二味。

太阳病，外证未除，数下之，遂协热而利，利不止，心下痞鞕，表里不解，属桂枝人参汤。第四十一。五味。

下后，不可更行桂枝汤，汗出而喘，无大热者，属麻黄杏子甘草石膏汤。第四十二。四味。

阳明病，下之，外有热，手足温，心中懊憹，饥不能食，但头汗出，属栀子豉汤证。第四十三。用前第七方。

伤寒吐后，腹胀满者，属调胃承气汤证。第四十四。用前第九方。

病人无表里证，发热七八日，脉虽浮数，可下之。假令已下，脉数不解，不大便者，有瘀血，属抵当汤。第四十五。四味。

本太阳病，反下之，腹满痛，属太阴也，属桂枝加芍药汤。第四十六。五味。

伤寒六七日，大下，寸脉沉而迟，手足厥，下部脉不至，喉咽不利，唾脓血者，属麻黄升麻汤。第四十七。十四味。

伤寒本自寒下，复吐下之，食入口即吐，属干姜黄芩黄连人参汤。第四十八。四味。

师曰：病人脉微而涩者，此为医所病也。大发其汗，又数大下之，其人亡血，病当恶寒，后乃发热，无休止时。夏月盛热，欲着复衣；冬月盛寒，欲裸其身。所以然者，阳微则恶寒，阴弱则发热，此医发其汗，使阳气微，又大下之，令阴气弱。五月之时，阳气在表，胃中虚冷，以阳气内微，不能胜冷，故欲着复衣；十一月之时，阳气在里，胃中烦热，以阴气内弱，不能胜热，故欲裸其身。又阴脉迟涩，故知亡血也。[①]

---

① 师曰……故知之血也：本书《辨脉法》亦有此文。

寸口脉浮大，而医反下之，此为大逆。浮则无血，大则为寒，寒气相抟，则为肠鸣。医乃不知，而反饮冷水，令汗大出，水得寒气，冷必相抟，其人则䬄。[①]

16. 太阳病三日，已发汗，若吐，若下，若温针，仍不解者，此为坏病，桂枝不中与之也。观其脉证，知犯何逆，随证治之。

49. 脉浮数者，法当汗出而愈，若下之，身重，心悸者，不可发汗，当自汗出乃解。所以然者，尺中脉微，此里虚，须表里实，津液和，便自汗出愈。

58. 凡病若发汗，若吐，若下，若亡血，无津液，阴阳脉自和者，必自愈。

59. 大下之后，复发汗，小便不利者，亡津液故也。勿治之，得小便利，必自愈。

60. 下之后，复发汗，必振寒，脉微细。所以然者，以内外俱虚故也。

90. 本发汗，而复下之，此为逆也；若先发汗，治不为逆。本先下之，而反汗之，为逆；若先下之，治不为逆。

93. 太阳病，先下而不愈，因复发汗，以此表里俱虚，其人因致冒，冒家汗出自愈。所以然者，汗出表和故也。得表和，然后复下之。

---

① 寸口脉浮大……其人则䬄：本书《辨脉法》亦有此文。

98. 得病六七日，脉迟浮弱，恶风寒，手足温，医二三下之，不能食，而胁下满痛，面目及身黄，颈项强，小便难者，与柴胡汤，后必下重，本渴饮水而呕者，柴胡不中与也，食谷者哕。

139. 太阳病，二三日不能卧，但欲起，心下必结，脉微弱者，此本有寒分也。反下之，若利止，必作结胸，未止者，四日复下之，此作协热利也。

140. 太阳病，下之，其脉促一作纵，不结胸者，此为欲解也。脉浮者，必结胸；脉紧者，必咽痛；脉弦者，必两胁拘急；脉细数者，头痛未止；脉沉紧者，必欲呕；脉沉滑者，协热利；脉浮滑者，必下血。

150. 太阳少阳并病，而反下之，成结胸，心下鞕，下利不止，水浆不下，其人心烦。

151. 脉浮而紧，而复下之，紧反入里，则作痞，按之自濡，但气痞耳。

160. 伤寒吐下发汗后，虚烦，脉甚微，八九日心下痞鞕，胁下痛，气上冲咽喉，眩冒，经脉动惕者，久而成痿。

194. 阳明病，能食，下之不解者，其人不能食，若攻其热必哕。所以然者，胃中虚冷故也，以其人本虚，攻其热必哕。①

---

① 阳明病……攻其热必哕：此条文字与宋本《伤寒论·辨阳明病脉证并证》第194条条文略异，当合参。

195. 阳明病，脉迟，食难用饱，饱则发烦，头眩，必小便难，此欲作谷疸[①]。虽下之，腹满如故。所以然者，脉迟故也。

夫病阳多者热，下之则鞕；汗多，极发其汗亦鞕。

244. 太阳病，寸缓关浮尺弱，其人发热，汗出，复恶寒，不呕，但心下痞者，此以医下之也。

273. 太阴之为病，腹满而吐，食不下，自利益甚，时腹自痛，若下之，必胸下结鞕。

380. 伤寒大吐大下之，极虚，复极汗者，其人外气怫郁，复与之水，以发其汗，因得哕。所以然者，胃中寒冷故也。

391. 吐利发汗后，脉平，小烦者，以新虚不胜谷气故也。

153. 太阳病，医发汗，遂发热恶寒，因复下之，心下痞。表里俱虚，阴阳气并竭，无阳则阴独。复加烧针，因胸烦，面色青黄，肤瞤者，难治；今色微黄，手足温者，易愈。

23. 太阳病，得之八九日，如疟状，发热恶寒，热多寒少，其人不呕，清便欲自可，一日二三度发。脉微缓者，为欲愈也；脉微而恶寒者，此阴阳俱虚，不可更发汗、更下、更吐也；面色反有热色者，未欲解也，以其不能得小汗出，身必痒，属桂枝麻黄各半汤。方一。

---

① 谷疸：本条“烦”“眩”“难”为真韵合韵，依韵例，“此欲作谷疸”亦是押韵之句。“疸”字误，当作“疸”。《金匮玉函经・辨发汗吐下后病形脉证》作“疸”，是也。宋本《伤寒论・辨阳明病脉证并治》第195条作“谷瘅”。“瘅”通“疸”。

桂枝一两十六铢　芍药一两　生姜一两，切　甘草一两，炙　麻黄一两，去节　大枣四枚，擘　杏仁二十四个，汤浸，去皮尖及两人者

右七味，以水五升，先煮麻黄一二沸，去上沫，内诸药，煮取一升八合，去滓，温服六合。本云，桂枝汤三合，麻黄汤三合，并为六合，顿服。

28. 服桂枝汤，或下之，仍头项强痛，翕翕发热，无汗，心下满微痛，小便不利者，属桂枝去桂加茯苓白术汤。方二。

芍药三两　甘草二两，炙　生姜三两，切　白术三两　茯苓三两　大枣十二枚，擘

右六味，以水八升，煮取三升，去滓，温服一升。小便利则愈。本云，桂枝汤今去桂枝，加茯苓、白术。

45. 太阳病，先发汗不解，而下之，脉浮者不愈，浮为在外，而反下之，故令不愈。今脉浮，故在外，当须解外则愈，宜桂枝汤。方三。

桂枝三两，去皮　芍药三两　生姜三两，切　甘草二两，炙　大枣十二枚，擘

右五味，以水七升，煮取三升，去滓，温服一升。须臾啜热稀粥一升，以助药力，取汗。

61. 下之后，复发汗，昼日烦躁不得眠，夜而安静，不呕，不渴，无表证，脉沉微，身无大热者，属干姜附子汤。方四。

干姜一两　附子一枚，生用，去皮，破八片

右二味，以水三升，煮取一升，去滓，顿服。

67. 伤寒若吐若下后，心下逆满，气上冲胸，起则头眩，脉沉紧，发汗则动经，身为振振摇者，属茯苓桂枝白术甘草汤。方五。

茯苓四两 桂枝三两，去皮 白术二两 甘草二两，炙

右四味，以水六升，煮取三升，去滓，分温三服。

69. 发汗若下之后，病仍不解，烦躁者，属茯苓四逆汤。方六。

茯苓四两 人参一两 附子一枚，生用，去皮，破八片 甘草二两，炙 干姜一两半

右五味，以水五升，煮取二升，去滓，温服七合，日三服。

76. 发汗吐下后，虚烦不得眠，若剧者，必反覆颠倒，心中懊侬，属栀子豉汤。若少气者，栀子甘草豉汤；若呕者，栀子生姜豉汤。七。

肥栀子十四味，擘 香豉四合，绵裹

右二味，以水四升，先煮栀子，得二升半，内豉，煮取一升半，去滓，分为二服，温进一服。得吐者，止后服。

**·栀子甘草豉汤方**

肥栀子十四个，擘 甘草二两，炙 香豉四合，绵裹

右三味，以水四升，先煮二味，取二升半，内豉，煮取一

升半，去滓，分二服，温进一服。得吐者，止后服。

### ·栀子生姜豉汤方

肥栀子十四个，擘　生姜五两，切　香豉四合，绵裹

右三味，以水四升，先煮二味，取二升半，内豉，煮取一升半，去滓，分二服，温进一服。得吐者，止后服。

77. 发汗若下之，而烦热，胸中窒者，属栀子豉汤证。八。用前初方。

123. 太阳病，过经十余日，心下温温欲吐，而胸中痛，大便反溏，腹微满，郁郁微烦，先此时极吐下者，与调胃承气汤。若不尔者，不可与。但欲呕，胸中痛，微溏者，此非柴胡汤证，以呕故知极吐下也，调胃承气汤。方九。

大黄四两，酒洗　甘草二两，炙　芒消半升

右三味，以水三升，煮取一升，去滓，内芒消，更上火令沸，顿服之。

137. 太阳病，重发汗，而复下之，不大便五六日，舌上燥而渴，日晡所小有潮热一云日晡所发心胸大烦，从心下至少腹鞕满而痛，不可近者，属大陷胸汤。方十。

大黄六两，去皮，酒洗　芒消一升　甘遂末一钱匕

右三味，以水六升，煮大黄，取二升，去滓，内芒消，煮两沸，内甘遂末，温服一升，得快利，止后服。

147. 伤寒五六日，已发汗，而复下之，胸胁满微结，小

便不利，渴而不呕，但头汗出，往来寒热，心烦者，此为未解也，属柴胡桂枝干姜汤。方十一。

柴胡半斤　桂枝三两，去皮　干姜二两　栝楼根四两　黄芩三两　甘草二两，炙　牡蛎二两，熬

右七味，以水一斗二升，煮取六升，去滓，再煎取三升，温服一升，日三服。初服微烦，后汗出便愈。

161. 伤寒发汗，若吐若下，解后，心下痞鞕，噫气不除者，属旋复代赭汤。方十二。

旋复花三两　人参二两　生姜五两　代赭一两　甘草三两，炙　半夏半升，洗　大枣十二枚，擘

右七味，以水一斗，煮取六升，去滓，再煎取三升，温服一升，日三服。

164. 伤寒大下之，复发汗，心下痞，恶寒者，表未解也，不可攻痞，当先解表，表解乃攻痞，解表宜桂枝汤，用前方；攻痞宜大黄黄连泻心汤。方十三。

大黄二两，酒洗　黄连一两

右二味，以麻沸汤二升渍之，须臾绞去滓，分温再服。有黄芩，见第四卷中。

168. 伤寒若吐下后，七八日不解，热结在里，表里俱热，时时恶风，大渴，舌上干燥而烦，欲饮水数升者，属白虎加人参汤。方十四。

知母六两　石膏一斤，碎　甘草二两，炙　粳米六合　人参三两

右五味，以水一斗，煮米熟汤成，去滓，温服一升，日三服[1]。

212. 伤寒若吐若下后，不解，不大便五六日，上至十余日，日晡所发潮热，不恶寒，独语如见鬼状。若剧者，发则不识人，循衣摸床，惕而不安一云顺衣妄撮，怵惕不安，微喘直视，脉弦者生，涩者死。微者，但发热，谵语者，属大承气汤。方十五。

大黄四两，去皮，酒洗　厚朴半斤，炙　枳实五枚，炙　芒消三合

右四味，以水一斗，先煮二味，取五升，内大黄，煮取二升，去滓，内芒消，更煮令一沸，分温再服。得利者，止后服。

219. 三阳合病，腹满身重，难以转侧，口不仁，面垢又作枯。一云向经。

219. 谵语遗尿，发汗则谵语，下之则额上生汗，若手足逆冷，自汗出者，属白虎汤。十六。

知母六两　石膏一斤，碎　甘草二两，炙　粳米六合

---

① 日三服：宋本《伤寒论・辨太阳病脉证并治下》第168条在“日三服”下有“此方立夏后、立秋前乃可服……但可温之当愈”六十二字。《脉经・病发汗吐下以后证》《金匮玉函经・辨太阳病形证治下》《金匮玉函经・辨发汗吐下后病形脉证》、孙思邈本《伤寒论・发汗吐下后病状》、江南秘本《伤寒论・辨厥阴病形状》皆无此六十二字。考《伤寒论・辨太阳病脉证并治下》第168条子目小注云：“下有不可与白虎证。”似此六十二字为一证候条文。《千金要方・发汗吐下后》之第168条服法有类似文字：“诸亡血及虚家不可与白虎汤。若立夏后至立秋前得用之，立秋后不可服。春三月尚凛冷，亦不可与之，与之则呕利腹痛。”

右四味，以水一斗，煮米熟汤成，去滓，温服一升，日三服。

221. 阳明病，脉浮而紧，咽燥口苦，腹满而喘，发热汗出，不恶寒，反恶热，身重。若发汗则躁，心愦愦而反谵语；若加温针，必怵惕烦躁不得眠；若下之，则胃中空虚，客气动膈，心中懊侬，舌上胎者，属栀子豉汤证。十七。用前第七方。

238. 阳明病，下之，心中懊侬而烦，胃中有燥屎者，可攻。腹微满，初头鞕，后必溏，不可攻之。若有燥屎者，宜大承气汤。第十八。用前第十五方。

250. 太阳病，若吐若下若发汗后，微烦，小便数，大便因鞕者，与小承气汤和之愈。方十九。

大黄四两，酒洗　厚朴二两，炙　枳实三枚，炙

右三味，以水四升，煮取一升二合，去滓，分温二服。

354. 大汗若大下，而厥冷者，属四逆汤。方二十。

甘草二两，炙　干姜一两半　附子一枚，生用，去皮，破八片

右三味，以水三升，煮取一升二合，去滓，分温再服，强人可大附子一枚，干姜四两。

15. 太阳病，下之后，其气上冲者，可与桂枝汤。若不上冲者，不得与之。二十一。用前第三方。

21. 太阳病，下之后，脉促，胸满者，属桂枝去芍药汤。方二十二。促，一作纵。

桂枝三两，去皮　甘草二两，炙　生姜三两　大枣十二枚，擘

右四味，以水七升，煮取三升，去滓，温服一升。本云，桂枝汤今去芍药。

22. 若微寒者，属桂枝去芍药加附子汤。方二十三。

桂枝三两，去皮　甘草二两，炙　生姜三两，切　大枣十二枚，擘　附子一枚，炮

右五味，以水七升，煮取三升，去滓，温服一升。本云，桂枝汤今去芍药，加附子。

34. 太阳病桂枝证，医反下之，利遂不止，脉促者，表未解也；喘而汗出者，属葛根黄芩黄连汤。方二十四。促，一作纵。

葛根半斤　甘草二两，炙　黄芩三两　黄连三两

右四味，以水八升，先煮葛根，减二升，内诸药，煮取二升，去滓，温分再服。

43. 太阳病，下之微喘者，表未解故也，属桂枝加厚朴杏子汤。方二十五。

桂枝三两，去皮　芍药三两　生姜三两，切　甘草二两，炙　厚朴二两，炙，去皮　大枣十二枚，擘　杏仁五十个，去皮尖

右七味，以水七升，煮取三升，去滓，温服一升。

56. 伤寒，不大便六七日，头痛有热者，与承气汤。其小便清者一云大便青，知不在里，仍在表也，当须发汗；若头痛者，必衄，宜桂枝汤。二十六。用前第三方。

78. 伤寒五六日，大下之后，身热不去，心中结痛者，未欲解也，属栀子豉汤证。二十七。用前第七方。

79. 伤寒下后，心烦腹满，卧起不安者，属栀子厚朴汤。方二十八。

栀子十四枚，擘　厚朴四两，炙　枳实四个，水浸，炙令赤

右三味，以水三升半，煮取一升半，去滓，分二服，温进一服。得吐者，止后服。

80. 伤寒，医以丸药大下之，身热不去，微烦者，属栀子干姜汤。方二十九。

栀子十四个，擘　干姜二两

右二味，以水三升半，煮取一升半，去滓，分二服。一服得吐者，止后服。

81. 凡用栀子汤，病人旧微溏者，不可与服之。

91. 伤寒医下之，续得下利清谷不止，身疼痛者，急当救里；后身疼痛，清便自调者，急当救表。救里宜四逆汤；救表宜桂枝汤。三十。并用前方。

103. 太阳病，过经十余日，反二三下之，后四五日，柴胡证仍在者，先与小柴胡。呕不止，心下急一云呕止小安，郁郁微烦者，为未解也，可与大柴胡汤，下之则愈。方三十一。

柴胡半斤　黄芩三两　芍药三两　半夏半升，洗　生姜五两　枳实四枚，炙　大枣十二枚，擘

右七味，以水一斗二升，煮取六升，去滓，再煎取三升，温服一升，日三服，一方加大黄二两，若不加，恐不为大柴胡汤。

104. 伤寒十三日不解，胸胁满而呕，日晡所发潮热，已而微利，此本柴胡，下之不得利，今反利者，知医以丸药下之，此非其治也。潮热者，实也，先服小柴胡汤以解外，后以柴胡加芒消汤主之。方三十二。

柴胡二两十六铢　黄芩一两　人参一两　甘草一两，炙　生姜一两　半夏二十铢，旧云五枚，洗　大枣四枚，擘　芒消二两

右八味，以水四升，煮取二升，去滓，内芒消，更煮微沸，温分再服，不解更作。

105. 伤寒十三日，过经谵语者，以有热也，当以汤下之。若小便利者，大便当鞕，而反下利，脉调和者，知医以丸药下之，非其治也。若自下利者，脉当微厥，今反和者，此为内实也，属调胃承气汤证。三十三。用前第九方。

107. 伤寒八九日，下之胸满烦惊，小便不利，谵语，一身尽重，不可转侧者，属柴胡加龙骨牡蛎汤。方三十四。

柴胡四两　龙骨一两半　黄芩一两半　生姜一两半，切　铅丹一两半　人参一两半　桂枝一两半，去皮　茯苓一两半　半夏二合半，洗　大黄二两　牡蛎一两半，熬　大枣六枚，擘

右十二味，以水八升，煮取四升，内大黄，切如棋子，更煮一两沸，去滓，温服一升。本云，柴胡汤今加龙骨等。

118. 火逆下之，因烧针烦躁者，属桂枝甘草龙骨牡蛎汤。方三十五。

桂枝一两，去皮　甘草二两，炙　龙骨二两　牡蛎二两，熬

右四味，以水五升，煮取二升半，去滓，温服八合，日三服。

134. 太阳病，脉浮而动数，浮则为风，数则为热，动则为痛，数则为虚。头痛发热，微盗汗出，而反恶寒者，表未解也。医反下之，动数变迟，膈内拒痛一云头痛即眩，胃中空虚，客气动膈，短气躁烦，心中懊侬，阳气内陷，心下因鞕，则为结胸，属大陷胸汤证。若不结胸，但头汗出，余处无汗，剂颈而还，小便不利，身必发黄。三十六。用前第十方。

149. 伤寒五六日，呕而发热者，柴胡汤证具，而以他药下之，柴胡证仍在者，复与柴胡汤。此虽已下之，不为逆，必蒸蒸而振，却发热汗出而解。若心下满而鞕痛者，此为结胸也，大陷胸汤主之，用前方。但满而不痛者，此为痞，柴胡不中与之，属半夏泻心汤。方三十七。

半夏半升，洗　黄芩三两　干姜三两　人参三两　甘草三两，炙　黄连一两　大枣十二枚，擘

右七味，以水一斗，煮取六升，去滓，再煎取三升，温服一升，日三服。

156. 本以下之，故心下痞，与泻心汤。痞不解，其人渴而口燥烦，小便不利者，属五苓散。方三十八。一方云忍之一日乃愈。

猪苓十八铢，去黑皮　白术十八铢　茯苓十八铢　泽泻一两六铢　桂心半两，去皮

右五味，为散，白饮和服方寸匕，日三服。多饮暖水，汗出愈。

158. 伤寒中风，医反下之，其人下利日数十行，谷不化，腹中雷鸣，心下痞鞕而满，干呕，心烦不得安。医见心下痞，谓病不尽，复下之，其痞益甚，此非结热，但以胃中虚，客气上逆，故使鞕也，属甘草泻心汤。方三十九。

甘草四两，炙　黄芩三两　干姜三两　半夏半升，洗　大枣十二枚，擘　黄连一两

右六味，以水一斗，煮取六升，去滓，再煎，取三升，温服一升，日三服。有人参。见第四卷中。

159. 伤寒服汤药，下利不止，心下痞鞕。服泻心汤已，复以他药下之，利不止。医以理中与之，利益甚。理中，理中焦，此利在下焦，属赤石脂禹余粮汤。复不止者，当利其小便。方四十。

赤石脂一升，碎　太一禹余粮一斤，碎

右二味，以水六升，煮取二升，去滓，分温三服。

163. 太阳病，外证未除，而数下之，遂协热而利，利下不止，心下痞鞕，表里不解者，属桂枝人参汤。方四十一。

桂枝四两，别切，去皮　甘草四两，炙　白术三两　人参三两　干姜三两

右五味，以水九升，先煮四味，取五升，内桂，更煮取三升，去滓，温服一升，日再夜一服。

162. 下后，不可更行桂枝汤，汗出而喘，无大热者，属麻黄杏子甘草石膏汤。方四十二。

麻黄四两，去节　杏仁五十个，去皮尖　甘草二两，炙　石膏半斤，碎

右四味，以水七升，先煮麻黄，减二升，去上沫，内诸药，煮取三升，去滓，温服一升。本云，黄耳杯。

228. 阳明病，下之，其外有热，手足温，不结胸，心中懊侬，饥不能食，但头汗出者，属栀子豉汤证。四十三。用前第七初方。

249. 伤寒吐后，腹胀满者，属调胃承气汤证。四十四。用前第九方。

257. 病人无表里证，发热七八日，脉虽浮数者，可下之。假令已下，脉数不解，今热则消谷喜饥，至六七日，不大便者，有瘀血，属抵当汤。方四十五。

大黄三两，酒洗　桃仁二十枚，去皮尖　水蛭三十枚，熬　蝱虫去翅足，三十枚，熬

右四味，以水五升，煮取三升，去滓，温服一升。不下更服。

279. 本太阳病，医反下之，因尔腹满时痛者，属太阴也，属桂枝加芍药汤。方四十六。

桂枝三两，去皮　芍药六两　甘草二两，炙　大枣十二枚，擘　生姜三两，切

右五味，以水七升，煮取三升，去滓，分温三服。本云，

桂枝汤今加芍药。

357. 伤寒六七日，大下，寸脉沉而迟，手足厥逆，下部脉不至，喉咽不利，唾脓血，泄利不止者，为难治，属麻黄升麻汤。方四十七。

麻黄二两半，去节　升麻一两六铢　当归一两六铢　知母十八铢　黄芩十八铢　萎蕤十八铢，一作菖蒲　芍药六铢　天门冬六铢，去心　桂枝六铢，去皮　茯苓六铢　甘草六铢，炙　石膏六铢，碎，绵裹　白术六铢　干姜六铢

右十四味，以水一斗，先煮麻黄一两沸，去上沫，内诸药，煮取三升，去滓，分温三服。相去如炊三斗米顷令尽，汗出愈。

359. 伤寒本自寒下，医复吐下之，寒格更逆吐下，若食入口即吐，属干姜黄芩黄连人参汤。方四十八。

干姜　黄芩　黄连　人参各三两

右四味，以水六升，煮取二升，去滓，分温再服。

伤寒论卷第十　　长洲赵应期独刻

# 伤寒论后序[1]

夫治伤寒之法，历观诸家方书，得仲景之多者，惟孙思邈。犹曰：见大医疗伤寒，惟大青、知母等诸冷物投之，极与仲景本意相反。又曰：寻方之大意，不过三种，一则桂枝，二则麻黄，三则青龙，凡疗伤寒不出之也。呜呼！是未知法之深者也。奈何仲景之意，治病发于阳者，以桂枝、生姜、大枣之类；发于阴者，以干姜、甘草、附子之类，非谓全用温热药。盖取《素问》辛甘发散之说，且风与寒，非辛甘不能发散之也。而又中风自汗用桂枝；伤寒无汗用麻黄；中风见寒脉、伤寒见风脉用青龙，若不知此，欲治伤寒者，是未得其门矣。然则此之三方，春冬所宜用之，若夏秋之时，病多中暍，当行白虎也。故《阴阳大论》云：脉盛身寒，得之伤寒；脉虚身热，得之伤暑。又云：五月六月，阳气已盛，为寒所折，病热则重。《别论》云：太阳中热，暍是也，其人汗出恶寒，身热而渴，白虎主之。若误服桂枝、麻黄辈，未有不黄发斑出，脱血而得生者。此古人所未至，故附于卷之末云。

---

① 伤寒论后序：日本安政本无此后序。此后序非出自北宋校正医书局手，观总目录无其位置可知，且其所论为用药用方之法及评述孙思邈未知法之深者，与本书不甚相关。疑此后序出自赵开美或沈琳手。存疑待考。

附一

# 《伤寒论》在隋代之流传

《伤寒论》在隋代之流传可据巢元方《诸病源候论》有关史料加以考证。

## 一、隋大业六年前仅有残本《辨伤寒》流传

“大业”为隋炀帝杨广年号。隋文帝杨坚于581年建隋，是年为开皇元年。从581年至610年30年间，隋无《伤寒论》之全帙，仅有其残卷。

今存之《诸病源候论》由巢元方等奉敕编成于隋大业六年（610）。日本宫内厅书陵部藏有宋板《诸病源候论》。该书卷七为《伤寒诸病上》，卷八为《伤寒诸病下》，即卷七为《伤寒论》内容，卷八为《金匮要略》内容。考卷七内容，与今本《伤寒论》异，所引《伤寒论》条文皆为残文，是知隋大业六年前无《伤寒论》全帙。日本江户时期山本恭庭撰《诸病源候论解题》，甚精。喜多村直宽跋云：

右《诸病源候论解题》曩岁侍医山本恭庭惟允所录也。恭庭有《诸病源候论疏证》，极称精确。书仅成四卷，未及脱稿，其人就地。惋惜之余，今借抄解题一篇，以冠于札记之

首。嘉永戊申秋初，喜多村直宽识。

关于隋大业六年前《伤寒论》流传情况，山本恭庭云：

《伤寒杂病论》合十六卷，其十卷乃今所传《伤寒论》。而《隋志》称梁有仲景《辨伤寒》十卷，亡。孙思邈亦云：江南诸师秘仲景要方不传。因考本书伤寒诸候多有《伤寒论》文，而不著仲景之名。于妇人篇则往往著其名（见于《带下三十六疾候》《胞转候》《大便不通候》）。此知当时惟有《杂病论》而无《伤寒论》。详其所引之文，多与《脉经》相合，岂据其所收载而引之乎？其《杂病论》六卷即今《金匮要略》。其遗佚者，贾公彦疏《周礼》云：张仲景《金匮》云：神农能尝百药，则炎帝者也（《疾医职》）。今《要略》无此文，而林亿辈亦云：以其《伤寒》文多节略，故断自《杂病》以下，终于饮食禁忌云云。然则当时所见之本，非今之《要略》明矣！

按，山本恭庭所考是也。考《诸病源候论》卷三十八《带下三十六疾候》云：

张仲景所说三十六种疾，皆由子脏冷热劳损，而挟带下，起于阴内，条目混漫，与诸方不同。但仲景义最为玄深，非愚浅能解。恐其文虽异，其理实同也。

卷四十《胞转候》云：

张仲景云：妇人本肥盛，豆举自满，全羸瘦，豆举空减，胞系了戾，亦胞转。

卷四十《大便不通候》：

张仲景云：妇人经水过多，亡津液者，亦大便难也。

今考其所载《伤寒论》条文，不仅见于卷七，亦见于卷八；但与宋本《伤寒论》逐条对比后，发现其条文数远较宋本《伤寒论》为少，且其在引《伤寒论》内容时未注出“张仲景”三字，而在引《杂病》文字时必出仲景之名。因此可知，隋大业六年前，无全帙《伤寒论》。

## 二、隋大业六年后《辨伤寒》复出

隋大业六年至隋末凡8年（610—618），《辨伤寒》十卷大约在此时复出，有如下史料可资证明。

《隋书·经籍志序》云：

隋开皇三年（583），秘书监牛弘（545—610），表请分遣使人，搜访异本。每书一卷，赏绢一匹，校写既定，本即归主。于是民间异书，往往间出。及平陈以后，经籍渐备。检其所得，多太建（569—582）时书，纸墨不精，书亦拙恶。于是总集编次，存为古本。召天下工书之士，京兆韦霈、南阳杜頵等，于秘书内补续残缺，为正副二本，藏于宫中。其余以实秘书内、外之阁，凡三万余卷。

这段大意是，隋文帝时期藏书不多，朝廷依牛弘奏本广开献书之策后，民间异书，纷纷复出。所收之书皆手抄正副两本，凡三万余卷。《隋书·经籍志序》紧接着又说：

炀帝即位，秘阁之书，限写五十副本，分为三品：上品红琉璃轴，中品绀琉璃轴，下品漆轴。于东都观文殿东西厢构屋以贮之，东屋藏甲乙，西屋藏丙丁。又聚魏以来古迹名画，于殿后起二台：东曰妙楷台，藏古迹；西曰宝迹台，藏古画。又于内道场集道、佛经，别撰目录。

隋炀帝时期搜集到的古书远比隋文帝时期搜到的要多。元代马端临《文献通考》卷一百七十四《经籍考》云：

炀帝即位，增秘书省官百二十员，并以学士补之。帝好读书著述，自为扬州总管，置王府学士至百人，常令修撰。以至为帝前后近二十载，修撰未尝暂停。自经术、文章、兵农、地理、医卜、释道，乃至捕搏鹰狗，皆为新书，无不精洽。共成三十一部，万七千卷。初，西京嘉则殿有书三十七万卷，帝命秘书监柳顾言等诠次，除其复重猥杂，得正御本三万七千余卷，纳于东都修文殿。又写五十副本，分为三品：上品红琉璃轴、中品绀琉璃轴、下品漆轴，于东都观文殿东西厢构屋以贮之。

在这种社会形势下，民间藏书纷纷献出，《辨伤寒》就在其中。现传之《伤寒论》十卷，即以此时复出之《辨伤寒》为基础而流传至今者。

梁阮孝绪《七录》所载张仲景《辨伤寒》十卷经隋代之抄写，辗转流传至今。今本《伤寒论》之“鞕”即隋代传抄的标志。

隋代对帝讳非常重视。如《隋书·经籍志·经籍二·史》：“《史记音义》，宋中散大夫徐野民撰。”《校勘记》：“徐野民，《二十二史考异》：徐野民即徐广，隋人讳广，称徐氏之字。”隋炀帝名广，故称呼徐广时乃用其字“野民”。在隋代，魏张揖的《广雅》改称《博雅》。

《伤寒论》之“坚”字皆写为“鞕”，“坚瘕”作“固瘕”等，避杨坚之“坚”字，可作为《伤寒论》抄写于隋代的历史标志。在所有《伤寒论》传本中，唯宋本《伤寒论》“坚”

字改为“鞕”或“固”字，而《脉经》《金匮玉函经》、江南秘本《伤寒论》（《太平圣惠方》卷八，又称淳化本《伤寒论》）、孙思邈本《伤寒论》（《千金翼方》卷九、卷十）皆不避“坚”字。从这些避讳事实中我们看到，《伤寒论》中的“鞕”字，乃隋人抄录的时代标志。是《辨伤寒》于隋末复出有史可征也。

附二

# 宋本《伤寒论》文句正讹

北宋刊行的大字本《伤寒论》与小字本《伤寒论》原刻已亡，明万历二十七年（1599）赵开美（1563—1624）据北宋元祐三年（1088）小字本《伤寒论》翻刻，后不久底本亡佚。真正意义上的宋本《伤寒论》已不存在，今存者只有赵开美翻刻本《伤寒论》。赵开美称翻刻本《伤寒论》为“宋板《伤寒论》”，后世皆称此本为“宋本《伤寒论》”。其实为赵开美翻宋本《伤寒论》也。赵开美翻刻之宋本《伤寒论》收录于他的《仲景全书》中，其中有讹脱之字，今以台北故宫博物院图书文献大楼所藏宋本《伤寒论》为底本，检其增补讹脱而正之。

今天通行之繁、简体《伤寒论》，多已将赵开美翻宋本《伤寒论》讹字改正过来，但是改误未尽，仍有当改而未改者，故本文对刊正当前通行之《伤寒论》仍有参考价值。另外，本文对考察宋本《伤寒论》之版本历史亦有意义。

## 一、增文

明万历二十七年（1599）赵开美所刻《仲景全书》虽为私人刊刻，但由于出于著名藏书家赵开美手，且聘请当时著名刻工赵应期独立雕版,《仲景全书》中的宋本《伤寒论》堪称善本。然细览穷究赵开美翻宋本《伤寒论》,发现其亦为时俗所染,而有增补文字之处 。举证如下。

**(一) 增《医林列传》**

《医林列传》所载,凡三人:张机、王叔和、成无己。《成无己传》云:"成无己,聊摄人,家世儒医,性识明敏,记问该博,撰述伤寒,义皆前人未经道者。指在定体分形析证。若同而异者,明之;似是而非者,辨之。古今言伤寒者祖张仲景,但因其证而用之,初未有发明其意义。成无己博极研精,深造自得,本《难》《素》《灵枢》诸书,以发明其奥,因仲景方论以辨析其理。极表里虚实阴阳生死之说,究药病轻重去取加减之意,真得长沙公之旨趣。所著《伤寒论》十卷、《明理论》三卷、《论方》一卷,大行于世。"凡一百六十一字。"初未有发明其意义"句前,系综合南宋绍兴十四年(1144)严器之《注解伤寒论序》而成;"古今言伤寒者"至"究药病轻重去取加减之意"系抄录南宋开禧元年(1205)张孝忠《伤寒明理论跋》而成。北宋校正医书局校毕《伤寒论》在北宋治平二年(1065),《成无己传》及《张机传》《王叔和传》非出自校正医书局,而出于其后。

"后人"者何?虽难确指,但可意推。《仲景全书》收录四部书:宋本《伤寒论》、成无己《注解伤寒论》、宋云公《伤寒类证》、张仲景《金匮要略》。首先雕版者为成无己《注解伤寒论》，其次为《金匮要略》，两书刻毕，命以书名曰《仲景全书》。恰于此时赵开美寻获北宋元祐三年（1083）刊刻的小字本《伤寒论》，并据为底本，聘请优秀刻工赵应期一人独立刊刻。最后刊刻宋云公的《伤寒类证》。赵开美写序时，称翻刻本《伤寒论》为“宋板《伤寒论》”，其名沿用至今。《张机传》《王叔和传》《成无已传》当成于《仲景全书》刻毕之万历已亥前后，执笔者或为赵开美，或为与其同校者沈琳。三传皆为缀合旧文而成，成之较易。

**（二）《仲景全书目录》下增“翻刻宋板《伤寒论》全文”九字**

宋本《伤寒论》无此九字。赵开美《刻仲景全书序》云：“予曩固知成注非全文，及得是书，不啻拱璧，转卷间而后知成之荒也，因复并刻之。”序已言翻刻宋本《伤寒论》，增此九字，不符翻刻原则矣。

**（三）卷一至卷十皆增“宋林亿校正　明赵开美校刻　沈琳仝校”十五字**

北宋主校《伤寒论》者为孙奇。《伤寒论序》云：“国家诏儒臣校正医书，臣奇续被其选，以为百病之急，无急于伤寒，今先校定张仲景《伤寒论》十卷。”所谓“续被其选”，谓《金匮要略》《金匮玉函经》校订皆出孙奇手。《金匮要略方论序》：“国家诏儒臣校订医书，臣奇先校订《伤寒论》，次校订《金匮玉函经》，今又校成此书。”观《伤寒论序》《金匮要略方论序》，可知此两书皆由孙奇校定，且序文亦为孙奇所写。若独题“宋林亿校正”五字，则与史实不合，故知“宋林亿校正”五字为赵开美增补也。

### （四）增木印牌记

卷四末页增“世让堂翻刻宋板赵氏家藏印”木印牌记十二字，卷五至卷十末页增“世让堂翻宋板”木印牌记，卷十最末一行增“长洲赵应期独刻”木印牌记。这些木印牌记对考证赵开美所用底本有价值，但作为翻刻作品则不可增入。

### （五）增《伤寒论后序》

《伤寒论后序》全文如下：

夫治伤寒之法，历观诸家方书，得仲景之多者，惟孙思邈。犹曰：见大医疗伤寒，惟大青、知母等诸冷物投之，极与仲景本意相反。又曰：寻方之大意，不过三种，一则桂枝，二则麻黄，三则青龙，凡疗伤寒不出之也。呜呼！是未知法之深者也。奈何仲景之意，治病发于阳者，以桂枝、生姜、大枣之类；发于阴者，以干姜、甘草、附子之类，非谓全用温热药。盖取《素问》辛甘发散之说，且风与寒，非辛甘不能发散之也。而又中风自汗用桂枝；伤寒无汗用麻黄；中风见寒脉、伤寒见风脉用青龙，若不知此，欲治伤寒者，是未得其门矣。然则此之三方，春冬所宜用之，若夏秋之时，病多中暍，当行白虎也。故《阴阳大论》云：脉盛身寒，得之伤寒；脉虚身热，得之伤暑。又云：五月六月，阳气已盛，为寒所折，病热则重。《别论》云：太阳中热，暍是也，其人汗出恶寒，身热而渴，白虎主之。若误服桂枝、麻黄辈，未有不黄发斑出，脱血而生者。此古人所未至，故附于卷之末云。

《伤寒论后序》凡二百六十七字，是一篇以《黄帝内经》理论批驳孙思邈所谓治疗伤寒不出桂枝汤、麻黄汤、青龙汤三方的论文，是与书前林亿等《伤寒论序》和《伤寒论》校订本全书完全不相关的议论，故其为后人增补绝无疑义。撰文者不详。宋本《伤寒论》目录无《伤寒论后序》之目，尤可为《伤寒论后序》为妄增之证也。

上述所增，皆为赘文，有伤北宋底本，不符翻刻之名。前人鲜有论及，今简说之。

杨守敬从版本学角度发现此十五字为赵开美增入，故在其剪贴的宋本《伤寒论》中将“宋林亿校正　明赵开美校刻　沈琳仝校”十五字剪掉。

## 二、讹字

本节所论之“讹字”指赵开美翻刻宋本《伤寒论》原版之讹字，其中有些讹字，后世已予改正。既已改正，何需再提？再提此事的意义在于：①后人改误未尽，需加再改；②赵开美本虽为国宝级文献，但有小疵。

### （一）“分人迎、气口、神门”之“迎”字误

《伤寒论·医林列传·王叔和》：“叙阴阳表里，辨三部九

候，分人迎、气口、神门。”宋本《伤寒论》“迎”字的“卬”误刻为“卯”，字误。

### （二）“欲祼其身”之“祼”字误

宋本《伤寒论·辨脉法》：“以阴气内弱，不能胜热，故欲祼其身。”“祼”（guàn）字误，当作“裸”。祼是古代以酒浇地的一种祭祀活动。俗体字“衤”旁、“礻”旁多混用，“祼”是因俗致讹之字。

### （三）“紧去入安”之“入”字误，当作“人”

宋本《伤寒论·辨脉法》：“脉阴阳俱紧，至于吐利，其脉独不解，紧去入安。”按，“入”字误，当作“人”。

### （四）“惕”当作“愓”

宋本《伤寒论·辨太阳病脉证并治中》第38条“若脉微弱，汗出恶风者，不可服之。服之则厥逆，筋惕肉瞤，此为逆也”之“惕”和赵开美《仲景全书·注解伤寒论》第38条“筋惕肉瞤”之“惕”作“愓”（dàng）。按，“筋惕肉瞤”之“筋惕”与“肉瞤”是两个并列的主谓词组，“惕”与“瞤”的词义皆当为“跳动”。《说文解字》：“瞤，目动也。”段玉裁注：“《素问》肉瞤瘛，注：动掣也。”《素问·气交变大论》“肌肉瞤酸”，谓肌肉跳动酸痛。据此则“筋惕”之“惕”字亦应表动义，但“惕”字无动义。《说文解字》：“惕，敬也。”《广雅·释诂》：“惕，惧也。”均无动义，与“瞤”字不能构成对应的同义词。“惕”字乃“愓”字之讹 。“愓”字训动。

《说文解字》：“愓，放也。”“放”有动义。古书“愓”字多作“荡”字。朱骏声《说文通训定声》云：“愓，经传皆以荡为之。”《荀子·修身》：“加愓悍而不顺。”杨倞注引韩侍郎云：“愓，与‘荡’同，字作‘忄’边‘昜’。”则“筋惕肉瞤”之“惕”乃“愓”字之形讹无疑。宋本《伤寒论·辨脉法》“脉浮而迟，面热赤而战愓者，六七日当汗出而解”作“愓”字，动也。《仲景全书·注解伤寒论·辨脉法》亦作“愓”字。日本安政本《辨脉法》亦作“愓”字。此皆可作“筋惕肉瞤”之“惕”为形讹之字的旁证。又，宋本《伤寒论·辨太阳病脉证并治下》第160条云：“伤寒吐下后，发汗，虚烦，脉甚微，八九日心下痞鞕，胁下痛，气上冲咽喉，眩冒，经脉动惕者，久而成痿。”《仲景全书·注解伤寒论》作“动愓”。按，“动愓”与宋本《伤寒论·辨脉法》之“战愓”义同。是知“动惕”亦应作“动愓”也。近世《伤寒论》铅字排印本、计算机录入本改“愓”为“惕”，误甚。

古书“惕”“愓”常互讹。宋本《伤寒论》第221条：“若加温针，必怵愓烦躁。”“愓”字误，当作“惕”。《注解伤寒论》作“惕”，是。四川省老官山天回镇医简“怵怵惕惕，若堕若腾，酣酣悦悦，若□若梦”，“怵惕”连文，作“惕”，是。

### （五）“不惊起而盻视”之“盻”字误

宋本《伤寒论·平脉法》：“设令向壁卧，闻师到，不惊起而盻视，若三言三止，脉之咽唾者，此诈病也。”盻，音 xì。《说文解字》：“盻，恨视也。”盻视，谓以怨恨的眼光看医生。医患无宿怨，患者怎能以怨恨的眼光看医生呢？古代盻、眄、盼三字经常混淆。段玉裁《说文解字注·目部》云：“眄、盻、盼三字形近，多互讹。”“盻视”之“盻”乃“眄”（miǎn）字之形讹。《说文解字》云：“眄，目偏合也，一云邪视也。”眄，是眼睛半睁而斜着看的一种目光。“不惊起而盻视”的“盻”字恰是“眄”字表现的一种目光。“眄”误为“盻”，古书多加辨正。“眄”的俗体作“盻”，见《五经文字》《干禄字书》《类篇》《玉篇》《重订直音篇》《龙龛手镜》《集韵》《四声篇海》《隶辨》《字汇》《正字通》。“盻”易讹为“盻”。《古今正字诂》云：“盼、眄、盼三字楷体形近，俗多混用。”《正字通》云：“陶潜《归去来辞》：眄庭柯以怡颜。俗体讹作‘盼’或作‘盻’，并非。”

### （六）“冬气冰列”之“列”字误

宋本《伤寒论·伤寒例》：“春气温和，夏气暑热，秋气清凉，冬气冰列，此四时正气之序也。”“列”字误，当作“冽”。《仲景全书·注解伤寒论》作“冽”。宋本《伤寒论·伤寒例》：“十一月十二月，寒冽已严，为病则重。”“寒冽”与“冰列”义同，是当作“冰冽”也。“冽”与“洌”通用（洌，训清澈），而不与“列”通用。

### （七）“栀子蘖皮汤”之“蘖”（niè）字误

宋本《伤寒论·辨阳明病脉证并治》子目第四十三方云：

"伤寒身黄发热，栀子孽（niè）皮汤主之。第四十三。"句中"孽"（niè）字误，当作"蘗"（bò）。我国所藏五部宋本《伤寒论》（台北故宫博物院图书文献大楼一部、中国医科大学一部、中国中医科学院一部、上海中医药大学一部、上海图书馆一部）皆误作"孽"（niè）。这是子目中出现的讹字，宋本《伤寒论》第161条正文作"蘗"，不误。

### （八）"脉浮而紧者"之"紧"字误

《伤寒论·辨脉法》云："脉浮而紧者，名曰弦也。"宋本《伤寒论》"紧"字误刻为"紮"。

### （九）"己""已""巳"不分

宋本《伤寒论》"己""已""巳"三字皆刻为"巳"字，如"成无己"作"成无巳"。《伤寒论·辨太阳病脉证并治上》云："伤寒心下有水气，咳而微喘，发热不渴。服汤已渴者，此寒去欲解也。""已"字误刻为"巳"。只有《伤寒论·辨太阳病脉证并治上》"太阳病欲解时，从巳至未上"作"巳"字是正确的，其余之"巳"字皆当据文义解读其形音义。

### （十）"枣"字误

"枣"字的繁体由两个"朿"（cì）字上下组合而成，而宋本《伤寒论》却刻成两个"束"上下组合，字误。

### （十一）卷二第11条"太"当作"大"

宋本《伤寒论·辨太阳病脉证并治上》第11条云："病人身太热，反欲得衣者，热在皮肤，寒在骨髓也；身大寒，反不欲近衣者，寒在皮肤，热在骨髓也。”“太”是形讹之字，当作“大”。《伤寒论》只言“大热”“大寒”，不言“太热”“太寒”。本条“身大寒”作“大”字是。江沅《说文释例》云：“古只作‘大’不作‘太’。《易》之‘大极’，《春秋》之‘大子’‘大上’，《尚书》之‘大誓’‘大王王季’，《史》《汉》之‘大上皇’‘大后’，后人皆读为‘太’，或径改本书作‘太’或‘泰’。”虽然古文“大”“太”可通用，但此条“太热”之“太”绝非通假字，而是误字。因为《伤寒论》全书“大”与“太”分用划然，不相混淆，形容热甚言“大热”不言“太热”，全书无“大”“太”相假借者。本条“身太热”“身大寒”对举而言，故下句言“大寒”，则上句不可言“太热”而当言“大热”。

此处附带说一下“太”“大”两字对《伤寒论》词义及版本的影响。

日本康平本凡“太阳”“太阴”等均写作“大阳”“大阴”。有人以为是误字。大塚敬节先生关注到此现象，云：“又诸本皆‘大阳病’作‘太阳病’。”按，日本康平本“太阳”“太阴”作“大阳”“大阴”，不是讹字。

大，古音徒盖切（tài），古音月韵透纽入声。《说文解字》云：“大，天大、地大、人亦大，故大象人形。徒盖切。”《康熙字典》云：“大，音汰，小之对。又《集韵》《韵会》《正韵》并他盖切，音忲（tài）。《易》‘大和’‘大极’，《书》

《诗》'大王''大师'，《礼》'大羹''大牢'并音泰。”是日本康平本之“大阳”“大阴”即“太阳”“太阴”，并当读为“太”。此是古本常见的正规写法。

《康熙字典》云：“按，经史'太'字俱作'大'。如大极、大初、大素、大室、大玄、大庙、大学及官名大师、大宰之类。……范氏（范晔，389—445）撰《后汉书》，父名泰，避家讳，改从太。毛氏《韵增》：经史古'太'字无点，后人加点，以别小大之大，非。”江沅《说文释例》云：“古只作'大'，不作'太'。《易》之'大极'，《春秋》之'大子''大上'，《尚书》之'大誓''大王王季'，《史》《汉》之'大上皇'，后人皆读为'太'，或径改本书作'太'及'泰'。”《古汉语常用字字典》“大”字下注：“《左传·昭公十九年》：'大子奔晋。'这个意义后来写成'太'。上古'太''泰'多写作'大'。”

上引诸多原书文句，意在说明古书写“太”字作“大”字，无下面一点。

### （十二）卷七第392条小注“胗”是讹字

宋本《伤寒论·辨阴阳易差后劳复病脉证并治》第392条云：“伤寒阴易之为病，其人身体重，少气，少腹里急，或引阴中拘挛，热上冲胸，头重不欲举，眼中生花花一作胗。”句中“胗”是讹字。字书中“胗”字，一音nà，义为致密；一音chǐ，义为肉肥美。二者均与此条文义无关。当作“眵”。日本安政本改作“胗”字，极是。

### （十三） 卷四第156条子目小注衍“证”字

宋本《伤寒论·辨太阳病脉证并治下》子目云：“心下痞，与泻心汤，不解者，五苓散主之。第十九。用前第七证方。”与此子目对应的经文为第156条，其下注所云“用前第七证方”之“证”字亦衍。有方之条文曰“法”，无方之条文曰“证”，既云用第七方，则知此条为“法”，不当有“证”字。

### （十四）卷四第175条“始”字当作“妙”

宋本《伤寒论》卷四第175条服法云：“恐一升多者，宜服六七合为始。”按，“始”字误，当作“妙”。《仲景全书·注解伤寒论》作“妙”，《仲景全书·金匮要略》卷上“甘草附子汤方”亦作“妙”，是。《千金翼方》作“愈”，与“妙”义近。

### （十五）卷六第338条子目小注“后”字衍、“证”数误

宋本《伤寒论》卷六第338条子目云：“伤寒病，蚘厥，静而时烦，为藏寒。蚘上入膈，故烦。得食而呕吐蚘者，乌梅丸主之。第一。十味。前后有厥阴病四证，厥逆一十九证。”“前后”以第338条为界，此条属于“法”条。第338条前之厥阴病指第326、327、328、329条，此4条属于“证”条。“后”字衍。“厥逆一十九证”，为所统计之“证”数，有误。第329条（不含）至第338条（不含）之间共有8条厥逆证，非19条厥逆证。此8条是第330、331、332、333、334、335、336、337

条。此注当云“后有厥逆八证”。

### （十六）卷六第335条“前热者后必厥”误

宋本《伤寒论》卷六第335条之“前热者后必厥”误，当作“前厥者后必热”。宋本《伤寒论·辨不可下病形证治》作“前厥者后必热”。《脉经》卷七《病不可发汗证》、《金匮玉函经》卷五《辨不可发汗病形证治》均作“前厥者后必热”，是。按，观本句下两句句式为“厥深者热亦深”“厥微者热亦微”，则知此句当作“前厥者后必热”。此句之误，又见于《金匮玉函经》卷四《辨厥利呕哕病形证治》第335条，当正。

### （十七）卷六第346条“便”字疑错简

宋本《伤寒论》卷六第346条云：“伤寒六七日不利，便发热而利，其人汗出不止者，死。有阴无阳故也。”“便”字疑错简，当在上句“不”字下。《金匮玉函经》卷四《辨厥利呕哕病形证治》“便”字在上句“不”字下，构成“不便利”句，是。

### （十八）卷七第42条子目小注“法”字误，当作“证”

宋本《伤寒论·辨可发汗病脉证并治》子目云：“太阳病，外证未解，脉浮弱，当以汗解，宜桂枝汤。第一。五味，前有四法。”“法”字误，当作“证”。本条前之“大法春夏宜发汗”条、“凡发汗欲令手足俱周”条、“凡服汤发汗中病便止”条、“凡云可发汗无汤者”条无方，故称“证”。中国所藏五部宋本《伤寒论》及内阁本、日本安政本均误作“法”，当正。

### （十九）卷八《辨可吐》小注“合二法，五证”所注“法”数与“证”数皆误

宋本《伤寒论·辨可吐》凡 7 条，皆为“法”而无“证”。王履《医经溯洄集·伤寒三百九十七法辨》曰：“又《可吐》篇却有五法只言‘二法’者，恐误也。”王履将“大法，春宜吐”“凡用吐汤，中病便止，不必尽剂也”误认为“证”，故称《伤寒论·辨可吐》只有“五法”。考《伤寒论·辨可下病脉证并治》子目“阳明病，汗多者，急下之，宜大柴胡汤”小注云：“前别有二法。”此“二法”指：“大法，秋宜下”及“凡可下者，用汤胜丸散，中病便止，不必尽剂也”。此 2 条的性质与《伤寒论·辨可吐》头 2 条的性质同，故知“大法，春宜吐”及“凡用吐汤，中病便止，不必尽剂也”为“法”而不为“证”。

### （二十）“而利因不休”之“因”字衍

宋本《伤寒论·辨不可下病脉证并治》云：“下之则咳止，而利因不休。”宋本《伤寒论》三阴三阳篇无此条，见《脉经》卷七《病不可下证》。《脉经》无“因”字，是。宋本《伤寒论》“因”字衍。

### （二十一）卷五第 215 条“胃中”二字衍

宋本《伤寒论》卷五第 215 条及卷九《辨可下》重出之

条“胃中有燥屎五六枚”，又见于《脉经》卷七《病可下证第七》，但《脉经》无“胃中”二字。《金匮玉函经》卷三《辨阳明病形证》、孙思邈《千金翼方》卷九《阳明病状》皆无“胃中”二字，是。“胃中”二字当为后世抄衍。攻击中医者多举证此条以为口实，实不知乃衍文也。准卷五第215条之例，宋本《伤寒论》第217、238条亦衍“胃中”二字。

### （二十二）卷十第195条“疸”当作“疸”

宋本《伤寒论》卷十第195条“阳明病，脉迟，食难用饱，饱则发烦，头眩，必小便难，此欲作谷疸”之“疸”字，中国所藏五部宋本《伤寒论》、日本内阁本及日本安政本皆误，当作“疸”。元广勤堂本《脉经》作“疸”。宋本《伤寒论》卷五《辨阳明病脉证并治》同条作“谷瘅”。《金匮玉函经》卷三《辨阳明病形证治》作“谷疸”，《千金翼方》卷九《阳明病状》亦作“谷疸”，《仲景全书·注解伤寒论》卷五同条亦作“谷疸”。“瘅”通“疸”，故“谷瘅”亦可写作“谷疸”，作“疸”乃形讹。

### （二十三）卷十第67条脱“发汗”二字

宋本《伤寒论》卷十第67条云：“伤寒若吐若下后，心下逆满，气上冲胸。”此条又见于宋本《伤寒论》卷三。《金匮玉函经》卷二《辨太阳病形证治》“伤寒若吐若下后”句作“伤寒若吐若下若发汗后”十字，有“若发汗”三字；《金匮玉函经》卷六《辨发汗吐下后病形证治》此句作“伤寒吐下发汗后”七字，亦有“发汗”二字。孙思邈《千金要方》卷九《发汗吐下后》此句作“伤寒发汗吐下后”七字，亦有“发汗”二字。孙思邈《千金翼方》卷十《发汗吐下后病状》此句作“伤寒吐下发汗后”，亦有“发汗”二字。又宋本《伤寒论》此条收入卷十《辨发汗吐下后脉证并治》中，若无“发汗”二字则与本篇主旨不合。故知中国所藏五部宋本《伤寒论》及日本内阁本、日本安政本此条皆脱“发汗”二字。宋本《伤寒论》卷三第67条亦脱“发汗”二字。

### （二十四）卷十第149条“用前方”三字衍

宋本《伤寒论》卷十第149条“伤寒五六日，呕而发热者，柴胡汤证具”句中有“大陷胸汤主之，用前方”，卷四同条无“用前方”三字；《脉经》《注解伤寒论》《千金翼方》及《金匮玉函经》均无“用前方”三字。此三字当为小字注文，误刻为与经文相同之字体而窜入正文者，其误始于元祐三年小字本《伤寒论》还是误于赵开美之翻刻，无从考矣。

### （二十五）卷二第22条脱“恶”字

宋本《伤寒论》卷二第22条云：“若微寒者，桂枝去芍药加附子汤主之。”此条见《金匮玉函经》卷二，其“微”下有“恶”字，是。成无己《注解伤寒论》亦有“恶”字。宋本《伤寒论》脱“恶”字。

### （二十六）卷三第71条“少少”当作“稍”

宋本《伤寒论》卷三第71条云：“太阳病，发汗后，大汗出，胃中干，烦躁不得眠，欲得饮水者，少少与饮之。”成无己《注解伤寒论》同此。“少少”，《脉经》卷七之《病以后发汗证》《病不可灸证》作“稍”，孙思邈《千金翼方·宜水》作“稍”。《金匮玉函经》之卷二《辨太阳病形证治上》、卷六《辨发汗吐下后病形证治》、卷六《辨可水病形证治》均作“稍”，与《脉经》《千金翼方》同。按，作“稍”是。《说文解字》云：“稍，物出有渐也。”魏晋前“稍”字的意义与现代汉语“逐渐地”相当，“稍饮水”指病人逐渐地饮水。“少少饮水”与“稍饮水”意近而有别。“稍饮”的词义重点指饮水的过程，“少饮”指饮水量少。按，当作“稍”，作“少”误。

**（二十七） 卷四第178条为后人增入**

宋本《伤寒论》卷四第178条云：“脉按之来缓，时一止复来者，名曰结。又脉来动而中止，更来小数，中有还者反动，名曰结，阴也。脉来动而中止，不能自还，因而复动者，名曰代，阴也。得此脉者必难治。”此条之上为第177条，有炙甘草汤方：“伤寒脉结代，必动悸，炙甘草汤主之。”故第177条属于“法”。依子目体例，第177条下若有第178条，必注“下有结代脉一证”。无者，说明北宋校正医书局校定《伤寒论》时尚无第178条。第177条有“伤寒脉结代”句，第178条为后人解释“结代脉”脉象与含义者，非原文所素有。《脉经》《金匮玉函经》《千金翼方》均无第178条。

### （二十八）“久则发咳唾”之“久”字误，当作“灸”

宋本《伤寒论·辨不可发汗病脉证并治》云：“伤寒头痛，翕翕发热，形象中风，常微汗出，自呕者，下之益烦，心懊侬如饥；发汗则致痓，身强难以伸屈；熏之则发黄，不得小便，久则发咳唾。”《金匮玉函经》卷五《辨不可发汗病形证治》“久”作“灸”，是。

### （二十九）卷五第203条衍“小便”二字

宋本《伤寒论》卷五第203条云：“当问其小便日几行，若本小便日三四行，今日再行，故知大便不久出。”《脉经》卷七《病发汗以后证第三》、《金匮玉函经》卷三、《千金翼方·阳明病状》“若本小便日三四行”均作“若本日三四行”，“日”上均无“小便”二字，是。

### （三十）卷五第193条“戌”误为“戍”

宋本《伤寒论》卷五第193条：“阳明病欲解时，从申至戍上。”“戍”字误，当作“戌”。

### （三十一）卷五第208条小注“与桂枝汤”当为正文

宋本《伤寒论》卷五第208条云：“若汗多，微发热恶寒者，外未解也一法与桂枝汤。”按，“一法与桂枝汤”，宋本《伤寒论》作小字注文。考相关文献，“与桂枝汤”四字当为正文。宋本《伤寒论》卷九《辨可下病脉证并治》同条作“外未解，桂枝汤主之”。《千金翼方·宜下》作“外未解也，桂枝汤主之”。南宋李柽《伤寒要旨药方》以北宋治平本《伤寒论》为底本，卷二“大承气汤第七十三”亦作“外未解也，桂枝汤主之”。

**（三十二）卷五第231条“腹都满”衍“都”字**

宋本《伤寒论》卷五第231条云：“阳明中风，脉弦浮大而短气，腹都满。”《脉经》卷七《病可发汗证》、《千金翼方·阳明病状》、《金匮玉函经》卷三、《注解伤寒论》均作“腹都满”。宋本《伤寒论》卷七《辨可发汗脉证并治》重出之条亦有“都”字。考宋本《伤寒论》词例，除此例之外，均作“腹满”，无作“腹都满”者。如第232条“若不尿，腹满加哕者，不治”、第241条“六七日不大便，烦不解，腹满痛者，此有燥屎也”、第254条“发汗不解，腹满痛者”、第255条“腹满不减”、第279条“腹满时痛者”、第273条“太阴之为病，腹满而吐”、第322条“少阴病，六七日，腹满”等，均作“腹满”，无一作“腹都满”者。“都”字衍。

**（三十三）卷五《辨少阳病脉证并治》小注“方一首”上脱“合一法”三字**

有方之条曰“法”，无方之条曰“证”。凡有方之篇，必在篇下注明“合××法，方××首”。如《辨太阳病脉证并治上》小注“合一十六法，方一十四首”、《辨太阳病脉证并治中》小注“合六十六法，方三十九首”、《辨太阳病脉证并治下》小注“合三十九法，方三十首”、《辨明病脉证并治》小注“合四十四法，方一十首”、《辨太阴病脉证并治》小注

“合三法，方三首”、《辨太阴病脉证并治》小注“合二十三法，方一十九首”、《辨厥阴病脉证并治》小注“合一十九三法，方一十六首”、《辨霍乱病脉证并治》小注“合六法法，方六首”、《辨阴阳易差后劳复病脉证并治》小注“合六法，方六首”等，全书如此，无越例者。唯《辨少阳病脉证并治》第266条有一小柴胡汤方而未注明“合一法”三字，是脱此三字无疑。王履《医经溯洄集·伤寒三百九十七法辨》云：“少阳篇有小柴胡汤一法，其不言者，恐脱之也。”

### （三十四） 卷三第86条“眴”字误，当作“眴”

宋本《伤寒论》卷三第86条云：“直视不能眴音唤。又胡绢切。下同。一作瞬，不得眠。”中国所藏五部宋本《伤寒论》、日本安政本皆作“眴”，皆误。当作“眴”。成无己《注解伤寒论》、《脉经》卷七《病不可发汗》、《金匮玉函经》卷五《辨不可发汗病形证治第十三》均作“眴”，音xuàn（去声）。“眴”字当作“眴”。林亿释音作“胡绢切”。《说文解字》说“眴”为“黄绢切”。“胡”“黄”辅音皆为匣纽，辅音同，则“胡绢切”与“黄绢切”的读音都是xuàn（去声）。此是“眴”字的正确形体与读音。又，林亿注：“一作瞬。”此为校勘语，谓有本作“直视不能瞬”。林亿引其以训释“眴”字意义，并不是用其解释读音。《说文解字》作“瞚”，无“瞬”字，“眴”“瞚”二字为“瞬”之异体字。“瞚”义为“眨眼”，与“视”义别。《说文解字》：“瞚，开合目，数摇也。”

《庄子·庚桑楚》："终日视而目不瞚。"《列子·汤问》："纪昌者，又学射于飞卫。飞卫曰：尔先学不瞬，而后可言射矣。""不瞬"者，不眨眼也。《伤寒论》第86条"直视不能眴"，谓两眼发直不能眨眼也。总之，"直视不能眴音唤。又胡绢切。下同。一作瞬"的经注有误。宋本《伤寒论》作"眴"是形讹，当作"眗"。林亿注"音唤"是误音；"胡绢切"是正确读音；"一作瞬"是校勘语，解释"眴"的词义。

**（三十五）"大枣十二两擘"之"两"误，当作"枚"**

宋本《伤寒论》初刻本今藏于中国中医科学院、上海图书馆、上海中医药大学，卷二第12条"桂枝汤方"之大枣的剂量作"十二两"。台北故宫博物院本、中国医科大学本是修刻本，"两"字作"枚"，是。

**（三十六）"肾谓所胜脾，脾胜不应时"之"肾谓所胜脾"误**

初刻本宋本《伤寒论·平脉法》"若见损脉来至，为难治肾谓所胜脾，脾胜不应时"之小注"肾谓所胜脾"不辞，句误。修刻本作"肾为脾所胜"，是，谓土克水也。

**（三十七）"假令脉迟，此为在藏也"之"假令"原作"今"**

宋本《伤寒论·辨脉法》云："寸口脉浮为在表，沉为在里，数为在府，迟为在藏。假令脉迟，此为在藏也。"敦煌残卷S202"假令脉迟"作"今脉迟"。"今"义为若，秦汉常语。《史记·项羽本纪》"今不急下，吾烹太公"，谓假令不急下也。《经传释词》卷五云："家大人曰：'今犹若也。'《礼记·曾子问》曰：'下殇，土周葬于园。遂与机而往，途迩故也。今墓远，则其葬也如之何？'今墓远，若墓远也。"《伤寒论·辨脉法》原文当作"今在藏"，后人将"今"改为"假令"。此句敦煌残卷 S202 尚保存原貌。

### （三十八）"以少阴脉弦而浮"之"浮"当作"沉"

宋本《伤寒论·辨脉法》云："今趺阳脉浮而涩，故知脾气不足，胃气虚也。以少阴脉弦而浮一作沉才见，此为调脉，故称如经也。"句中"以少阴脉弦而浮一作沉才见"之"浮"，江南秘本《伤寒论》（《太平圣惠方》卷八）之《辨伤寒脉候》及敦煌残卷 S202 均作"沉"。衡之脉理，观之语境，当作"沉"，作"浮"误也。北宋校正医书局以高继冲进献本为底本，底本作"浮"而不径改，但于校语中说明"一作沉"，极为审慎。"一作沉"者，有一版本作"沉"也。北宋校正医书局以江南秘本《伤寒论》为校本，是为有识，今则鲜知此书矣。

### （三十九）"故知当屎脓也"之"屎"当作"尿"

《金匮玉函经》卷二、敦煌残卷 S202、江南朝秘本《伤寒论》"屎"均作"溺"。"溺"有两音两义：一音 nì，义为沉溺、淹没；一音 niào，为"尿"之异体字，音义与"尿"全同。本句当作"尿"，与"屎"形近，乃讹为"屎"。

以上讹字，有的属于吹求，如"枣"字、"己、已、巳"

不分等，不影响阅读。有的则纯属讹字，不得不正。有些衍文、脱文已经影响到对经文的正确理解，故予指出。

收进《仲景全书》的宋本《伤寒论》是国宝级文献，赖赵开美翻刻而流传至今。赵开美存亡继绝之功，与日月相侔。细读赵开美《刻仲景全书序》，可知嘱刻《仲景全书》者为其父赵用贤；刻毕《仲景全书》，时在明万历二十七年（1599）三月；《仲景全书》之刊刻历时四年。赵开美序云“是书之刻也，其先大夫宣公之志与！今先大夫殁，垂四年而书成”，则《仲景全书》始刻于万历二十四年（1596），且是年赵用贤卒。《仲景全书》为赵用贤、赵开美父子两代人共同的心血，先哲继承传播中华民族优秀文化的精神应为后人仰慕遵行！

附三

# 校注所据底本书影参照

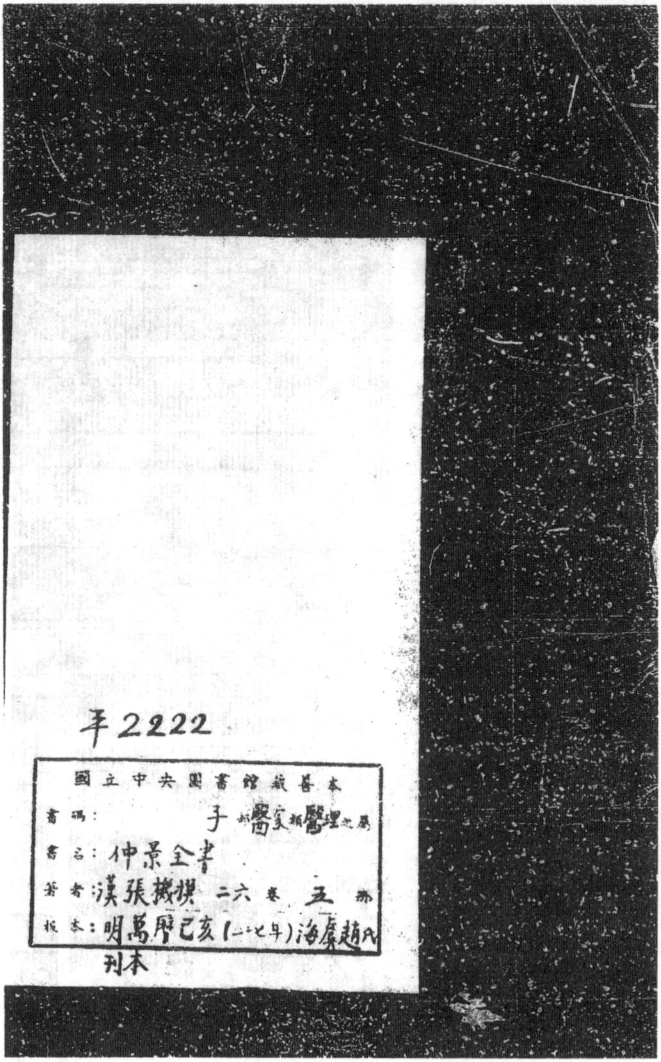


此书藏于台北故宫博物院

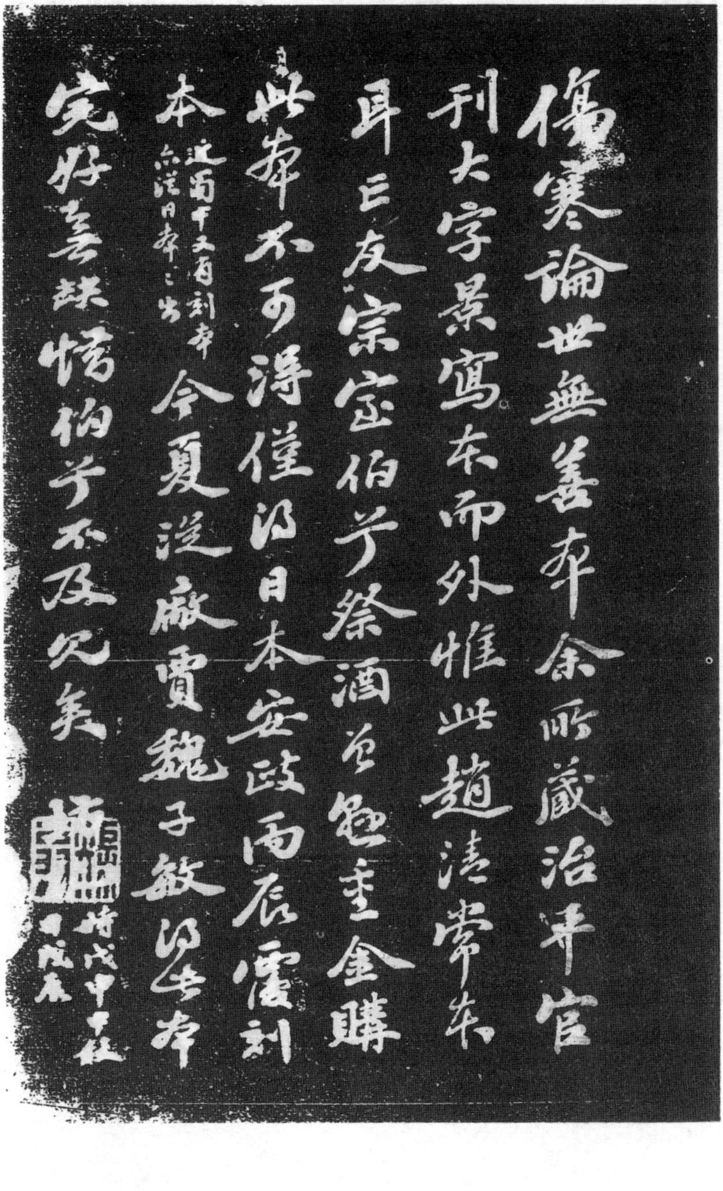
傷寒論世無善本，余所藏治平官刊大字景寫本而外，惟此趙清常本耳。亡友宗室伯兮祭酒曾以重金購此本不可得，僅以日本安政丙辰覆刻本（近蜀中又有刻本，亦從日本本出）。今夏從廠賈魏子敏得宋本，完好無缺，惜伯兮不及見矣。
時戊申中秋日成本

藏书家徐坊题记（一）

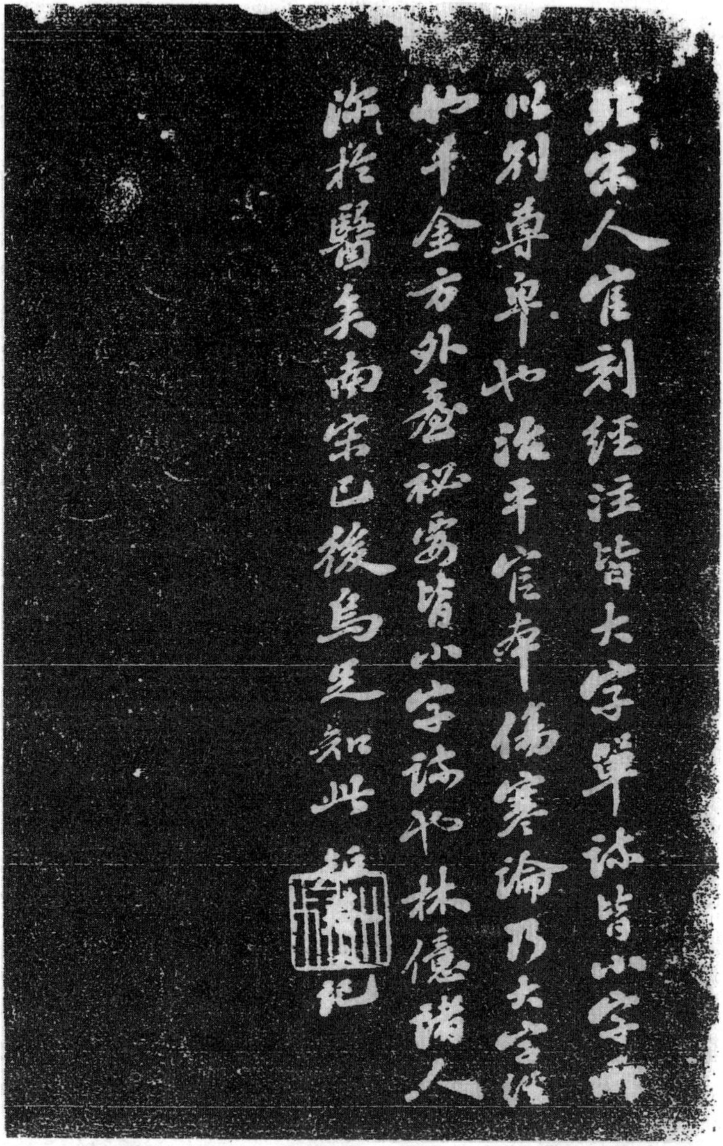
北宋人官刻經注皆大字單疏皆小字所以別尊卑也治平官本傷寒論乃大字經也千金方外臺秘要皆小字疏也林億諸人深於醫矣南宋已後烏足知此 坊記

藏书家徐坊题记（二）

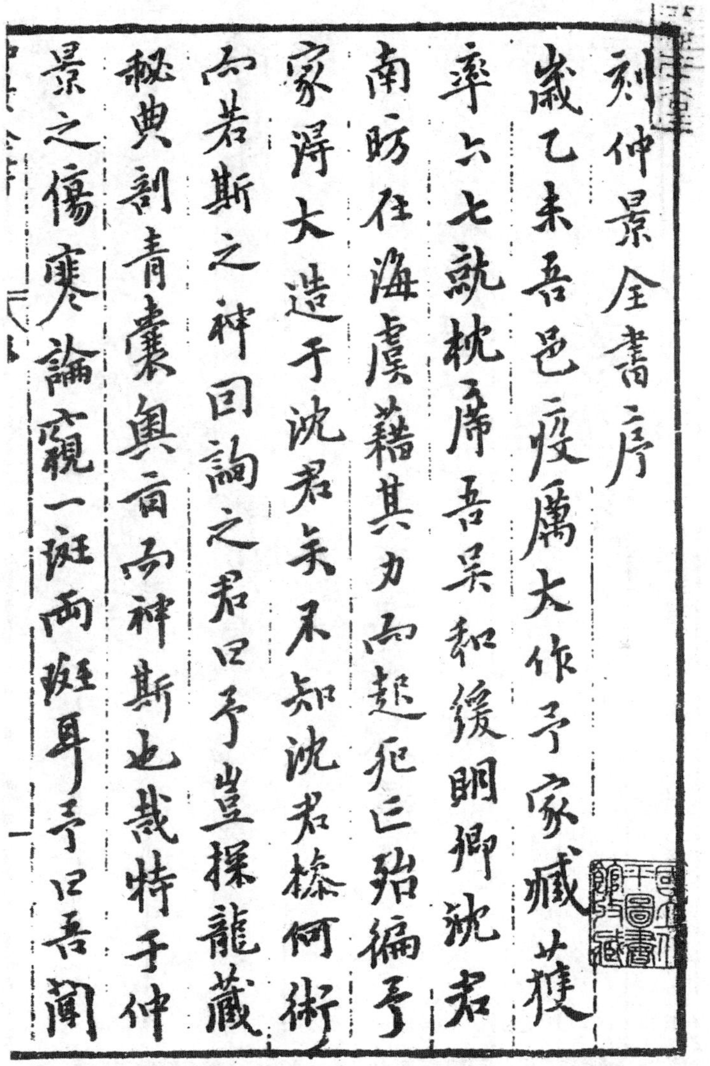
刻仲景全書序

歲乙未吾邑疫厲大作予家臧獲率六七就枕席吾吴和緩明卿沈君南昉在海虞藉其力而起死亡殆徧予家得大造于沈君矣不知沈君操何術而若斯之神因詢之君曰予豈探龍藏秘典剖青囊奥而神斯也哉特于仲景之傷寒論窺一斑兩斑耳予曰吾聞

《仲景全书》 原藏于北平图书馆，今藏于台北故宫博物院

仲景全書目録

翻刻宋板傷寒論全文

口關上尺中悉不見脉。然尺中時一小見脉再舉頭一云按者。腎氣也。若見損脉來至為難治。腎為脾所勝。脾勝不應時。

問曰。脉有相乘。有縱有橫。有逆有順。何謂也。師曰。水行乘火。金行乘木。名曰縱。火行乘水。木行乘金。名曰橫。水行乘金。火行乘木。名曰逆。金行乘水。木行乘火。名曰順也。

問曰。脉有殘賊。何謂也。師曰。脉有弦緊浮滑沈濇。此六脉名曰殘賊。能為諸脉作病也。

問曰。脉有災怪。何謂也。師曰。假令人病。脉得太陽。

『肾为脾所胜』初刻本讹作『肾谓所胜脾』

傷寒論卷第十

長洲趙應期獨刻

世讓堂翻宋板

『长洲赵应期独刻』七字中国中医科学院本无

附四

# 影印台北故宫博物院藏本

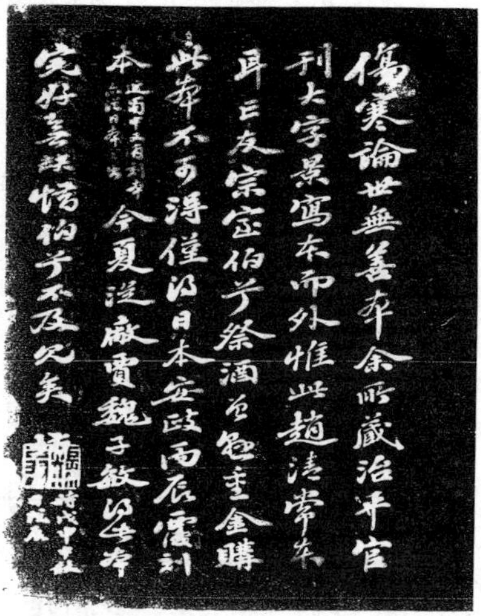
傷寒論世無善本余所藏治平官
刊大字景寫本而外惟此趙清常本
耳已友宗室伯兮祭酒曾以重金購
此本不可得僅得日本安政丙辰覆刻
本近有中土翻刻本亦從日本本出今夏從廠賈魏子敏得宋本
完好無缺惜伯兮不及見矣
時戊申中秋日記

北宋人官刻經注皆大字單疏皆小字所
以別尊卑也治平官本傷寒論乃大字經
也千金方外臺秘要皆小字疏也林億諸人
深於醫矣南宋已後烏足知此
記

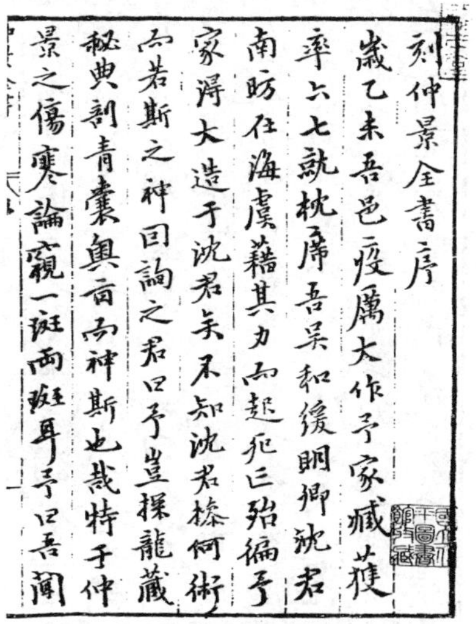
刻仲景全書序
歲乙未吾邑疫厲大作予家臧獲
率六七就枕席吾吴和緩明卿沈君
南陽在海虞藉其力而起死亡殆徧予
家得大造于沈君矣不知沈君操何術
而若斯之神因詢之君曰予豈探龍藏
秘典剖青囊奧旨而神斯也哉特于仲
景之傷寒論窺一斑兩斑耳予曰吾聞

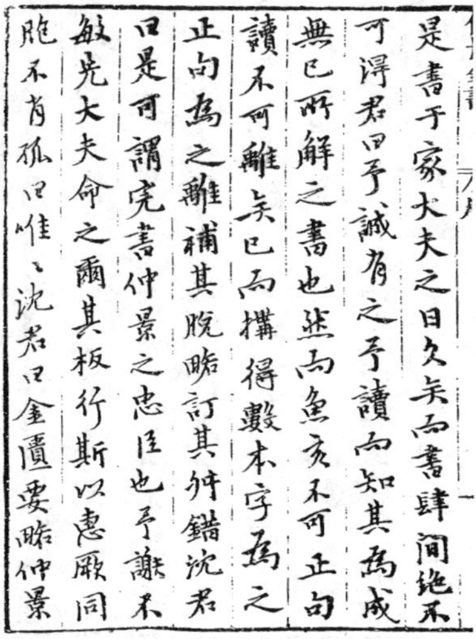
是書于家大夫之日久矣而書肆間絕不
可得君曰予誠有之予讀而知其為成
無已所解之書也然而魚亥不可正句
讀不可離矣已而搆得數本字為之
正句為之離補其脫略訂其舛錯沈君
曰是可謂完書仲景之忠臣也予謝不
敏先大夫命之爾其板行斯以惠厥同
胞不肖孤曰唯唯沈君曰金匱要略仲景

治雜證之秘也盍并刻之以見古人攻擊補瀉緩急調停之心法先大夫曰小子識之不肖孤曰敬哉既合刻則名何從先大夫曰可以命之名仲景全書既刻已復得宋板傷寒論焉予曩固知成注非全文及得是書不啻拱璧轉卷間而後知成之荒也因復并刻之所以承先大夫之志歟又故紙中檢得傷寒類證三卷所以隱括仲景之書去其煩而歸之簡聚其散而匯之一其于病證脉方若標月指之明且盡仲景之法于是粲然無遺矣乃并附于後予因是哀夫世之人向故不得盡命而死也夫仲景殫心思于軒岐辨證候于絲髮著為百十二方以全民命斯何其仁且愛而躋一世于仁壽之域也乃今之業醫者舍本逐末超者曰東垣局者曰丹溪已矣而最稱高識者則玉機微義是宗若素問若靈樞若玄珠密語則嗒焉茫乎而不知旨歸而語之以張仲景劉河間幾不能知其人與世代猶靦然曰吾能已病足矣奚高遠之是務且于今之讀軒岐書者必加誚曰是夫也徒讀父書耳不知兵變已夫不知變者世誠有之以其變之難通而遂棄之者是猶食而咽也去食以求養生者哉必且不然矣則今日是書之刻烏知不為肉食者大嗤乎說者謂陸宣公達而以奏疏醫天下窮而聚方書以醫萬民吾子固悠然有世思哉予曰不不是先大夫之志也先大夫固嘗以奏疏醫父子之倫醫朋黨之漸醫東南之民瘼以直言敢諫

醫論謏者之膏肓故蹟之日多遠之日
少而是書之刻也其先大夫宣公之志
與今先大夫歿垂四年而書成先大
夫處江湖退憂之心盖身在廬廟進
憂之心同一無窮矣客曰子實為之
而以為先公之志殆所謂善則稱親與不
肖孤曰不不是先大夫之志也
萬曆己亥三月穀旦海虞清常道
人趙開美序

## 傷寒論序

夫傷寒論蓋祖述大聖人之意諸家莫其倫擬故
晉皇甫謐序甲乙鍼經云伊尹以元聖之才撰用
神農本草以為湯液漢張仲景論廣湯液為十數
卷用之多驗近世太醫令王叔和撰次仲景遺論
甚精皆可施用是仲景本伊尹之法伊尹本神農
之經得不謂祖述大聖人之意乎張仲景漢書無
傳見名醫錄云南陽人名機仲景乃其字也舉孝
廉官至長沙太守始受術於同郡張伯祖時人言
識用精微過其師所著論其言精而奥其法簡而
詳非淺聞寡見者所能及自仲景于今八百餘年
惟王叔和能學之其間如葛洪陶景胡洽徐之才
孫思邈輩非不才也但各自名家而不能脩明之
開寶中節度使高繼沖曾編録進上其文理舛錯
未嘗考正歷代雖藏之書府亦闕於讐校是使治
病之流舉天下無或知者國家詔儒臣校正醫書
臣奇續被其選以為百病之急無急於傷寒今先
校定張仲景傷寒論十卷總二十二篇證外合三
百九十七法除複重定有一百一十二方今請頒
行太子右贊善大夫臣高保衡尚書屯田員外郎

臣孫奇尚書司封郎中秘閣校理臣林億等謹上

國子監

准　尚書禮部元祐三年八月八日符元祐三年
八月七日酉時准　都省送下當月六日
勑中書省勘會下項醫書册數重大紙墨價高民
間難以買置八月一日奉
聖旨令國子監別作小字雕印内有浙路小字本
者令所屬官司校對別無差錯即摹印雕版並候
了日廣行印造只收官紙工墨本價許民間請買
仍送諸路出賣奉
勑如右牒到奉行前批八月七日未時付禮部施
行續准禮部符元祐三年九月二十日准
都省送下當月十七日
勑中書省尚書省送到國子監狀據書庫狀准
朝旨雕印小字傷寒論等醫書出賣契勘工錢約
支用五千餘貫未委於是何官錢支給應副使用
本監比欲依雕四子等體例於書庫賣書錢内借
支又緣所降
朝旨候雕造了日令只收官紙工墨本價即別不
收息慮日後難以撥還欲乞
朝廷特賜應副上件錢數支使候指揮尚書省勘

當欲用本監見在賣書錢倏將来成書出賣每部
只収息壹分餘依元降指揮奉
聖旨依國子監主者一依
勑命指揮施行
治平二年二月四日
進呈奉
聖旨鏤版施行
朝奉郎守太子右贊善大夫同校正醫書飛
騎尉賜緋魚袋臣高保衡
宣德郎守尚書都官員外郎同校正醫書騎
都尉臣孫奇
朝奉郎守尚書司封郎中充秘閣校理判登
聞檢院護軍賜緋魚袋臣林億
翰林學士朝散大夫給事中知制誥充史館修
撰宗正寺脩玉牒官兼判太常寺兼禮儀
事兼判祕閣祕書省同提舉集禧觀公事
兼提舉校正醫書所輕車都尉汝南郡開
國侯食邑一千三百户賜紫金魚袋臣范
鎮

推忠協謀佐理功臣金紫光祿大夫行尚書吏
部侍郎參知政事柱國天水郡開國公食
邑三千户食實封八百户臣趙槩
推忠協謀佐理功臣金紫光祿大夫行尚書吏
部侍郎參知政事柱國樂安郡開國公食
邑二千八百户食實封八百户臣歐陽脩
推忠協謀同德佐理功臣特進行中書侍郎兼
户部尚書同中書門下平章事集賢殿大
學士上柱國廬陵郡開國公食邑七千一
百户食實封二千二百户臣曾公亮
推忠協謀同德守正佐理功臣開府儀同三司
行尚書右僕射兼門下侍郎同中書門下
平章事昭文館大學士監脩國史兼譯經
潤文使上柱國衛國公食邑一萬七百户
食實封三千八百户臣韓琦
知兖州錄事參軍監國子監書庫臣郭直卿
奉議郎國子監主簿雲騎尉臣孫準
朝奉郎行國子監丞上騎都尉賜緋魚袋臣
何宗元

朝奉郎守國子司業輕車都尉賜緋魚袋臣
豐稷
朝請郎守國子司業上輕車都尉賜緋魚袋
臣盛僑
朝請大夫試國子祭酒直集賢院兼徐王府
翊善護軍臣鄭穆

中大夫守尚書右丞上輕車都尉保定縣開國
男食邑三百户賜紫金魚袋臣胡宗愈
中大夫守尚書左丞上護軍太原郡開國侯食
邑一千八百户食實封二百户賜紫金魚
袋臣王存
中大夫守中書侍郎護軍彭城郡開國侯食邑
一千一百户食實封二百户賜紫金魚袋
臣劉摯
正議大夫守門下侍郎上柱國樂安郡開國公
食邑四千户食實封九百户臣孫固
太中大夫守尚書右僕射兼中書侍郎上柱國
高平郡開國侯食邑一千六百户食實封
五百户臣范純仁

太中大夫守尚書左僕射兼門下侍郎上柱國
汲郡開國公食邑二千九百户食實封六
百户臣呂大防

## 醫林列傳

### 張機

張機字仲景南陽人也受業於同郡張伯祖善於治療尤精經方舉孝廉官至長沙太守後在京師為名醫於當時為上手以宗族二百餘口建安紀年以来未及十稔死者三之二而傷寒居其七乃著論二十二篇證外合三百九十七法一百一十二方其文辭簡古奧雅古今治傷寒者未有能出其外者也其書為諸方之祖時人以為扁鵲倉公無以加之故後世稱為醫聖

### 王叔和

王叔和高平人也性度沉靜博好經方尤精診處洞識養生之道深曉療病之源採摭羣論撰成脉經十卷叙陰陽表裏辨三部九候分人迎氣口神門條十二經二十四氣奇經八脉五藏六府三焦四時之病纖悉備具咸可按用凡九十七篇又次張仲景方論為三十六卷大行於世

### 成無己

成無己聊攝人家世儒醫性識明敏記問該博譔述傷寒義皆前人未經道者指在定體分形析證若同而異者明之似是而非者辨之古今言傷寒者祖張仲景但因其證而用之初未有發明其意義成無己博極研精深造自得本難素靈樞諸書以發明其奧因仲景方論以辨析其理極表裏虛實陰陽死生之說究藥病輕重去取加減之意真得長沙公之旨趣所著傷寒論十卷明理論三卷論方一卷大行於世

仲景全書目録

翻刻宋板傷寒論全文

傷寒論卷第一　　仲景全書第一

漢　張仲景述

晉　王叔和撰次

宋　林億校正

明　趙開美校刻

沈琳仝校

辨脉法第一

平脉法第二

辨脉法第一

問曰脉有陰陽何謂也荅曰凡脉大浮數動滑此名陽也脉沈濇弱弦微此名陰也凡陰病見陽脉者生陽病見陰脉者死

問曰脉有陽結陰結者何以別之荅曰其脉浮而數能食不大便者此為實名曰陽結也期十七日當劇其脉沈而遲不能食身體重大便反鞕（音硬下同）名曰陰結也期十四日當劇

問曰病有洒淅惡寒而復發熱者何荅曰陰脉不足陽往從之陽脉不足陰往乘之曰何謂陽不足荅曰假令寸口脉微名曰陽不足陰氣上入陽中則洒淅惡寒也曰何謂陰不足荅曰尺脉弱名曰陰不足陽氣下陷入陰中則發熱也陽脉浮（一作微）陰脉弱者則血虛血虛則筋急也其脉沈者榮氣微也其脉浮而汗出如流珠者衛氣衰也榮氣微者加燒針則血留不行更發熱而躁煩也

脉藹藹如車蓋者名曰陽結也（一云秋脉）

脉累累如循長竿者名曰陰結也（一云夏脉）

脉瞥瞥如羹上肥者陽氣微也

脉縈縈如蜘蛛絲者陽氣衰也（一云陰氣）

脉綿綿如瀉漆之絶者亡其血也

脉来緩時一止復来者名曰結脉来數時一止復来者名曰促（一作縱）脉陽盛則促陰盛則結此皆病脉

陰陽相搏名曰動陽動則汗出陰動則發熱形冷惡寒者此三焦傷也若數脉見於關上上下無頭尾如豆大厥厥動搖者名曰動也

陽脉浮大而濡陰脉浮大而濡陰脉與陽脉同等者名曰緩也

脉浮而緊者名曰弦也弦者狀如弓弦按之不移也脉緊者如轉索無常也

脉弦而大弦則為減大則為芤減則為寒芤則為虛寒虛相搏此名為革婦人則半產漏下男子則亡血失精

問曰病有戰而汗出因得解者何也荅曰脉浮而緊按之反芤此為本虛故當戰而汗出也其人本虛是以發戰以脉浮故當汗出而解也若脉浮而數按之不芤此人本不虛若欲自解但汗出耳不發戰也

問曰病有不戰而汗出解者何也荅曰脉大而浮數故知不戰汗出而解也

問曰病有不戰不汗出而解者何也荅曰其脉自微此以曾發汗若吐若下若亡血以內無津液此陰陽自和必自愈故不戰不汗出而解也

問曰傷寒三日脉浮數而微病人身涼和者何也荅曰此為欲解也解以夜半脉浮而解者濈然汗出也脉數而解者必能食也脉微而解者必大汗出也

問曰脉病欲知愈未愈者何以別之荅曰寸口關上尺中三處大小浮沈遲數同等雖有寒熱不解者此脉陰陽為和平雖劇當愈

師曰立夏得洪（一作浮）大脉是其本位其人病身體苦疼重者須發其汗若明日身不疼不重者不須發汗若汗濈濈自出者明日便解矣何以言之立夏脉洪大是其時脉故使然也四時倣此

問曰凡病欲知何時得何時愈荅曰假令夜半得病者明日日中愈日中得病者夜半愈何以言之日中得病夜半愈者以陽得陰則解也夜半得病明日日中愈者以陰得陽則解也

寸口脉浮為在表沈為在裏數為在府遲為在藏假令脉遲此為在藏也

趺陽脉浮而濇少陰脉如經者其病在脾法當下利何以知之若脉浮大者氣實血虛也今趺陽脉浮而濇故知脾氣不足胃氣虛也以少陰脉弦而浮（一作沈）纔見此為調脉故稱如經也若反滑而數者故知當屎膿也（玉函作溺）

寸口脉浮而緊浮則為風緊則為寒風則傷衛寒則傷榮榮衛俱病骨節煩疼當發其汗也

趺陽脉遲而緩胃氣如經也趺陽脉浮而數浮則傷胃數則動脾此非本病醫特下之所為也榮衛內陷其數先微脉反但浮其人必大便鞕氣噫而除何以言之本以數脉動脾其數先微故知脾氣不治大便鞕氣噫而除今脉反浮其數改微邪氣獨留心中則飢邪熱不殺穀潮熱發渴數脉當遲

經脉因前後度數如法病者則飢數脉不時則生惡瘡也

師曰病人脉微而濇者此為醫所病也大發其汗又數大下之其人亡血病當惡寒後乃發熱無休止時夏月盛熱欲著複衣冬月盛寒欲裸其身所以然者陽微則惡寒陰弱則發熱此醫發其汗使陽氣微又大下之令陰氣弱五月之時陽氣在表胃中虗冷以陽氣内微不能勝冷故欲著複衣十一月之時陽氣在裏胃中煩熱以陰氣内弱不能勝熱故欲裸其身又陰脉遲濇故知亡血也

脉浮而大心下反鞕有熱屬藏者攻之不令發汗屬府者不令溲數溲數則大便鞕汗多則熱愈汗少則便難脉遲尚未可攻

脉浮而洪身汗如油喘而不休水漿不下形體不仁乍靜乍亂此為命絕也又未知何藏先受其災若汗出髮潤喘不休者此為肺先絕也陽反獨留形體如煙熏直視搖頭者此為心絕也脣吻反青四肢漐習者此為肝絕也環口黧黑柔汗發黄者此為脾絕也溲便遺失狂言目反直視者此為腎絕也又未知何藏陰陽前絕若陽氣前絕陰氣後竭者其人死身色必青陰氣前絕陽氣後竭者其人死身色必赤腋下溫心下熱也

寸口脉浮大而醫反下之此為大逆浮則無血大則為寒寒氣相搏則為腸鳴醫乃不知而反飲冷水令汗大出水得寒氣冷必相搏其人即䭇（音噎下同）

趺陽脉浮浮則為虗浮虗相搏故令氣䭇言胃氣虗竭也脉滑則為噦此為醫咎責虗取實守空迫血脉浮鼻中燥者必衄也

諸脉浮數當發熱而洒淅惡寒若有痛處飲食如常者畜積有膿也

脉浮而遲面熱赤而戰惕者六七日當汗出而解反發熱者差遲遲為無陽不能作汗其身必痒也

寸口脉陰陽俱緊者法當清邪中於上焦濁邪中於下焦清邪中上名曰潔也濁邪中下名曰渾也陰中於邪必内慄也表氣微虗裏氣不守故使邪中於陰也陽中於邪必發熱頭痛項強頸攣腰痛脛酸所為陽中霧露之氣故曰清邪中上濁邪中下陰氣為慄足膝逆冷便溺妄出表氣微虗裏氣微急三焦相溷内外不通上焦怫（音佛下同）鬱藏氣相熏口爛食斷也中焦不治胃氣上衝脾氣不轉胃

中為濁，榮衛不通，血凝不流。若衛氣前通者，小便赤黃，與熱相搏，因熱作使，遊於經絡，出入藏府，熱氣所過，則為癰膿。若陰氣前通者，陽氣厥微，陰無所使，客氣內入，嚏而出之，聲嗢乙骨切咽塞。寒厥相追，為熱所擁，血凝自下，狀如豚肝。陰陽俱厥，脾氣孤弱，五液注下。下焦不盍一作闔，清便下重，令便數難，齊築湫痛，命將難全。

脉陰陽俱緊者，口中氣出，脣口乾燥，踡卧足冷，鼻中涕出，舌上胎滑，勿妄治也。到七日以来，其人微發熱，手足温者，此為欲解；或到八日以上，反大發熱者，此為難治。設使惡寒者，必欲嘔也；腹內痛者，必欲利也。

脉陰陽俱緊，至於吐利，其脉獨不解，緊去入安，此為欲解。若脉遲，至六七日不欲食，此為晚發，水停故也，為未解；食自可者，為欲解。病六七日，手足三部脉皆至，大煩而口噤不能言，其人躁擾者，必欲解也。若脉和，其人大煩，目重，瞼內際黃者，此欲解也。

脉浮而數，浮為風，數為虛，風為熱，虛為寒，風虛相搏，則洒淅惡寒也。

脉浮而滑，浮為陽，滑為實，陽實相搏，其脉數疾，衛氣失度。浮滑之脉數疾，發熱汗出者，此為不治。

傷寒欬逆上氣，其脉散者死，謂其形損故也。

## 平脉法第二

問曰：脉有三部，陰陽相乘。榮衛血氣，在人體躬。呼吸出入，上下於中，因息遊布，津液流通。隨時動作，效象形容，春弦秋浮，冬沉夏洪。察色觀脉，大小不同，一時之間，變無經常，尺寸參差，或短或長。上下乖錯，或存或亡。病輒改易，進退低昂，心迷意惑，動失紀綱。願為具陳，令得分明。師曰：子之所問，道之根源。脉有三部，尺寸及關。榮衛流行，不失衡銓。腎沉心洪，肺浮肝弦，此自經常，不失銖分。出入升降，漏刻周旋，水下百刻，一周循環。當復寸口，虛實見焉。變化相乘，陰陽相干。風則浮虛，寒則牢堅；沉潛水滀，支飲急弦；動則為痛，數則熱煩。設有不應，知變所緣，三部不同，病各異端。大過可怪，不及亦然，邪不空見，終必有奸，審察表裏，三焦別焉，知其所舍，消息診看，料度府藏，獨見若神。為子條記，傳與賢人。

師曰：呼吸者，脉之頭也。初持脉，来疾去遲，此出疾入遲名曰内虚外實也，初持脉来遲去疾，此出遲入疾名曰内實外虚也。

問曰：上工望而知之，中工問而知之，下工脉而知之，願聞其説。師曰：病家人請云，病人苦發熱，身體疼，病人自臥。師到，診其脉沈而遲者，知其差也。何以知之？若表有病者，脉當浮大，今脉反沈遲，故知愈也。假令病人云腹内卒痛，病人自坐。師到，脉之，浮而大者，知其差也。何以知之？若裏有病者，脉當沈而細，今脉浮大，故知愈也。

師曰：病家人来請云，病人發熱煩極。明日師到，病人向壁臥，此熱已去也。設令脉不和，處言已愈。設令向壁臥，聞師到，不驚起而盻視，若三言三止，脉之嚥唾者，此詐病也。設令脉自和，處言此病大重，當須服吐下藥，針灸數十百處乃愈。

師持脉，病人欠者，無病也。脉之呻者，病也。言遲者，風也。搖頭言者，裏痛也。行遲者，表强也。坐而伏者，短氣也。坐而下一脚者，腰痛也。裏實護腹，如懷卵物者，心痛也。

師曰：伏氣之病，以意候之，今月之内，欲有伏氣，假令舊有伏氣，當須脉之。若脉微弱者，當喉中痛似傷，非喉痺也。病人云：實咽中痛，雖爾，今復欲下利。

問曰：人恐怖者，其脉何狀？師曰：脉形如循絲累累然，其面白脱色也。

問曰：人不飲，其脉何類？師曰：脉自濇，唇口乾燥也。

問曰：人愧者，其脉何類？師曰：脉浮而面色乍白乍赤。

問曰：經説脉有三菽、六菽重者，何謂也？師曰：脉人以指按之，如三菽之重者，肺氣也；如六菽之重者，心氣也；如九菽之重者，脾氣也；如十二菽之重者，肝氣也；按之至骨者，腎氣也。菽者，小豆也。假令下利，寸口、關上、尺中悉不見脉，然尺中時一小見，脉再舉頭一云按投。者，腎氣也。若見損脉来至，為難治。腎為脾所勝，脾勝不應時。

問曰：脉有相乘，有縱有横，有逆有順，何謂也？師曰：水行乘火，金行乘木，名曰縱；火行乘水，木行乘金，名曰横；水行乘金，火行乘木，名曰逆；金行乘水，木行乘火，名曰順也。

問曰：脉有殘賊，何謂也？師曰：脉有弦、緊、浮、滑、沈、濇，此六脉名曰殘賊，能為諸脉作病也。

問曰：脉有災怪，何謂也？師曰：假令人病，脉得太陽，與形證相應。因為作湯。比還送湯如食頃。病人乃大吐。若下利。腹中痛。師曰。我前来不見此證。今乃變異。是名災怪。又問曰。何緣作此吐利。荅曰。或有舊時服藥。今乃發作。故為災怪耳。

問曰。東方肝脉。其形何似。師曰。肝者木也。名厥陰。其脉微弦濡弱而長。是肝脉也。肝病自得濡弱者愈也。假令得純弦脉者死。何以知之。以其脉如弦直。此是肝藏傷。故知死也。

南方心脉。其形何似。師曰。心者火也。名少陰。其脉洪大而長。是心脉也。心病自得洪大者。愈也。假令脉来微去大。故名反。病在裏也。脉来頭小本大。故名覆。病在表也。上微頭小者。則汗出。下微本大者。則為關格不通。不得尿。頭無汗者可治。有汗者死。

西方肺脉。其形何似。師曰。肺者金也。名太陰。其脉毛浮也。肺病自得此脉。若得緩遲者皆愈。若得數者則劇。何以知之。數者南方火。火剋西方金。法當癰腫。為難治也。

問曰。二月得毛浮脉。何以處言至秋當死。師曰。二月之時。脉當濡弱。反得毛浮者。故知至秋死。二月肝用事。肝屬木。脉應濡弱。反得毛浮脉者。是肺脉也。肺屬金。金来剋木。故知至秋死。他皆倣此。

師曰。脉肥人責浮。瘦人責沈。肥人當沈。今反浮。瘦人當浮。今反沈。故責之。

師曰。寸脉下不至關為陽絶。尺脉上不至關為陰絶。此皆不治。決死也。若計其餘命生死之期。期以月節剋之也。

師曰。脉病人不病。名曰行尸。以無王氣。卒眩仆不識人者。短命則死。人病脉不病。名曰内虛。以無穀神。雖困無苦。

問曰。翕奄沈。名曰滑。何謂也。師曰。沈為純陰。翕為正陽。陰陽和合。故令脉滑。關尺自平。陽明脉微沈。食飲自可。少陰脉微滑。滑者緊之浮名也。此為陰實。其人必股内汗出。陰下濕也。

問曰。曾為人所難。緊脉從何而来。師曰。假令亡汗。若吐。以肺裏寒。故令脉緊也。假令欬者。坐飲冷水。故令脉緊也。假令下利。以胃虛冷。故令脉緊也。

寸口衛氣盛名曰高。高者暴狂而肥。榮氣盛名曰章。章者暴澤而光。高章相搏名曰綱。綱者身筋急脉強直故也。衛氣弱名曰惵。惵者心中氣動迫怯。榮氣弱名曰卑。卑者心中常自羞愧。惵卑相搏名曰損。損者五藏六府俱乏氣虛惙故也。衛氣和名曰緩。緩者四肢不能自收。

腰中直腹内急痛但欲臥不欲行。

榮氣和名曰遲遲者身體俱重但欲眠也緩遲相搏名曰沈沈者……

寸口脉緩而遲緩則陽氣長其色鮮其顔光其聲商毛髮長遲則陰氣盛骨髓生血滿肌肉緊薄鮮鞕陰陽相抱榮衛俱行剛柔相得名曰强也。

趺陽脉滑而緊滑者胃氣實緊者脾氣强持實擊强痛還自傷以手把刃坐作瘡也。

寸口脉浮而大浮為虚大為實在尺為關在寸為格關則不得小便格則吐逆。

趺陽脉伏而濇伏則吐逆水穀不化濇則食不得入名曰關格。

脉浮而大浮為風虚大為氣强風氣相搏必成癮疹身體為痒痒者名泄風久久為痂癩眉少髮稀身有乾瘡而腥臭也。

寸口脉弱而遲弱者衛氣微遲者榮中寒榮為血血寒則發熱衛為氣氣微者心内飢飢而虚滿不能食也。

趺陽脉大而緊者當即下利為難治。

寸口脉弱而緩弱者陽氣不足緩者胃氣有餘噫而吞酸食卒不下氣填於膈上也一作下

趺陽脉緊而浮浮為氣緊為寒浮為腹滿緊為絞痛浮緊相搏腸鳴而轉轉即氣動膈氣乃下少陰脉不出其陰腫大而虚也。

寸口脉微而濇微者衛氣不行濇者榮氣不逮榮衛不能相将三焦無所仰身體痺不仁榮氣不足則煩疼口難言衛氣虚者則惡寒數欠三焦不歸其部上焦不歸者噫而酢吞中焦不歸者不能消穀引食下焦不歸者則遺溲。

趺陽脉沈而數沈為實數消穀緊者病難治。

寸口脉微而濇微者衛氣衰濇者榮氣不足衛氣衰面色黄榮氣不足面色青榮為根衛為葉榮衛俱微則根葉枯槁而寒慄欬逆唾腥吐涎沫也。

趺陽脉浮而芤浮者衛氣虚芤者榮氣傷其身體瘦肌肉甲錯浮芤相搏宗氣微衰四屬斷絶四屬者謂皮肉脂髓俱竭宗氣則衰矣。

寸口脉微而緩微者衛氣踈踈則其膚空緩者胃氣實實則穀消而水化也穀入於胃脉道乃行水入於經其血乃成榮盛則其膚必踈三焦絶經名曰血崩。

趺陽脉微而緊緊則為寒微則為虚微緊相搏則

為短氣。
少陰脉弱而濇，弱者微煩，濇者厥逆。
趺陽脉不出，脾不上下，身冷膚鞕。
少陰脉不至，腎氣微，少精血，奔氣促迫，上入胷膈，宗氣反聚，血結心下，陽氣退下，熱歸陰股，與陰相動，令身不仁，此為尸厥，當刺期門、巨闕。宗氣者，三焦歸氣也，有名無形，氣之神使也。下榮玉莖，故宗筋聚縮之也。
寸口脉微，尺脉緊，其人虚損多汗，知陰常在，絶不見陽也。
寸口諸微亡陽，諸濡亡血，諸弱發熱，諸緊為寒，諸乘寒者，則為厥，鬱冒不仁，以胃無穀氣，脾濇不通，口急不能言，戰而慄也。
問曰：濡弱何以反適十一頭？師曰：五藏六府相乘，故令十一。
問曰：何以知乘府？何以知乘藏？師曰：諸陽浮數為乘府，諸陰遲濇為乘藏也。

傷寒論卷第二　　仲景全書第二

漢　張仲景述　晉　王叔和撰次
宋　林　億校正
明　趙開美校刻
沈　琳仝校

傷寒例第三　辨痓濕暍脉證第四
辨太陽病脉證并治上第五

傷寒例第三

四時八節、二十四氣、七十二候決病法。

立春正月節斗指艮　雨水正月中指寅
驚蟄二月節指甲　春分二月中指卯
清明三月節指乙　穀雨三月中指辰
立夏四月節指巽　小滿四月中指巳
芒種五月節指丙　夏至五月中指午
小暑六月節指丁　大暑六月中指未
立秋七月節指坤　處暑七月中指申
白露八月節指庚　秋分八月中指酉
寒露九月節指辛　霜降九月中指戌
立冬十月節指乾　小雪十月中指亥
大雪十一月節指壬　冬至十一月中指子

小寒十二月節指癸　大寒十二月中指丑

二十四氣節有十二中氣有十二五日為一候氣亦同合有七十二候決病生死此須洞解之也

陰陽大論云春氣温和夏氣暑熱秋氣清涼冬氣冰列此則四時正氣之序也冬時嚴寒萬類深藏君子固密則不傷於寒觸冒之者乃名傷寒耳其傷於四時之氣皆能為病以傷寒為毒者以其最成殺厲之氣也中而即病者名曰傷寒不即病者寒毒藏於肌膚至春變為温病至夏變為暑病暑病者熱極重於温也是以辛苦之人春夏多温熱病者皆由冬時觸寒所致非時行之氣也凡時行者春時應暖而反大寒夏時應熱而反大涼秋時應涼而反大熱冬時應寒而反大温此非其時而有其氣是以一歲之中長幼之病多相似者此則時行之氣也夫欲候知四時正氣為病及時行疫氣之法皆當按斗曆占之九月霜降節後宜漸寒向冬大寒至正月雨水節後宜解也所以謂之雨水者以冰雪解而為雨水故也至驚蟄二月節後氣漸和暖向夏大熱至秋便涼從霜降以後至春分以前凡有觸冒霜露體中寒即病者謂之傷寒也九月十月寒氣尚微為病則輕十一月十二月寒冽已嚴為病則重正月二月寒漸將解為病亦輕此以冬時不調適有傷寒之人即為病也其冬有非節之暖者名為冬温冬温之毒與傷寒大異冬温復有先後更相重沓亦有輕重為治不同證如後章從立春節後其中無暴大寒又不冰雪而有人壯熱為病者此屬春時陽氣發於冬時伏寒變為温病從春分以後至秋分節前天有暴寒者皆為時行寒疫也三月四月或有暴寒其時陽氣尚弱為寒所折病熱猶輕五月六月陽氣已盛為寒所折病熱則重七月八月陽氣已衰為寒所折病熱亦微其病與温及暑病相似但治有殊耳十五日得一氣於四時之中一時有六氣四六名為二十四氣然氣候亦有應至仍不至或有未應至而至者或有至而太過者皆成病氣也但天地動靜陰陽鼓擊者各正一氣耳是以彼春之暖為夏之暑彼秋之忿為冬之怒是故冬至之後一陽爻升一陰爻降也夏至之後一陽氣下一陰氣上也斯則冬夏二至陰陽合也春秋二分陰陽離也陰陽交易人變病焉此君子春夏養陽秋冬養陰順

天地之剛柔也小人觸冒必嬰暴疹須知毒烈之
氣留在何經而發何病詳而取之是以春傷於風
夏必飧泄夏傷於暑秋必病瘧秋傷於濕冬必咳
嗽冬傷於寒春必病溫此必然之道可不審明之
傷寒之病逐日淺深以施方治今世人傷寒或始
不早治或治不對病或日數久淹困乃告醫醫人
又不依次第而治之則不中病皆宜臨時消息制
方無不效也今搜採仲景舊論錄其證候診脈聲
色對病真方有神驗者擬防世急也
又土地溫涼高下不同物性剛柔食居亦異是故
黃帝興四方之問岐伯舉四治之能以訓後賢開
其未悟者臨病之工宜須兩審也
凡傷於寒則為病熱熱雖甚不死若兩感於寒而
病者必死
尺寸俱浮者太陽受病也當一二日發以其脈上
連風府故頭項痛腰脊強
尺寸俱長者陽明受病也當二三日發以其脈夾
鼻絡於目故身熱目疼鼻乾不得臥
尺寸俱弦者少陽受病也當三四日發以其脈循
脅絡於耳故胸脅痛而耳聾此三經皆受病未入
於府者可汗而已
尺寸俱沉細者太陰受病也當四五日發以其脈
布胃中絡於嗌故腹滿而嗌乾
尺寸俱沉者少陰受病也當五六日發以其脈貫
腎絡於肺繫舌本故口燥舌乾而渴
尺寸俱微緩者厥陰受病也當六七日發以其脈
循陰器絡於肝故煩滿而囊縮此三經皆受病已
入於府可下而已
若兩感於寒者一日太陽受之即與少陰俱病則
頭痛口乾煩滿而渴二日陽明受之即與太陰俱
病則腹滿身熱不欲食讝（之廉切又女監切下同）語三日少
陽受之即與厥陰俱病則耳聾囊縮而厥水漿不
入不知人者六日死若三陰三陽五藏六府皆受
病則榮衛不行藏府不通則死矣其不兩感於寒
更不傳經不加異氣者至七日太陽病衰頭痛少
愈也八日陽明病衰身熱少歇也九日少陽病衰
耳聾微聞也十日太陰病衰腹減如故則思飲食
十一日少陰病衰渴止舌乾已而嚏也十二日厥
陰病衰囊縱少腹微下大氣皆去病人精神爽慧
也若過十三日以上不間寸尺陷者大危若更感

異氣變為他病者，當依後壞病證而治之。若脈陰陽俱盛，重感於寒者，變成溫瘧。陽脈浮滑，陰脈濡弱者，更遇於風，變為風溫。陽脈洪數，陰脈實大者，更遇溫熱，變為溫毒。溫毒為病最重也。陽脈濡弱，陰脈弦緊者，更遇溫氣，變為溫疫（一本作瘧）。以此冬傷於寒，發為溫病，脈之變證，方治如說。

凡人有疾，不時即治，隱忍冀差，以成痼疾。小兒女子，益以滋甚。時氣不和，便當早言，尋其邪由，及在腠理，以時治之，罕有不愈者。患人忍之，數日乃說，邪氣入藏，則難可制。此為家有患，備慮之要。凡作湯藥，不可避晨夜，覺病須臾，即宜便治，不等早晚，則易愈矣。如或差遲，病即傳變，雖欲除治，必難為力。服藥不如方法，縱意違師，不須治之。

凡傷寒之病，多從風寒得之。始表中風寒，入裏則不消矣。未有溫覆而當不消散者。不在證治，擬欲攻之，猶當先解表，乃可下之。若表已解，而內不消，非大滿，猶生寒熱，則病不除。若表已解，而內不消，大滿大實堅，有燥屎，自可除下之。雖四五日，不能為禍也。若不宜下，而便攻之，內虛熱入，協熱遂利，煩躁諸變，不可勝數，輕者困篤，重者必死矣。

夫陽盛陰虛，汗之則死，下之則愈；陽虛陰盛，汗之則愈，下之則死。夫如是，則神丹安可以誤發，甘遂何可以妄攻？虛盛之治，相背千里，吉凶之機，應若影響，豈容易哉！況桂枝下咽，陽盛即斃；承氣入胃，陰盛以亡。死生之要，在乎須臾，視身之盡，不暇計日。此陰陽虛實之交錯，其候至微；發汗吐下之相反，其禍至速。而醫術淺狹，懵然不知病源，為治乃誤，使病者殞沒，自謂其分。至今冤魂塞於冥路，死屍盈於曠野，仁者鑒此，豈不痛歟。

凡兩感病俱作，治有先後，發表攻裏，本自不同。而執迷用意者，乃云神丹甘遂，合而飲之，且解其表，又除其裏。言巧似是，其理實違。夫智者之舉錯也，常審以慎；愚者之動作也，必果而速。安危之變，豈可詭哉！世上之士，但務彼翕習之榮，而莫見此傾危之敗，惟明者居然能護其本，近取諸身，夫何遠之有焉。

凡發汗溫煖湯藥，其方雖言日三服，若病劇不解，當促其間，可半日中盡三服。若與病相阻，即便有所覺。病重者，一日一夜，當晬時觀之。如服一劑，病證猶在，故當復作本湯服之。至有不肯汗出，服三劑乃解。若汗不出者，死病也。

凡得時氣病，至五六日，而渴欲飲水，飲不能多，不當與也。何者？以腹中熱尚少，不能消之，便更與人作病也。至七八日，大渴欲飲水者，猶當依證而與之。與之常令不足，勿極意也。言能飲一斗，與五升。若飲而腹滿，小便不利，若喘若噦，不可與之也。忽然大汗出，是為自愈也。

凡得病，反能飲水，此為欲愈之病。其不曉病者，但聞病飲水自愈，小渴者乃强與飲之，因成其禍，不可復數也。

凡得病厥，脈動數，服湯藥更遲，脈浮大減小，初躁後靜，此皆愈證也。

凡治温病，可刺五十九穴。又身之穴，三百六十有五，其三十穴，灸之有害；七十九穴，刺之為災，并中髓也。

脈四損，三日死。平人四息，病人脈一至，名曰四損。

脈五損，一日死。平人五息，病人脈一至，名曰五損。

脈六損，一時死。平人六息，病人脈一至，名曰六損。

脈盛身寒，得之傷寒；脈虛身熱，得之傷暑。脈陰陽俱盛，大汗出不解者，死。脈陰陽俱虛，熱不止者，死。

脈至乍數乍踈者，死。脈至如轉索，其日死。譫言妄語，身微熱，脈浮大，手足温者，生；逆冷，脈沉細者，不過一日死矣。此以前是傷寒熱病證候也。

辨痓濕暍脈證第四 痓音熾，又作痙，巨郢切，下同

傷寒所致太陽病痓濕暍，此三種宜應別論，以為與傷寒相似，故此見之。

太陽病，發熱無汗，反惡寒者，名曰剛痓。

太陽病，發熱汗出，而不惡寒，《病源》云惡寒。名曰柔痓。

太陽病，發熱，脈沉而細者，名曰痓。

太陽病，發汗太多，因致痓。

病身熱足寒，頸項強急，惡寒，時頭熱，面赤，目脈赤，獨頭面搖，卒口噤，背反張者，痓病也。

太陽病，關節疼痛而煩，脈沉而細一作緩者，此名濕痹。一云中濕。濕痹之候，其人小便不利，大便反快，但當利其小便。

濕家之為病，一身盡疼，發熱，身色如似熏黃。

濕家，其人但頭汗出，背強，欲得被覆向火。若下之早，則噦，胸滿，小便不利，舌上如胎者，以丹田有熱，胸中有寒，渴欲得水而不能飲，口燥煩也。

濕家下之，額上汗出，微喘，小便利一云不利者，死。若下利不止者，亦死。

問曰風濕相搏一身盡疼痛法當汗出而解值天陰雨不止醫云此可發汗汗之病不愈者何也答曰發其汗汗大出者但風氣去濕氣在是故不愈也若治風濕者發其汗但微微似欲出汗者風濕俱去也

濕家病身上疼痛發熱面黃而喘頭痛鼻塞而煩其脉大自能飲食腹中和無病病在頭中寒濕故鼻塞內藥鼻中則愈

病者一身盡疼發熱日晡所劇者此名風濕此病傷於汗出當風或久傷取冷所致也

太陽中熱者暍是也其人汗出惡寒身熱而渴也

太陽中暍者身熱疼重而脉微弱此以夏月傷冷水水行皮中所致也

太陽中暍者發熱惡寒身重而疼痛其脉弦細芤遲小便已洒洒然毛聳手足逆冷小有勞身即熱口開前板齒燥若發汗則惡寒甚加溫針則發熱甚數下之則淋甚

辨太陽病脉證并治上第五 合一十六法方一十四首

太陽中風陽浮陰弱熱發汗出惡寒鼻鳴乾嘔者桂枝湯主之第一 五味前有太陽病一十一證

太陽病頭痛發熱汗出惡風者桂枝湯主之第二 用前第一方

太陽病項背強几几反汗出惡風者桂枝加葛根湯主之第三 七味

太陽病下之後其氣上衝者桂枝湯主之第四 用前第一方下有太陽壞病一證

桂枝本為解肌若脉浮緊發熱汗不出者不可與之第五 下有酒客不可與桂枝證

喘家作桂枝湯加厚朴杏子第六 下有服湯吐膿血一證

太陽病發汗遂漏不止惡風小便難四肢急難以屈伸桂枝加附子湯主之第七 六味

太陽病下之後脉促胷滿者桂枝去芍藥湯主之第八 四味

若微寒者桂枝去芍藥加附子湯主之第九 五味

太陽病八九日如瘧狀熱多寒少不嘔清便自可宜桂枝麻黃各半湯第十 七味

太陽病服桂枝湯煩不解先刺風池風府却與桂枝湯第十一 用前第一方

服桂枝湯大汗出脉洪大者與桂枝湯若形似瘧一日再發者宜桂枝二麻黃一湯第十二 七味

服桂枝湯大汗出大煩渴不解脉洪大者白虎加人參湯主之第十三五味

太陽病發熱惡寒熱多寒少脉微弱者宜桂枝二越婢一湯第十四七味

服桂枝或下之頭項強痛發熱無汗心下滿痛小便不利者桂枝去桂加茯苓白朮湯主之第十五六味

傷寒脉浮自汗出小便數心煩微惡寒脚攣急與桂枝得之便厥咽乾煩躁吐逆作甘草乾薑湯與之厥愈更作芍藥甘草湯與之其脚伸若胃氣不和與調胃承氣湯若重發汗加燒針者四逆湯主之第十六甘草乾薑湯芍藥甘草湯並二味調胃承氣湯四逆湯並三味

太陽之為病脉浮頭項強痛而惡寒

太陽病發熱汗出惡風脉緩者名為中風

太陽病或已發熱或未發熱必惡寒體痛嘔逆脉陰陽俱緊者名為傷寒

傷寒一日太陽受之脉若靜者為不傳頗欲吐若躁煩脉數急者為傳也

傷寒二三日陽明少陽證不見者為不傳也

太陽病發熱而渴不惡寒者為溫病若發汗已身灼熱者名風溫風溫為病脉陰陽俱浮自汗出身重多眠睡鼻息必鼾語言難出若被下者小便不利直視失溲若被火者微發黃色劇則如驚癎時瘛瘲若火熏之一逆尚引日再逆促命期

病有發熱惡寒者發於陽也無熱惡寒者發於陰也發於陽七日愈發於陰六日愈以陽數七陰數六故也

太陽病頭痛至七日以上自愈者以行其經盡故也若欲作再經者針足陽明使經不傳則愈

太陽病欲解時從巳至未上

風家表解而不了了者十二日愈

病人身太熱反欲得衣者熱在皮膚寒在骨髓也身大寒反不欲近衣者寒在皮膚熱在骨髓也

太陽中風陽浮而陰弱陽浮者熱自發陰弱者汗自出嗇嗇惡寒淅淅惡風翕翕發熱鼻鳴乾嘔者桂枝湯主之方一

桂枝三兩去皮 芍藥三兩 甘草二兩炙

生薑三兩切 大棗十二枚擘

右五味㕮咀三味以水七升微火煑取三升去

滓。適寒溫服一升。服已須臾。歠熱稀粥一升餘。以助藥力。溫覆令一時許。遍身漐漐微似有汗者益佳。不可令如水流漓。病必不除。若一服汗出病差。停後服。不必盡劑。若不汗。更服依前法。又不汗。後服小促其間。半日許令三服盡。若病重者。一日一夜服。周時觀之。服一劑盡。病證猶在者。更作服。若汗不出。乃服至二三劑。禁生冷粘滑肉麵五辛酒酪臭惡等物。

太陽病。頭痛發熱。汗出惡風。桂枝湯主之。方二。用前第一方。

太陽病。項背強几几。反汗出惡風者。桂枝加葛根湯主之。方三。

葛根四兩　麻黃三兩去節　芍藥二兩
生薑三兩切　甘草二兩炙　大棗十二枚擘
桂枝二兩去皮

右七味。以水一斗。先煑麻黃葛根。減二升。去上沫。內諸藥。煑取三升。去滓。溫服一升。覆取微似汗。不須啜粥。餘如桂枝法。將息及禁忌。臣億等謹按仲景本論。太陽中風自汗用桂枝。傷寒無汗用麻黃。今證云汗出惡風。而方中有麻黃。恐非本意也。第三卷有葛根湯證云。無汗惡風。正與此方同。是合用麻黃也。此云桂枝加葛根湯。恐是桂枝中但加葛根耳。

太陽病。下之後。其氣上衝者。可與桂枝湯。方用前法。若不上衝者。不得與之。四。

太陽病三日。已發汗。若吐。若下。若溫鍼。仍不解者。此為壞病。桂枝不中與之也。觀其脉證。知犯何逆。隨證治之。桂枝本為解肌。若其人脉浮緊。發熱汗不出者。不可與之也。常須識此。勿令誤也。五。

若酒客病。不可與桂枝湯。得之則嘔。以酒客不喜甘故也。

喘家作桂枝湯。加厚朴杏子佳。六。

凡服桂枝湯吐者。其後必吐膿血也。

太陽病。發汗。遂漏不止。其人惡風。小便難。四肢微急。難以屈伸者。桂枝加附子湯主之。方七。

桂枝三兩去皮　芍藥三兩　甘草三兩炙
生薑三兩切　大棗十二枚擘　附子一枚炮去皮破八片

右六味。以水七升。煑取三升。去滓。溫服一升。本云桂枝湯。今加附子。將息如前法。

太陽病。下之後。脉促胷滿者。桂枝去芍藥湯主之。方八。促一作縱。

桂枝三兩去皮　甘草二兩炙

生薑三兩切　大棗十二枚擘

右四味，以水七升，煮取三升，去滓，溫服一升。本云桂枝湯，今去芍藥，將息如前法。

若微寒者，桂枝去芍藥加附子湯主之。方九。

桂枝三兩去皮　甘草二兩炙　生薑三兩切　大棗十二枚擘　附子一枚炮去皮破八片

右五味，以水七升，煮取三升，去滓，溫服一升。本云桂枝湯，今去芍藥加附子。將息如前法。

太陽病，得之八九日，如瘧狀，發熱惡寒，熱多寒少，其人不嘔，清便欲自可，一日二三度發。脉微緩者，為欲愈也。脉微而惡寒者，此陰陽俱虛，不可更發汗、更下、更吐也。面色反有熱色者，未欲解也，以其不能得小汗出，身必癢，宜桂枝麻黃各半湯。方十。

桂枝一兩十六銖去皮　芍藥　生薑切　甘草炙　麻黃各一兩去節　大棗四枚擘　杏仁二十四枚湯浸去皮尖及兩仁者

右七味，以水五升，先煮麻黃一二沸，去上沫，內諸藥，煮取一升八合，去滓，溫服六合。本云桂枝湯三合，麻黃湯三合，併為六合，頓服，將息如上法。臣億等謹按：桂枝湯方，桂枝、芍藥、生薑各三兩，甘草二兩，大棗十二枚。麻黃湯方，麻黃三兩，桂枝二兩，甘草一兩，杏仁七十箇。今以算法約之，二湯各取三分之一，即得桂枝一兩十六銖，芍藥、生薑、甘草各一兩，大棗四枚，杏仁二十三箇零三分枚之一，收之得二十四箇，合方。詳此方乃三分之一，非各半也，宜云合半湯。

太陽病，初服桂枝湯，反煩不解者，先刺風池、風府，却與桂枝湯則愈。十一。用前第一方。

服桂枝湯，大汗出，脉洪大者，與桂枝湯，如前法。若形似瘧，一日再發者，汗出必解，宜桂枝二麻黃一湯。方十二。

桂枝一兩十七銖去皮　芍藥一兩六銖　麻黃十六銖去節　生薑一兩六銖切　杏仁十六箇去皮尖　甘草一兩二銖炙　大棗五枚擘

右七味，以水五升，先煮麻黃一二沸，去上沫，內諸藥，煮取二升，去滓，溫服一升，日再服。本云桂枝湯二分，麻黃湯一分，合為二升，分再服。今合為一方，將息如前法。臣億等謹按：桂枝湯方，桂枝、芍藥、生薑各三兩，甘草二兩，大棗十二枚。麻黃湯方，麻黃三兩，桂枝二兩，甘草一兩，杏仁七十箇。今以算法約之，桂枝湯取十二分之五，即得桂枝、芍藥、生薑各一兩六銖，甘草二十銖，大棗五枚。麻黃湯取九分之二，即得麻黃十六銖，桂枝十銖三分銖之二，收之得十一銖，甘草五銖三分銖之一，收之得六銖，杏仁十五箇九分枚之四，收之得十六箇。二湯所取相合，即共得桂枝一兩十七銖，麻黃十六銖，生薑、芍藥各一兩六銖，甘草一兩二銖，大棗五枚，杏仁十六箇，合方。

服桂枝湯，大汗出後，大煩渴不解，脉洪大者，白虎加人參湯主之。方十三。
知母六兩 石膏一斤，碎，綿裹 甘草二兩，炙
粳米六合 人參三兩
右五味，以水一斗，煮米熟湯成，去滓，温服一升，日三服。
太陽病，發熱惡寒，熱多寒少，脉微弱者，此無陽也，不可發汗，宜桂枝二越婢一湯。方十四。
桂枝去皮 芍藥 麻黃 甘草各十八銖，炙
大棗四枚，擘 生薑一兩二銖，切 石膏二十四銖，碎，綿裹

右七味，以水五升，煮麻黃一二沸，去上沫，内諸藥，煮取二升，去滓，温服一升。本云當裁為越婢湯桂枝湯，合之飲一升。今合為一方，桂枝湯二分，越婢湯一分。臣億等謹按：桂枝湯方，桂枝、芍藥、生薑各三兩，甘草二兩，大棗十二枚。越婢湯方，麻黃二兩，生薑三兩，甘草二兩，石膏半斤，大棗十五枚。今以算法約之，桂枝湯取四分之一，即得桂枝、芍藥、生薑各十八銖，甘草十二銖，大棗三枚。越婢湯取八分之一，即得麻黃十八銖，生薑九銖，甘草六銖，石膏二十四銖，大棗一枚八分之七，棄之。二湯所取相合，即共得桂枝、芍藥、甘草、麻黃各十八銖，生薑一兩三銖，石膏二十四銖，大棗四枚，合方。舊云桂枝三，今取四分之一，即當云桂枝二也。越婢湯方見仲景雜方中。外臺秘要一云起脾湯。
服桂枝湯，或下之，仍頭項強痛，翕翕發熱，無汗，心

下滿微痛，小便不利者，桂枝去桂加茯苓白朮湯主之。方十五。
芍藥三兩 甘草二兩，炙 生薑切
白朮 茯苓各三兩 大棗十二枚，擘
右六味，以水八升，煮取三升，去滓，温服一升，小便利則愈。本云桂枝湯，今去桂枝，加茯苓、白朮。
傷寒，脉浮，自汗出，小便數，心煩，微惡寒，脚攣急，反與桂枝，欲攻其表，此誤也。得之便厥，咽中乾，煩躁，吐逆者，作甘草乾薑湯與之，以復其陽。若厥愈足温者，更作芍藥甘草湯與之，其脚即伸。若胃氣不

和，譫語者，少與調胃承氣湯。若重發汗，復加燒針者，四逆湯主之。方十六。
甘草乾薑湯方
甘草四兩，炙 乾薑二兩
右二味，以水三升，煮取一升五合，去滓，分温再服。
芍藥甘草湯方
白芍藥 甘草各四兩，炙
右二味，以水三升，煮取一升五合，去滓，分温再服。

調胃承氣湯方

大黃（四兩去皮清酒洗） 甘草（二兩炙） 芒消（半升）

右三味以水三升煮取一升去滓內芒消更上火微煮令沸少少溫服之

四逆湯方

甘草（二兩炙） 乾薑（一兩半） 附子（一枚生用去皮破八片）

右三味以水三升煮取一升二合去滓分溫再服强人可大附子一枚乾薑三兩

問曰證象陽旦按法治之而增劇厥逆咽中乾兩脛拘急而讝語師曰言夜半手足當溫兩脚當伸後如師言何以知此答曰寸口脉浮而大浮為風大為虛風則生微熱虛則兩脛攣病形象桂枝因加附子參其間增桂令汗出附子溫經亡陽故也厥逆咽中乾煩躁陽明內結讝語煩亂更飲甘草乾薑湯夜半陽氣還兩足當熱脛尚微拘急重與芍藥甘草湯爾乃脛伸以承氣湯微溏則止其讝語故知病可愈

傷寒論卷第二

# 傷寒論卷第三　仲景全書第三

漢　張仲景述　晉　王叔和撰
宋　林億校正
明　趙開美校刻
沈　琳仝校

## 辨太陽病脉證并治中第六（合六十六法方三十九首并見太陽陽明合病法）

太陽病項背强几几無汗惡風葛根湯主之第一（七味）

太陽陽明合病必自利葛根湯主之第二（用前第一方一云用後第四方）

太陽陽明合病不下利但嘔者葛根加半夏湯主之第三（八味）

太陽病桂枝證醫反下之利不止葛根黃芩黃連湯主之第四（四味）

太陽病頭痛發熱身疼惡風無汗而喘者麻黃湯主之第五（四味）

太陽陽明合病喘而胸滿不可下宜麻黃湯主之之第六（用前第五方）

太陽病十日以去脉浮細而嗜臥者外已解設

脇滿痛。與小柴胡湯。脈但浮者。與麻黃湯。第七。（用前第五方。小柴胡湯[illegible]）

太陽中風。脈浮緊。發熱惡寒。身疼痛。不汗出而煩躁者。大青龍湯主之。第八。（七味）

傷寒脈浮緩。身不疼。但重。乍有輕時。無少陰證。大青龍湯發之。第九。（用前第八方）

傷寒表不解。心下有水氣。乾嘔發熱而欬。小青龍湯主之。第十。（八味。加減法附。）

傷寒心下有水氣。欬而微喘。小青龍湯主之。第十一。（用前第十方。）

太陽病。外證未解。脈浮弱者。當以汗解。宜桂枝湯。第十二。（五味）

太陽病。下之微喘者。表未解。桂枝加厚朴杏子湯主之。第十三。（七味）

太陽病。外證未解。不可下也。下之為逆。解外宜桂枝湯。第十四。（用前第十二方。）

太陽病。先發汗不解。復下之。脈浮者。當解外。宜桂枝湯。第十五。（用前第十二方。）

太陽病。脈浮緊。無汗。發熱身疼痛。八九日不解。表證在。發汗已。發煩。必衄。麻黃湯主之。第十六。（用前第五方。下有太陽病并二陽并病四證）

脈浮者。病在表。可發汗。宜麻黃湯。第十七。（用前第五方。一法用桂枝湯）

脈浮數者。可發汗。宜麻黃湯。第十八。（用前第五方。）

病常自汗出。榮衛不和也。發汗則愈。宜桂枝湯。第十九。（用前第十二方）

病人藏無他病。時自汗出。衛氣不和也。宜桂枝湯。第二十。（用前第十二方）

傷寒脈浮緊。不發汗。因衄。麻黃湯主之。第二十一。（用前第五方。）

傷寒不大便六七日。頭痛有熱。與承氣湯。小便清者。知不在裏。當發汗。宜桂枝湯。第二十二。（用前第十二方。）

傷寒發汗解半日許。復熱煩。脈浮數者。可更發汗。宜桂枝湯。第二十三。（用前第十二方。下別有三病證）

下之後。復發汗。晝日煩躁不得眠。夜而安靜。不嘔不渴。無表證。脈沉微者。乾薑附子湯主之。第二十四。（二味）

發汗後。身疼痛。脈沉遲者。桂枝加芍藥生薑各一兩。人參三兩。新加湯主之。第二十五。（六味）

發汗後不可行桂枝湯汗出而喘無大熱者可與麻黃杏子甘草石膏湯第二十六四味
發汗過多其人叉手自冒心心悸欲得按者桂枝甘草湯主之第二十七二味
發汗後臍下悸欲作奔豚茯苓桂枝甘草大棗湯主之第二十八四味下有作甘爛水法
發汗後腹脹滿者厚朴生薑半夏甘草人參湯主之第二十九五味
傷寒吐下後心下逆滿氣上衝胷頭眩脉沈緊者茯苓桂枝白术甘草湯主之第三十四味

發汗病不解反惡寒者虛故也芍藥甘草附子湯主之第三十一三味
發汗若下之不解煩躁者茯苓四逆湯主之第三十二五味
發汗後惡寒虛故也不惡寒但熱者實也與調胃承氣湯第三十三三味
太陽病發汗後大汗出胃中乾躁不能眠欲飲水小便不利者五苓散主之第三十四五味即猪苓散是
發汗已脉浮數煩渴者五苓散主之第三十五用前第三十四方

傷寒汗出而渴者五苓散不渴者茯苓甘草湯主之第三十六四味
中風發熱六七日不解而煩有表裏證渴欲飲水水入則吐名曰水逆五苓散主之第三十七用前第三十四方下別有三病證
發汗吐下後虛煩不得眠心中懊憹梔子豉湯主之若少氣者梔子甘草豉湯主之若嘔者梔子生薑豉湯主之第三十八梔子豉湯二味梔子甘草豉湯梔子生薑豉湯並三味

發汗若下之煩熱胷中窒者梔子豉湯主之第三十九用上初方
傷寒五六日大下之身熱不去心中結痛者梔子豉湯主之第四十用上初方
傷寒下後心煩腹滿臥起不安者梔子厚朴湯主之第四十一三味
傷寒醫以丸藥下之身熱不去微煩者梔子乾薑湯主之第四十二二味下有不可與梔子湯一證
太陽病發汗不解仍發熱心下悸頭眩身瞤真武湯主之第四十三五味下有不可汗五證

汗家重發汗，必恍惚心亂，禹餘粮丸主之。第四十四。方本闕。下有吐蚘先汗下二證。

傷寒醫下之，清穀不止，身疼痛，急當救裏；後身疼痛，清便自調，急當救表。救裏宜四逆湯，救表宜桂枝湯。第四十五。桂枝湯用前第十二方。四逆湯三味。

太陽病未解，脉陰陽俱停，陰脉微者，下之解，宜調胃承氣湯。第四十六。用前第三十三方。一云用大柴胡湯。前有太陽病一證。

太陽病發熱汗出，榮弱衛强，故使汗出，欲救邪風，宜桂枝湯。第四十七。用前第十二方。

傷寒五六日，中風，往来寒熱，胷脅滿，不欲食，心煩喜嘔者，小柴胡湯主之。第四十八。再見柴胡湯。加減法附。

血弱氣盡，腠理開，邪氣因入，與正氣分爭，往来寒熱，休作有時，小柴胡湯主之。第四十九。用前方。渴者屬陽明證，附下。有柴胡不中與一證。

傷寒四五日，身熱惡風，頸項强，脅下滿，手足溫而渴者，小柴胡湯主之。第五十。用前方。

傷寒陽脉濇，陰脉弦，法當腹中急痛，先與小建中湯；不差者，小柴胡湯主之。第五十一。用前方。小建中湯六味。下有嘔家不可用建中湯并服小柴胡一證。

傷寒二三日，心中悸而煩者，小建中湯主之。第五十二。用前第五十一方。

太陽病，過經十餘日，反二三下之，後四五日，柴胡證仍在，微煩者，大柴胡湯主之。第五十三。加大黄。八味。

傷寒十三日不解，胷脅滿而嘔，日晡發潮熱，柴胡加芒消湯主之。第五十四。八味。

傷寒十三日，過經讝語者，調胃承氣湯主之。第五十五。用前第三十三方。

太陽病不解，熱結膀胱，其人如狂，宜桃核承氣湯。第五十六。五味。

傷寒八九日，下之，胷滿煩驚，小便不利，讝語，身重者，柴胡加龍骨牡蠣湯主之。第五十七。十味。

傷寒腹滿讝語，寸口脉浮而緊，此肝乘脾也，名曰縱，刺期門。第五十八。

傷寒發熱，嗇嗇惡寒，大渴欲飲水，其腹必滿，自汗出，小便利，此肝乘肺也，名曰橫，刺期門。第五十九。下有太陽病二證。

傷寒脉浮，醫火劫之，亡陽，必驚狂，臥起不安者，

桂枝去芍藥加蜀漆牡蠣龍骨救逆湯主之第六十七味下有不可火五證
燒針被寒針處核起必發奔豚氣桂枝加桂湯主之第六十一五味
火逆下之因燒針煩躁者桂枝甘草龍骨牡蠣湯主之第六十二四味下有太陽四證
太陽病過經十餘日溫溫欲吐胸中痛大便微溏與調胃承氣湯第六十三用前第三十三方
太陽病六七日表證在脈微沉不結胸其人發狂以熱在下焦少腹滿小便自利者下血乃愈

抵當湯主之第六十四四味
太陽病身黃脈沉結少腹鞕小便自利其人如狂者血證諦也抵當湯主之第六十五用前方
傷寒有熱少腹滿應小便不利今反利者有血也當下之宜抵當丸第六十六四味下有太陽病一證
太陽病項背強几几無汗惡風葛根湯主之方一
葛根四兩 麻黄三兩去節 桂枝二兩去皮
生薑三兩切 甘草二兩炙 芍藥二兩
大棗十二枚擘
右七味以水一斗先煮麻黄葛根減二升去白沫內諸藥煮取三升去滓溫服一升覆取微似汗餘如桂枝法將息及禁忌諸湯皆倣此
太陽與陽明合病者必自下利葛根湯主之方二用前第一方一云用後第四方
太陽與陽明合病不下利但嘔者葛根加半夏湯主之方三
葛根四兩 麻黄三兩去節 甘草二兩炙
芍藥二兩 桂枝二兩去皮 生薑二兩切
半夏半升洗 大棗十二枚擘
右八味以水一斗先煮葛根麻黄減二升去白沫內諸藥煮取三升去滓溫服一升覆取微似汗
太陽病桂枝證醫反下之利遂不止脈促者表未解也喘而汗出者葛根黄芩黄連湯主之方四促一作縱
葛根半斤 甘草二兩炙 黄芩三兩
黄連三兩
右四味以水八升先煮葛根減二升內諸藥煮取二升去滓分溫再服
太陽病頭痛發熱身疼腰痛骨節疼痛惡風無汗

而喘者。麻黄湯主之。方五。

麻黄（三兩去節） 桂枝（二兩去皮） 甘草（一兩炙）

杏仁（七十箇去皮尖）

右四味。以水九升。先煮麻黄。減二升。去上沫。內諸藥。煮取二升半。去滓。溫服八合。覆取微似汗。不須啜粥。餘如桂枝法將息。

太陽與陽明合病。喘而胷滿者。不可下。宜麻黄湯。六。（用前第五方）

太陽病。十日以去。脉浮細而嗜臥者。外已解也。設胷滿脅痛者。與小柴胡湯。脉但浮者。與麻黄湯。七。（用前第五方）

小柴胡湯方

柴胡（半斤） 黄芩 人參 甘草（炙）

生薑（各三兩切） 大棗（十二枚擘） 半夏（半升洗）

右七味。以水一斗二升。煮取六升。去滓。再煎取三升。溫服一升。日三服。

太陽中風。脉浮緊。發熱惡寒。身疼痛。不汗出而煩躁者。大青龍湯主之。若脉微弱。汗出惡風者。不可服之。服之則厥逆。筋惕肉瞤。此為逆也。大青龍湯方八。

麻黄（六兩去節） 桂枝（二兩去皮） 甘草（二兩炙）

杏仁（四十枚去皮尖） 生薑（三兩切） 大棗（十枚擘）

石膏（如雞子大碎）

右七味。以水九升。先煮麻黄。減二升。去上沫。內諸藥。煮取三升。去滓。溫服一升。取微似汗。汗出多者。溫粉粉之。一服汗者。停後服。若復服。汗多亡陽遂（遂一作逆）虛。惡風煩躁。不得眠也。

傷寒。脉浮緩。身不疼。但重。乍有輕時。無少陰證者。大青龍湯發之。九。（用前第八方）

傷寒表不解。心下有水氣。乾嘔。發熱而欬。或渴。或利。或噎。或小便不利。少腹滿。或喘者。小青龍湯主之。方十。

麻黄（去節） 芍藥 細辛 乾薑

甘草（炙） 桂枝（各三兩去皮） 五味子（半升） 半夏（半升洗）

右八味。以水一斗。先煮麻黄。減二升。去上沫。內諸藥。煮取三升。去滓。溫服一升。若渴。去半夏。加栝樓根三兩。若微利。去麻黄。加蕘花。如一雞子。熬令赤色。若噎者。去麻黄。加附子一枚炮。若小便不利。少腹滿者。去麻黄。加茯苓四兩。若喘。去麻黄。加杏仁半升。去皮尖。且蕘花不治利。麻黄主喘。今此語反之。疑非仲景意。臣億等謹按小青龍湯大要治水。又按本草蕘花下十二水。若水去。利則止也。又按千金。形腫者應內麻黃。乃內杏仁者。以麻黃發其陽故也。以此證之。豈非仲景意也。

傷寒。心下有水氣。欬而微喘。發熱不渴。服湯已渴者。此寒去欲解也。小青龍湯主之。十一。用前第十方。

太陽病。外證未解。脉浮弱者。當以汗解。宜桂枝湯。方十二。

桂枝去皮 芍藥 生薑各三兩切

甘草二兩炙 大棗十二枚擘

右五味。以水七升。煑取三升。去滓。温服一升。須臾啜熱稀粥一升。助藥力。取微汗。

太陽病。下之微喘者。表未解故也。桂枝加厚朴杏子湯主之。方十三。

桂枝三兩去皮 甘草二兩炙 生薑三兩切

芍藥三兩 大棗十二枚擘 厚朴二兩炙去皮

杏仁五十枚去皮尖

右七味。以水七升。微火煑取三升。去滓。温服一升。覆取微似汗。

太陽病。外證未解。不可下也。下之為逆。欲解外者。宜桂枝湯。十四。用前第十二方。

太陽病。先發汗不解。而復下之。脉浮者不愈。浮為在外。而反下之。故令不愈。今脉浮。故在外。當須解外則愈。宜桂枝湯。十五。用前第十二方。

太陽病。脉浮緊。無汗。發熱。身疼痛。八九日不解。表證仍在。此當發其汗。服藥已微除。其人發煩目瞑。劇者必衄。衄乃解。所以然者。陽氣重故也。麻黃湯主之。十六。用前第五方。

太陽病。脉浮緊。發熱。身無汗。自衄者愈。

二陽併病。太陽初得病時。發其汗。汗先出不徹。因轉屬陽明。續自微汗出。不惡寒。若太陽病證不罷者。不可下。下之為逆。如此可小發汗。設面色緣緣正赤者。陽氣怫鬱在表。當解之熏之。若發汗不徹不足言。陽氣怫鬱不得越。當汗不汗。其人躁煩。不知痛處。乍在腹中。乍在四肢。按之不可得。其人短氣。但坐以汗出不徹故也。更發汗則愈。何以知汗出不徹。以脉濇故知也。

脉浮數者。法當汗出而愈。若下之。身重心悸者。不可發汗。當自汗出乃解。所以然者。尺中脉微。此裏虛。須表裏實。津液自和。便自汗出愈。

脉浮緊者。法當身疼痛。宜以汗解之。假令尺中遲

者不可發汗何以知然以榮氣不足血少故也

脈浮者病在表可發汗宜麻黃湯十七用前第五方法用桂枝湯

脈浮而數者可發汗宜麻黃湯十八用前第五方

病常自汗出者此為榮氣和榮氣和者外不諧以衛氣不共榮氣諧和故爾以榮行脈中衛行脈外復發其汗榮衛和則愈宜桂枝湯十九用前第十二方

病人藏無他病時發熱自汗出而不愈者此衛氣不和也先其時發汗則愈宜桂枝湯二十用前第十二方

傷寒脈浮緊不發汗因致衄者麻黃湯主之二十一用前第五方

傷寒不大便六七日頭痛有熱者與承氣湯其小便清者一云大便青知不在裏仍在表也當須發汗若頭痛者必衄宜桂枝湯二十二用前第十二方

傷寒發汗已解半日許復煩脈浮數者可更發汗宜桂枝湯二十三用前第十二方

凡病若發汗若吐若下若亡血亡津液陰陽自和者必自愈

大下之後復發汗小便不利者亡津液故也勿治之得小便利必自愈

下之後復發汗必振寒脈微細所以然者以內外俱虛故也

下之後復發汗晝日煩躁不得眠夜而安靜不嘔不渴無表證脈沉微身無大熱者乾薑附子湯主之方二十四

乾薑一兩　附子一枚生用去皮切八片

右二味以水三升煮取一升去滓頓服

發汗後身疼痛脈沉遲者桂枝加芍藥生薑各一兩人參三兩新加湯主之方二十五

桂枝三兩去皮　芍藥四兩　甘草二兩炙

人參三兩　大棗十二枚擘　生薑四兩

右六味以水一斗二升煮取三升去滓溫服一升本云桂枝湯今加芍藥生薑人參

發汗後不可更行桂枝湯汗出而喘無大熱者可與麻黃杏仁甘草石膏湯方二十六

麻黃四兩去節　杏仁五十箇去皮尖　甘草二兩炙

石膏半斤碎綿裹

右四味以水七升煮麻黃減二升去上沫內諸藥煮取二升去滓溫服一升本云黃耳杯

發汗過多其人叉手自冒心心下悸欲得按者桂

枝甘草湯主之。方二十七。

桂枝四兩去皮　甘草二兩炙

右二味。以水三升。煑取一升。去滓。頓服。

發汗後。其人臍下悸者。欲作奔豚。茯苓桂枝甘草大棗湯主之。方二十八。

茯苓半斤　桂枝四兩去皮　甘草二兩炙　大棗十五枚擘

右四味。以甘爛水一斗。先煑茯苓。減二升。內諸藥。煑取三升。去滓。溫服一升。日三服。

作甘爛水法。取水二斗。置大盆內。以杓揚之。水上有珠子五六千顆相逐。取用之。

發汗後。腹脹滿者。厚朴生薑半夏甘草人參湯主之。方二十九。

厚朴半斤炙去皮　生薑半斤切　半夏半升洗　甘草二兩　人參一兩

右五味。以水一斗。煑取三升。去滓。溫服一升。日三服。

傷寒若吐。若下後。心下逆滿。氣上衝胷。起則頭眩。脉沈緊。發汗則動經。身為振振搖者。茯苓桂枝白术甘草湯主之。方三十。

茯苓四兩　桂枝三兩去皮　白术　甘草各二兩炙

右四味。以水六升。煑取三升。去滓。分溫三服。

發汗。病不解。反惡寒者。虛故也。芍藥甘草附子湯主之。方三十一。

芍藥　甘草各三兩炙　附子一枚炮去皮破八片

右三味。以水五升。煑取一升五合。去滓。分溫三服。疑非仲景方。

發汗若下之。病仍不解。煩躁者。茯苓四逆湯主之。方三十二。

茯苓四兩　人參一兩　附子一枚生用去皮破八片　甘草二兩炙　乾薑一兩半

右五味。以水五升。煑取三升。去滓。溫服七合。日二服。

發汗後。惡寒者。虛故也。不惡寒。但熱者。實也。當和胃氣。與調胃承氣湯。方三十三。玉函云與小承氣湯。

芒消半升　甘草二兩炙　大黄四兩去皮清酒洗

右三味。以水三升。煑取一升。去滓。內芒消。更煑兩沸。頓服。

太陽病。發汗後。大汗出。胃中乾。煩躁不得眠。欲得飲水者。少少與飲之。令胃氣和則愈。若脉浮。小便不利。微熱消渴者。五苓散主之。方三十四。即猪苓散是。

猪苓十八銖去皮　澤瀉一兩六銖　白朮十八銖

茯苓十八銖　桂枝半兩去皮

右五味。擣為散。以白飲和服方寸匕。日三服。多飲煖水。汗出愈。如法將息。

發汗已。脉浮數煩渴者。五苓散主之。三十五。用前第三十四方。

傷寒汗出而渴者。五苓散主之。不渴者。茯苓甘草湯主之。方三十六。

茯苓二兩　桂枝二兩去皮　甘草一兩炙　生薑三兩切

右四味。以水四升。煑取二升。去滓。分溫三服。

中風發熱。六七日不解而煩。有表裏證。渴欲飲水。水入則吐者。名曰水逆。五苓散主之。三十七。用前第三十四方。

未持脉時。病人手叉自冒心。師因教試令欬而不欬者。此必兩耳聾無聞也。所以然者。以重發汗虛故如此。發汗後。飲水多必喘。以水灌之亦喘。

發汗後。水藥不得入口為逆。若更發汗。必吐下不止。發汗吐下後。虛煩不得眠。若劇者。必反覆顛倒音到下同心中懊憹上烏浩下奴冬切下同梔子豉湯主之。若少氣者。梔子甘草豉湯主之。若嘔者。梔子生薑豉湯主之。三十八。

梔子豉湯方

梔子十四箇擘　香豉四合綿裹

右二味。以水四升。先煑梔子。得二升半。內豉。煑取一升半。去滓。分為二服。溫進一服。得吐者止後服。

梔子甘草豉湯方

梔子十四箇擘　甘草二兩炙　香豉四合綿裹

右三味。以水四升。先煑梔子甘草。取二升半。內豉。煑取一升半。去滓。分二服。溫進一服。得吐者止後服。

梔子生薑豉湯方

梔子十四箇擘　生薑五兩　香豉四合綿裹

右三味。以水四升。先煑梔子生薑。取二升半。內豉。煑取一升半。去滓。分二服。溫進一服。得吐者止後服。

發汗若下之而煩熱。胸中窒者。梔子豉湯主之。三十九。用上初方。

傷寒五六日。大下之後。身熱不去。心中結痛者。未

欲解也。梔子豉湯主之。四十。用上初方
傷寒下後，心煩腹滿，臥起不安者，梔子厚朴湯主之。方四十一。
梔子十四箇擘　厚朴四兩炙去皮　枳實四枚水浸炙令黃
右三味，以水三升半，煮取一升半，去滓，分二服。溫進一服，得吐者，止後服。
傷寒，醫以丸藥大下之，身熱不去，微煩者，梔子乾薑湯主之。方四十二。
梔子十四箇擘　乾薑二兩
右二味，以水三升半，煮取一升半，去滓，分二服。溫進一服，得吐者，止後服。
凡用梔子湯，病人舊微溏者，不可與服之。
太陽病發汗，汗出不解，其人仍發熱，心下悸，頭眩，身瞤動，振振欲擗一作僻地者，真武湯主之。方四十三。
茯苓　芍藥　生薑各二兩切　白朮二兩　附子一枚炮去皮破八片
右五味，以水八升，煮取三升，去滓，溫服七合，日三服。
咽喉乾燥者，不可發汗。
淋家不可發汗，發汗必便血。
瘡家雖身疼痛，不可發汗，汗出則痓。
衄家不可發汗，汗出必額上陷，脉急緊，直視不能眴音喚，又胡絹切，下同。一作瞬，不得眠。
亡血家不可發汗，發汗則寒慄而振。
汗家重發汗，必恍惚心亂，小便已陰疼，與禹餘粮丸。四十四。方本闕
病人有寒，復發汗，胃中冷，必吐蚘。一作逆
本發汗而復下之，此為逆也；若先發汗，治不為逆。本先下之，而反汗之，為逆；若先下之，治不為逆。
傷寒，醫下之，續得下利，清穀不止，身疼痛者，急當救裏；後身疼痛，清便自調者，急當救表。救裏宜四逆湯，救表宜桂枝湯。四十五。用前第十二方
病發熱頭痛，脉反沈，若不差，身體疼痛，當救其裏。四逆湯方。
甘草二兩炙　乾薑一兩半　附子一枚生用去皮破八片
右三味，以水三升，煮取一升二合，去滓，分溫再服。強人可大附子一枚，乾薑三兩。
太陽病，先下而不愈，因復發汗，以此表裏俱虛，其人因致冒，冒家汗出自愈。所以然者，汗出表和故

也裏未和然後復下之。

太陽病未解脉陰陽俱停（一作微）必先振慄汗出而解但陽脉微者先汗出而解但陰脉微（一作尺脉實）者下之而解若欲下之宜調胃承氣湯四十六（用前第二十三方一云用大柴胡湯）

太陽病發熱汗出者此為榮弱衛強故使汗出欲救邪風者宜桂枝湯四十七（方用前法）

傷寒五六日中風往來寒熱胸脅苦滿嘿嘿不欲飲食心煩喜嘔或胸中煩而不嘔或渴或腹中痛或脅下痞鞕或心下悸小便不利或不渴身有微熱或欬者小柴胡湯主之方四十八。

柴胡（半斤）　黃芩（三兩）　人參（三兩）

半夏（半升洗）　甘草（炙）　生薑（各三兩切）

大棗（十二枚擘）

右七味以水一斗二升煑取六升去滓再煎取三升溫服一升日三服若胸中煩而不嘔者去半夏人參加栝樓實一枚若渴去半夏加人參合前成四兩半栝樓根四兩若腹中痛者去黃芩加芍藥三兩若脅下痞鞕去大棗加牡蠣四兩若心下悸小便不利者去黃芩加茯苓四兩若不渴外有微熱者去人參加桂枝三兩溫覆微汗愈若欬者去人參大棗生薑加五味子半升乾薑二兩。

血弱氣盡腠理開邪氣因入與正氣相搏結於脅下正邪分爭往來寒熱休作有時嘿嘿不欲飲食藏府相連其痛必下邪高痛下故使嘔也（一云藏府相違其病必下脅鬲中痛）小柴胡湯主之服柴胡湯已渴者屬陽明以法治之四十九（用前方）

得病六七日脉遲浮弱惡風寒手足溫醫二三下之不能食而脅下滿痛面目及身黃頸項強小便難者與柴胡湯後必下重本渴飲水而嘔者柴胡湯不中與也食穀者噦。

傷寒四五日身熱惡風頸項強脅下滿手足溫而渴者小柴胡湯主之五十（用前方）。

傷寒陽脉濇陰脉弦法當腹中急痛先與小建中湯不差者小柴胡湯主之五十一（用前方）

小建中湯方

桂枝（三兩去皮）　甘草（二兩炙）　大棗（十二枚擘）

芍藥（六兩）　生薑（三兩切）　膠飴（一升）

右六味以水七升煑取三升去滓內飴更上微

火消解，溫服一升，日三服。嘔家不可用建中湯，以甜故也。

傷寒中風，有柴胡證，但見一證便是，不必悉具。凡柴胡湯病證而下之，若柴胡證不罷者，復與柴胡湯，必蒸蒸而振，却復發熱汗出而解。

傷寒二三日，心中悸而煩者，小建中湯主之。五十二。（用前第五十一方。）

太陽病，過經十餘日，反二三下之，後四五日，柴胡證仍在者，先與小柴胡。嘔不止，心下急，（一云嘔止小安。）鬱鬱微煩者，為未解也，與大柴胡湯下之則愈。方五十三。

柴胡（半斤） 黃芩（三兩） 芍藥（三兩）
半夏（半升，洗） 生薑（五兩，切） 枳實（四枚，炙）
大棗（十二枚，擘）

右七味，以水一斗二升，煑取六升，去滓再煎，溫服一升，日三服。一方加大黃二兩。若不加，恐不為大柴胡湯。

傷寒十三日不解，胷脇滿而嘔，日晡所發潮熱，已而微利。此本柴胡證，下之以不得利；今反利者，知醫以丸藥下之，此非其治也。潮熱者，實也，先宜服小柴胡湯以解外，後以柴胡加芒消湯主之。五十四。

柴胡（二兩十六銖） 黃芩（一兩） 人參（一兩）
甘草（一兩，炙） 生薑（一兩，切） 半夏（二十銖，本云五枚，洗）
大棗（四枚，擘） 芒消（二兩）

右八味，以水四升，煑取二升，去滓，內芒消，更煑微沸，分溫再服，不解更作。（臣億等謹按：金匱玉函方中無芒消。別一方云：以水七升，下芒消二合，大黃四兩，桑螵蛸五枚，煑取一升半，服五合，微下即愈。本云柴胡再服以解其外，餘二升加芒消、大黃、桑螵蛸也。）

傷寒十三日，過經讝語者，以有熱也，當以湯下之。若小便利者，大便當鞕，而反下利，脉調和者，知醫以丸藥下之，非其治也。若自下利者，脉當微厥；今反和者，此為內實也，調胃承氣湯主之。五十五。（用前第三十三方。）

太陽病不解，熱結膀胱，其人如狂，血自下，下者愈。其外不解者，尚未可攻，當先解其外；外解已，但少腹急結者，乃可攻之，宜桃核承氣湯。方五十六。（後云解外宜桂枝湯。）

桃仁（五十箇，去皮尖） 大黃（四兩） 桂枝（二兩，去皮）
甘草（二兩，炙） 芒消（二兩）

右五味，以水七升，煮取二升半，去滓，内芒消，更上火微沸，下火，先食温服五合，日三服，當微利。

傷寒八九日，下之，胷滿煩驚，小便不利，讝語，一身盡重，不可轉側者，柴胡加龍骨牡蠣湯主之。方五十。

柴胡（四兩）　龍骨　黄芩　生薑（切）　鉛丹　人參　桂枝（去皮）　茯苓（各一兩半）　半夏（二合半洗）　大黄（二兩）　牡蠣（一兩半熬）　大棗（六枚擘）

右十二味，以水八升，煮取四升，内大黄，切如碁子，更煮一兩沸，去滓，温服一升。本云柴胡湯，今加龍骨等。

傷寒腹滿讝語，寸口脉浮而緊，此肝乘脾也，名曰縱，刺期門。五十八。

傷寒發熱，嗇嗇惡寒，大渴欲飲水，其腹必滿，自汗出，小便利，其病欲解，此肝乘肺也，名曰橫，刺期門。五十九。

太陽病，二日反躁，凡熨其背而大汗出，大熱入胃，（一作二日内燒瓦熨背，大汗出，火氣入胃。）胃中水竭，躁煩，必發讝語。十餘日振慄，自下利者，此為欲解也。故其汗從腰以下不得汗，欲小便不得，反嘔，欲失溲，足下惡風，大便鞕，小便當數，而反不數及不多，大便已，頭卓然而痛，其人足心必熱，穀氣下流故也。

97

太陽病中風，以火劫發汗，邪風被火熱，血氣流溢，失其常度，兩陽相熏灼，其身發黄。陽盛則欲衄，陰虛小便難，陰陽俱虛竭，身體則枯燥，但頭汗出，劑頸而還，腹滿微喘，口乾咽爛，或不大便，久則讝語，甚者至噦，手足躁擾，捻衣摸床。小便利者，其人可治。

傷寒脉浮，醫以火迫劫之，亡陽必驚狂，臥起不安者，桂枝去芍藥加蜀漆牡蠣龍骨救逆湯主之。方六十。

桂枝（三兩去皮）　甘草（二兩炙）　生薑（三兩切）　大棗（十二枚擘）　牡蠣（五兩熬）　蜀漆（三兩洗去腥）　龍骨（四兩）

右七味，以水一斗二升，先煮蜀漆，減二升，内諸藥，煮取三升，去滓，温服一升。本云桂枝湯，今去芍藥加蜀漆牡蠣龍骨。

形作傷寒，其脉不弦緊而弱，弱者必渴，被火必讝語。弱者發熱脉浮，解之當汗出愈。

太陽病，以火熏之，不得汗，其人必躁，到經不解，必

清血名為火邪

脉浮熱甚而反灸之此為實實以虛治因火而動必咽燥吐血。

微數之脉慎不可灸因火為邪則為煩逆追虛逐實血散脉中火氣雖微內攻有力焦骨傷筋血難復也脉浮宜以汗解用火灸之邪無從出因火而盛病從腰以下必重而痺名火逆也欲自解者必當先煩煩乃有汗而解何以知之脉浮故知汗出解。

燒針令其汗針處被寒核起而赤者必發奔豚氣從少腹上衝心者灸其核上各一壯與桂枝加桂湯更加桂二兩也方六十一。

桂枝五兩去皮 芍藥三兩 生薑三兩切

甘草二兩炙 大棗十二枚擘

右五味以水七升煑取三升去滓溫服一升本云桂枝湯今加桂滿五兩所以加桂者以能泄奔豚氣也。

火逆下之因燒針煩躁者桂枝甘草龍骨牡蠣湯主之方六十二。

桂枝一兩去皮 甘草二兩炙 牡蠣二兩熬

龍骨二兩

右四味以水五升煑取二升半去滓溫服八合日三服。

太陽傷寒者加溫針必驚也。

太陽病當惡寒發熱今自汗出反不惡寒發熱關上脉細數者以醫吐之過也一二日吐之者腹中飢口不能食三四日吐之者不喜糜粥欲食冷食朝食暮吐以醫吐之所致也此為小逆。

太陽病吐之但太陽病當惡寒今反不惡寒不欲近衣此為吐之內煩也。

病人脉數數為熱當消穀引食而反吐者此以發汗令陽氣微膈氣虛脉乃數也數為客熱不能消穀以胃中虛冷故吐也。

太陽病過經十餘日心下溫溫欲吐而胸中痛大便反溏腹微滿鬱鬱微煩先此時自極吐下者與調胃承氣湯若不爾者不可與但欲嘔胸中痛微溏者此非柴胡湯證以嘔故知極吐下也調胃承氣湯六十三。用前第三十三方

太陽病六七日表證仍在脉微而沈反不結胸其人發狂者以熱在下焦少腹當鞕滿小便自利者

下血乃愈所以然者以太陽隨經瘀熱在裏故也抵當湯主之方六十四

水蛭熬　虻蟲各三十箇去翅足熬　桃仁二十箇去皮尖　大黃三兩酒洗

右四味以水五升煮取三升去滓溫服一升不下更服

太陽病身黃脈沉結少腹鞕小便不利者為無血也小便自利其人如狂者血證諦也抵當湯主之六十五用前方

傷寒有熱少腹滿應小便不利今反利者為有血也當下之不可餘藥宜抵當丸方六十六

水蛭二十箇熬　虻蟲二十箇去翅足熬　桃仁二十五箇去皮尖　大黃三兩

右四味擣分四丸以水一升煮一丸取七合服之晬時當下血若不下者更服

太陽病小便利者以飲水多必心下悸小便少者必苦裏急也

傷寒論卷第三

# 傷寒論卷第四　仲景全書第四

漢　張仲景述　晉　王叔和撰次

宋　林　億校正

明　趙開美校刻

沈　琳仝校

## 辨太陽病脈證并治下第七　合三十九法方三十首并見太陽少陽合病法

結胷項強如柔痓狀下則和宜大陷胷丸第一六味前後有結胷藏結病六證

太陽病心中懊憹陽氣內陷心下鞕大陷胷湯主之第二三味

傷寒六七日結胷熱實脈沉緊心下痛大陷胷湯主之第三用前第二方

傷寒十餘日熱結在裏往來寒熱者與大柴胡湯第四八味水結附

太陽病重發汗復下之不大便五六日舌燥而渴潮熱從心下至少腹滿痛不可近者大陷胷湯主之第五用前第二方

小結胷病正在心下按之痛脈浮滑者小陷胷湯主之第六三味下有太陽病二證

病在陽應以汗解反以水潠熱不得去益煩不
渴服文蛤散不差與五苓散寒實結胸無熱證
者與三物小陷胸湯白散亦可服第七文蛤散一味五苓散五味小陷胸湯用前第六方白散三味
太陽少陽併病頭痛眩冒心下痞者刺肺俞肝
俞不可發汗發汗則讝語讝語不止當刺期門
第八
婦人中風經水適来熱除脉遲脅下滿讝語當
刺期門第九
婦人中風七八日寒熱經水適斷血結如瘧狀

小柴胡湯主之第十七味
婦人傷寒經水適来讝語無犯胃氣及上二焦
自愈第十一
傷寒六七日發熱微惡寒支節疼微嘔心下支
結柴胡桂枝湯主之第十二九味
傷寒五六日已發汗復下之胸脅滿小便不利
渴而不嘔頭汗出往来寒熱心煩柴胡桂枝乾
薑湯主之第十三七味
傷寒五六日頭汗出微惡寒手足冷心下滿不
欲食大便鞕脉細者為陽微結非少陰也可與

小柴胡湯第十四用前第十方
傷寒五六日嘔而發熱以他藥下之柴胡證仍
在可與柴胡湯蒸蒸而振却發熱汗出解心滿
痛者為結胸但滿而不痛為痞宜半夏瀉心湯
第十五七味下有太陽併病并氣痞二證
太陽中風下利嘔逆表解乃可攻之十棗湯主
之第十六三味下有太陽一證
心下痞按之濡者大黃黃連瀉心湯主之第十
七二味
心下痞而復惡寒汗出者附子瀉心湯主之第

十八四味
心下痞與瀉心湯不解者五苓散主之第十九用前第七證方
傷寒汗解後胃中不和心下痞生薑瀉心湯主
之第二十八味
傷寒中風反下之心下痞鞕復下之痞益甚甘
草瀉心湯主之第二十一六味
傷寒服藥利不止心下痞與理中利益甚宜赤
石脂禹餘粮湯第二十二二味下有痞一證
傷寒發汗若吐下心下痞噫不除者旋復代赭

湯主之第二十三。七味

下後不可更行桂枝湯，汗出而喘，無大熱者，可與麻黄杏子甘草石膏湯第二十四。四味

太陽病外未除，數下之，遂協熱而利，桂枝人參湯主之第二十五。五味

傷寒大下後，復發汗，心下痞，惡寒者，不可攻痞，先解表，表解乃可攻痞，解表宜桂枝湯，攻痞宜大黄黄連瀉心湯第二十六。瀉心湯用前第十七方。

傷寒發熱，汗出不解，心中痞，嘔吐下利者，大柴胡湯主之第二十七。用前第四方

病如桂枝證，頭不痛，項不強，寸脉浮，胷中痞鞕，氣上衝不得息，當吐之，宜瓜蔕散第二十八。三味。下有不可與瓜蔕散證。

病脅下素有痞，連臍痛引少腹者，此名藏結第二十九。

傷寒若吐下後不解，熱結在裏，惡風大渴，白虎加人參湯主之第三十。五味。下有不可與白虎證

傷寒無大熱，口燥渴，背微寒者，白虎加人參湯主之第三十一。用前方

傷寒脉浮，發熱無汗，表未解，不可與白虎湯，渴者，白虎加人參湯主之第三十二。用前第三十方

太陽少陽併病，心下鞕，頸項強而眩者，刺大椎、肺俞、肝俞，慎勿下之第三十三。

太陽少陽合病，自下利，黄芩湯；若嘔，黄芩加半夏生薑湯主之第三十四。黄芩湯四味，加半夏生薑湯六味。

傷寒胷中有熱，胃中有邪氣，腹中痛，欲嘔者，黄連湯主之第三十五。七味

傷寒八九日，風濕相摶，身疼煩，不能轉側，不嘔不渴，脉浮虚而濇者，桂枝附子湯主之；大便鞕，一云臍下心下鞕。小便自利者，去桂加白朮湯主之第三十六。桂附湯、加朮湯並五味

風濕相摶，骨節疼煩，掣痛不得屈伸，汗出短氣，小便不利，惡風，或身微腫者，甘草附子湯主之第三十七。四味

傷寒脉浮滑，此表有熱，裏有寒，白虎湯主之第三十八。四味

傷寒脉結代，心動悸，炙甘草湯主之第三十九。九味

問曰：病有結胷，有藏結，其狀何如？答曰：按之痛，寸脉浮，關脉沈，名曰結胷也。

何謂藏結答曰如結胸狀飲食如故時時下利寸脉浮關脉小細沉緊名曰藏結舌上白胎滑者難治

藏結無陽證不往来寒熱一云寒而不熱其人反静舌上胎滑者不可攻也

病發於陽而反下之熱入因作結胸病發於陰而反下之一作汗出因作痞也所以成結胸者以下之太早故也結胸者項亦强如柔痓狀下之則和宜大陷胸丸方一

大黄半斤 葶藶子半升熬 芒消半升

杏仁半升去皮尖熬黑

右四味擣篩二味内杏仁芒消合研如脂和散取如彈丸一枚别擣甘遂末一錢匕白蜜二合水二升煑取一升温頓服之一宿乃下如不下更服取下為效禁如藥法

結胸證其脉浮大者不可下下之則死

結胸證悉具煩躁者亦死

太陽病脉浮而動數浮則為風數則為熱動則為痛數則為虚頭痛發熱微盗汗出而反惡寒者表未解也醫反下之動數變遲膈内拒痛一云頭痛即眩胃中空虚客氣動膈短氣躁煩心中懊憹陽氣内陷心下因鞕則為結胸大陷胸湯主之若不結胸但頭汗出餘處無汗劑頸而還小便不利身必發黄

大陷胸湯方二

大黄六兩去皮 芒消一升 甘遂一錢匕

右三味以水六升先煑大黄取二升去滓内芒消煑一兩沸内甘遂末温服一升得快利止後服

傷寒六七日結胸熱實脉沉而緊心下痛按之石鞕者大陷胸湯主之三用前第二方

傷寒十餘日熱結在裏復往来寒熱者與大柴胡湯但結胸無大熱者此為水結在胸脅也但頭微汗出者大陷胸湯主之四用前第二方

大柴胡湯方

柴胡半斤 枳實四枚炙 生薑五兩切 黄芩三兩 芍藥三兩 半夏半升洗 大棗十二枚擘

右七味以水一斗二升煑取六升去滓再煎温服一升日三服一方加大黄二兩若不加恐不名大柴胡湯

太陽病重發汗而復下之不大便五六日舌上燥而渴日晡所小有潮熱（一云日晡所發心胷大煩）從心下至少腹鞕滿而痛不可近者大陷胷湯主之（五）（用前第二方）

小結胷病正在心下按之則痛脈浮滑者小陷胷湯主之方六

黃連（一兩）　半夏（半升洗）　栝樓實（大者一枚）

右三味以水六升先煑栝樓取三升去滓內諸藥煑取二升去滓分溫三服

太陽病二三日不能臥但欲起心下必結脈微弱者此本有寒分也反下之若利止必作結胷未止者四日復下之此作協熱利也

太陽病下之其脈促（一作縱）不結胷者此為欲解也脈浮者必結胷脈緊者必咽痛脈弦者必兩脅拘急脈細數者頭痛未止脈沈緊者必欲嘔脈沈滑者協熱利脈浮滑者必下血

病在陽應以汗解之反以冷水潠之若灌之其熱被劫不得去彌更益煩肉上粟起意欲飲水反不渴者服文蛤散若不差者與五苓散寒實結胷無熱證者與三物小陷胷湯（用前第六方）白散亦可服（七）（一云與三物小白散）

文蛤散方

文蛤（五兩）

右一味為散以沸湯和一方寸匕服湯用五合

五苓散方

豬苓（十八銖去黑皮）　白朮（十八銖）　澤瀉（一兩六銖）

茯苓（十八銖）　桂枝（半兩去皮）

右五味為散更於臼中治之白飲和方寸匕服之日三服多飲煖水汗出愈

白散方

桔梗（三分）　巴豆（一分去皮心熬黑研如脂）　貝母（三分）

右三味為散內巴豆更於臼中杵之以白飲和服強人半錢匕羸者減之病在膈上必吐在膈下必利不利進熱粥一杯利過不止進冷粥一杯身熱皮粟不解欲引衣自覆若以水潠之洗之益令熱劫不得出當汗而不汗則煩假令汗出已腹中痛與芍藥三兩如上法

太陽與少陽併病頭項強痛或眩冒時如結胷心下痞鞕者當刺大椎第一間肺俞肝俞慎不可發汗發汗則讝語脈弦五日讝語不止當刺期門（八）

婦人中風發熱惡寒經水適來得之七八日熱除

而脉遲身凉胷脅下滿如結胷狀讝語者此為熱入血室也當刺期門隨其實而取之九

婦人中風七八日續得寒熱發作有時經水適斷者此為熱入血室其血必結故使如瘧狀發作有時小柴胡湯主之方十

柴胡半斤 黄芩三兩 人參三兩
半夏半升洗 甘草三兩 生薑三兩切
大棗十二枚擘

右七味以水一斗二升煮取六升去滓再煎取三升温服一升日三服

婦人傷寒發熱經水適来晝日明了暮則讝語如見鬼狀者此為熱入血室無犯胃氣及上二焦必自愈十一

傷寒六七日發熱微惡寒支節煩疼微嘔心下支結外證未去者柴胡桂枝湯主之方十二

桂枝去皮 黄芩一兩半 人參一兩半
甘草一兩炙 半夏二合半洗 芍藥一兩半
大棗六枚擘 生薑一兩半切 柴胡四兩

右九味以水七升煮取三升去滓温服一升本云人參湯作如桂枝法加半夏柴胡黄芩復如柴胡法今用人參作半劑

傷寒五六日已發汗而復下之胷脅滿微結小便不利渴而不嘔但頭汗出往来寒熱心煩者此為未解也柴胡桂枝乾薑湯主之方十三

柴胡半斤 桂枝三兩去皮 乾薑二兩
栝樓根四兩 黄芩三兩 牡蠣二兩熬
甘草二兩炙

右七味以水一斗二升煮取六升去滓再煎取三升温服一升日三服初服微煩復服汗出便愈

傷寒五六日頭汗出微惡寒手足冷心下滿口不欲食大便鞕脉細者此為陽微結必有表復有裏也脉沈亦在裏也汗出為陽微假令純陰結不得復有外證悉入在裏此為半在裏半在外也脉雖沈緊不得為少陰病所以然者陰不得有汗今頭汗出故知非少陰也可與小柴胡湯設不了了者得屎而解十四用前第十方

傷寒五六日嘔而發熱者柴胡湯證具而以他藥下之柴胡證仍在者復與柴胡湯此雖已下之不為逆必蒸蒸而振却發熱汗出而解若心下滿而

鞕痛者此為結胷也大陷胷湯主之但滿而不痛者此為痞柴胡不中與之宜半夏瀉心湯方十五

半夏半升洗 黃芩 乾薑 人參

甘草炙各三兩 黃連一兩 大棗十二枚擘

右七味以水一斗煮取六升去滓再煎取三升溫服一升日三服須大陷胷湯者方用前第二法一方用半夏一升

太陽少陽併病而反下之成結胷心下鞕下利不止水漿不下其人心煩

脉浮而緊而復下之緊反入裏則作痞按之自濡但氣痞耳

太陽中風下利嘔逆表解者乃可攻之其人漐漐汗出發作有時頭痛心下痞鞕滿引脅下痛乾嘔短氣汗出不惡寒者此表解裏未和也十棗湯主之方十六

芫花熬 甘遂 大戟

右三味等分各別擣為散以水一升半先煮大棗肥者十枚取八合去滓內藥末强人服一錢七羸人服半錢溫服之平旦服若下少病不除者明日更服加半錢得快下利後糜粥自養

太陽病醫發汗遂發熱惡寒因復下之心下痞表裏俱虛陰陽氣並竭無陽則陰獨復加燒針因胷煩面色青黃膚瞤者難治今色微黃手足溫者易愈

心下痞按之濡其脉關上浮者大黃黃連瀉心湯主之方十七

大黃二兩 黃連一兩

右二味以麻沸湯二升漬之須臾絞去滓分溫再服臣億等看詳大黃黃連瀉心湯諸本皆二味又後附子瀉心湯用大黃黃連黃芩附子恐是前方中亦有黃芩後但加附子也故後云附子瀉心湯本云加附子也

心下痞而復惡寒汗出者附子瀉心湯主之方十八

大黃二兩 黃連一兩 黃芩一兩

附子一枚炮去皮破別煮取汁

右四味切三味以麻沸湯二升漬之須臾絞去滓內附子汁分溫再服

本以下之故心下痞與瀉心湯痞不解其人渴而口燥煩小便不利者五苓散主之十九一方云恐之一日乃愈用前第七證方

傷寒汗出解之後胃中不和心下痞鞕乾噫食臭

脇下有水氣，腹中雷鳴下利者，生薑瀉心湯主之方二十。

生薑四兩切　甘草三兩炙　人參三兩
乾薑一兩　黃芩三兩　半夏半升洗
黃連一兩　大棗十二枚擘

右八味，以水一斗，煮取六升，去滓，再煎取三升，溫服一升，日三服。附子瀉心湯本云加附子、半夏瀉心湯、甘草瀉心湯，同體別名耳。生薑瀉心湯本云理中人參黃芩湯，去桂枝、朮，加黃連并瀉肝法。

傷寒中風，醫反下之，其人下利日數十行，穀不化，腹中雷鳴，心下痞鞕而滿，乾嘔心煩不得安。醫見心下痞，謂病不盡，復下之，其痞益甚。此非結熱，但以胃中虛，客氣上逆，故使鞕也。甘草瀉心湯主之方二十一。

甘草四兩炙　黃芩三兩　乾薑三兩
半夏半升洗　大棗十二枚擘　黃連一兩

右六味，以水一斗，煮取六升，去滓，再煎取三升，溫服一升，日三服。臣億等謹按上生薑瀉心湯法，本云理中人參黃芩湯，今詳瀉心以療痞，痞氣因發陰而生，是半夏、生薑、甘草瀉心三方，皆本於理中也。其方必各有人參，今甘草瀉心中無者，脫落之也。又按千金并外臺秘要治傷寒𧏾食用此方，皆有人參，知脫落無疑。

傷寒服湯藥，下利不止，心下痞鞕，服瀉心湯已，復以他藥下之，利不止，醫以理中與之，利益甚。理中者，理中焦，此利在下焦，赤石脂禹餘粮湯主之。復不止者，當利其小便。赤石脂禹餘粮湯方二十二。

赤石脂一斤碎　太一禹餘粮一斤碎

右二味，以水六升，煮取二升，去滓，分溫三服。

傷寒吐下後，發汗，虛煩，脉甚微，八九日心下痞鞕，脇下痛，氣上衝咽喉，眩冒，經脉動惕者，久而成痿。

傷寒發汗，若吐若下，解後心下痞鞕，噫氣不除者，旋復代赭湯主之方二十三。

旋復花三兩　人參二兩　生薑五兩
代赭一兩　甘草三兩炙　半夏半升洗
大棗十二枚擘

右七味，以水一斗，煮取六升，去滓，再煎取三升，溫服一升，日三服。

下後不可更行桂枝湯，若汗出而喘，無大熱者，可與麻黃杏子甘草石膏湯方二十四。

麻黃四兩　杏仁五十箇去皮尖　甘草二兩炙

石膏半斤，碎，綿裹

右四味，以水七升，先煮麻黃，減二升，去白沫，內諸藥，煮取三升，去滓，溫服一升。本云黃耳杯。

太陽病，外證未除而數下之，遂協熱而利，利下不止，心下痞鞕，表裏不解者，桂枝人參湯主之。方二十五。

桂枝四兩，別切　甘草四兩，炙　白朮三兩
人參三兩　乾薑三兩

右五味，以水九升，先煮四味，取五升，內桂，更煮取三升，去滓，溫服一升，日再夜一服。

傷寒大下後，復發汗，心下痞，惡寒者，表未解也，不可攻痞，當先解表，表解乃可攻痞。解表宜桂枝湯，攻痞宜大黃黃連瀉心湯。二十六。（瀉心湯用前第十七方。）

傷寒發熱，汗出不解，心中痞鞕，嘔吐而下利者，大柴胡湯主之。二十七。（用前第四方。）

病如桂枝證，頭不痛，項不強，寸脉微浮，胷中痞鞕，氣上衝喉咽不得息者，此為胷有寒也，當吐之，宜瓜蔕散。方二十八。

瓜蔕一分，熬黃　赤小豆一分

右二味，各別擣篩，為散已，合治之，取一錢匕，以香豉一合，用熱湯七合，煮作稀糜，去滓，取汁和散，溫頓服之。不吐者，少少加，得快吐乃止。諸亡血虛家，不可與瓜蔕散。

病脅下素有痞，連在臍傍，痛引少腹，入陰筋者，此名藏結，死。二十九。

傷寒若吐若下後，七八日不解，熱結在裏，表裏俱熱，時時惡風，大渴，舌上乾燥而煩，欲飲水數升者，白虎加人參湯主之。方三十。

知母六兩　石膏一斤，碎　甘草二兩，炙
人參二兩　粳米六合

右五味，以水一斗，煮米熟，湯成，去滓，溫服一升，日三服。此方立夏後立秋前乃可服，立秋後不可服。正月二月三月尚凜冷，亦不可與服之，與之則嘔利而腹痛。諸亡血虛家亦不可與，得之則腹痛，利者但可溫之，當愈。

傷寒無大熱，口燥渴，心煩，背微惡寒者，白虎加人參湯主之。三十一。（用前方。）

傷寒脉浮，發熱無汗，其表不解，不可與白虎湯。渴欲飲水，無表證者，白虎加人參湯主之。三十二。（用前方。）

太陽少陽併病，心下鞕，頸項强而眩者，當刺大椎、肺俞、肝俞，慎勿下之。三十三。

太陽與少陽合病，自下利者，與黃芩湯；若嘔者，黃芩加半夏生薑湯主之。三十四。

黃芩湯方

黃芩三兩　芍藥二兩　甘草二兩，炙　大棗十二枚，擘

右四味，以水一斗，煮取三升，去滓，温服一升，日再夜一服。

黃芩加半夏生薑湯方

黃芩三兩　芍藥二兩　甘草二兩，炙　大棗十二枚，擘　半夏半升，洗　生薑一兩半，一方三兩，切

右六味，以水一斗，煮取三升，去滓，温服一升，日再夜一服。

傷寒胸中有熱，胃中有邪氣，腹中痛，欲嘔吐者，黃連湯主之。方三十五。

黃連三兩　甘草三兩，炙　乾薑三兩　桂枝三兩，去皮　人參二兩　半夏半升，洗　大棗十二枚，擘

右七味，以水一斗，煮取六升，去滓，温服，晝三夜二。疑非仲景方。

傷寒八九日，風濕相搏，身體疼煩，不能自轉側，不嘔不渴，脉浮虛而濇者，桂枝附子湯主之；若其人大便鞕，一云臍下心下鞕。小便自利者，去桂加白朮湯主之。三十六。

桂枝附子湯方

桂枝四兩，去皮　附子三枚，炮，去皮，破　生薑三兩，切　大棗十二枚，擘　甘草二兩，炙

右五味，以水六升，煮取二升，去滓，分温三服。

去桂加白朮湯方

附子三枚，炮，去皮，破　白朮四兩　生薑三兩，切　甘草二兩，炙　大棗十二枚，擘

右五味，以水六升，煮取二升，去滓，分温三服。初一服，其人身如痺，半日許復服之，三服都盡，其人如冒狀，勿怪。此以附子、朮併走皮内，逐水氣未得除，故使之耳。法當加桂四兩。此本一方二法：以大便鞕，小便自利，去桂也；以大便不鞕，小便不利，當加桂。附子三枚恐多也，虛弱家及産婦，宜減服之。

風濕相搏，骨節疼煩，掣痛不得屈伸，近之則痛劇，汗出短氣，小便不利，惡風不欲去衣，或身微腫者，甘草附子湯主之。方三十七。

甘草二兩炙　附子二枚炮去皮破　白术二兩

桂枝四兩去皮

右四味，以水六升，煮取三升，去滓，温服一升，日三服。初服得微汗則解，能食，汗止復煩者，将服五合，恐一升多者，宜服六七合為始。

傷寒，脉浮滑，此以表有熱，裏有寒，白虎湯主之。方三十八。

知母六兩　石膏一斤碎　甘草二兩炙

粳米六合

右四味，以水一斗，煮米熟湯成，去滓，温服一升，日三服。臣億等謹按：前篇云熱結在裏，表裏俱熱者，白虎湯主之；又云其表不解，不可與白虎湯。此云脉浮滑，表有熱，裏有寒者，必表裏字差矣。又陽明一證云脉浮遲，表熱裏寒，四逆湯主之；又少陰一證云裏寒外熱，通脉四逆湯主之。以此表裏自差明矣。千金翼云白通湯，非也。

傷寒，脉結代，心動悸，炙甘草湯主之。方三十九。

甘草四兩炙　生薑三兩切　人參二兩

生地黃一斤　桂枝三兩去皮　阿膠二兩

麥門冬半升去心　麻仁半升　大棗三十枚擘

右九味，以清酒七升，水八升，先煮八味，取三升，去滓，内膠烊消盡，温服一升，日三服。一名復脉湯。

脉按之来緩，時一止復来者，名曰結。又脉来動而中止，更来小數，中有還者反動，名曰結，陰也。脉来動而中止，不能自還，因而復動者，名曰代，陰也。得此脉者，必難治。

# 傷寒論卷第五

仲景全書第五

漢　張仲景述　　晉　王叔和撰次
宋　林　億校正
明　趙開美校刻
沈　琳仝校



## 辨陽明病脉證并治第八（合四十四法，方一十首，一方附，并見陽明少陽合病法）

陽明病，不吐不下，心煩者，可與調胃承氣湯。第一。（三味。前有陽明病二十七證）

陽明病，脉遲，汗出不惡寒，身重短氣，腹滿潮熱，大便鞕，大承氣湯主之。若腹大滿不通者，與小承氣湯。第二。（大承氣四味，小承氣三味）

陽明病，潮熱，大便微鞕者，可與大承氣湯。若不大便六七日，恐有燥屎，與小承氣湯。若不轉失氣，不可攻之。後發熱復鞕者，小承氣湯和之。第三。（用前第二方。下有二病證）

傷寒，若吐下不解，至十餘日，潮熱，不惡寒，如見鬼狀，微喘直視，大承氣湯主之。第四。（用前第二方）

陽明病，多汗，胃中燥，大便鞕，讝語，小承氣湯主之。第五。（用前第二方）

陽明病，讝語，潮熱，脉滑疾者，小承氣湯主之。第六。（用前第二方）

陽明病，讝語，潮熱，不能食，胃中有燥屎，宜大承氣湯下之。第七。（用前第二方。下有陽明病一證）

汗出讝語，有燥屎在胃中，過經乃可下之，宜大承氣湯。第八。（用前第二方。下有傷寒病一證）

三陽合病，腹滿身重，讝語遺尿，白虎湯主之。第九。（四味）

二陽併病，太陽證罷，潮熱汗出，大便難，讝語者，宜大承氣湯。第十。（用前第二方）

陽明病，脉浮緊，咽燥口苦，腹滿而喘，發熱汗出，惡熱身重。若下之，則胃中空虛，客氣動膈，心中懊憹，舌上胎者，梔子豉湯主之。第十一。（二味）

若渴欲飲水，舌燥者，白虎加人參湯主之。第十二。（五味）

若脉浮，發熱，渴欲飲水，小便不利者，猪苓湯主之。第十三。（五味。下有不可與猪苓湯一證）

脉浮遲，表熱裏寒，下利清穀者，四逆湯主之。第

十四（二味下有一病證）
陽明病下之外有熱手足溫不結胸心中懊憹
不能食但頭汗出梔子豉湯主之第十五（用前第十一方）
陽明病發潮熱大便溏胸滿不去者與小柴胡
湯第十六（七味）
陽明病脅下滿不大便而嘔舌上胎者與小柴
胡湯第十七（用上方）
陽明中風脉弦浮大短氣腹滿脅下及心痛鼻
乾不得汗嗜臥身黄小便難潮熱而噦與小柴

胡湯第十八（用上方）
脉但浮無餘證者與麻黄湯第十九（四味）
陽明病自汗出若發汗小便利津液内竭雖鞕
不可攻之須自大便蜜煎導而通之若土瓜根
豬膽汁第二十（一味豬膽汁方附二）
陽明病脉遲汗出多微惡寒表未解宜桂枝湯
第二十一（五味）
陽明病脉浮無汗而喘發汗則愈宜麻黄湯第
二十二（用前第十九方）
陽明病但頭汗出小便不利身必發黄茵蔯蒿

湯主之第二十三（三味）
陽明證喜忘必有畜血大便黑宜抵當湯下之
第二十四（四味）
陽明病下之心中懊憹而煩胃中有燥屎者宜
大承氣湯第二十五（用前第二方下有一病證）
病人煩熱汗出解如瘧狀日晡發熱脉實者宜
大承氣湯脉浮虚者宜桂枝湯第二十六（大承氣湯用前第二方桂枝湯用前第二十一方）
大下後六七日不大便煩不解腹滿痛本有宿
食宜大承氣湯第二十七（用前第二方）

病人小便不利大便乍難乍易時有微熱宜大
承氣湯第二十八（用前第二方）
食穀欲嘔屬陽明也吳茱萸湯主之第二十九
（四味）
太陽病發熱汗出惡寒不嘔心下痞此以醫下
之也如不下不惡寒而渴屬陽明但以法救之
宜五苓散第三十（五味下有二病證）
趺陽脉浮而濇小便數大便鞕其脾為約麻子
仁丸主之第三十一（六味）
太陽病三日發汗不解蒸蒸熱者調胃承氣湯

主之。第三十二。用前第一方

傷寒吐後，腹脹滿者，與調胃承氣湯。第三十三。用前第一方

太陽病，若吐下發汗後，微煩，大便鞕，與小承氣湯和之。第三十四。用前第二方

得病二三日，脉弱，無太陽柴胡證，煩躁，心下鞕，小便利，屎定鞕，宜大承氣湯。第三十五。用前第二方

傷寒六七日，目中不了了，睛不和，無表裏證，大便難，宜大承氣湯。第三十六。用前第二方

陽明病，發熱汗多者，急下之，宜大承氣湯。第三十七。用前第二方

發汗不解，腹滿痛者，急下之，宜大承氣湯。第三十八。用前第二方

腹滿不減，減不足言，當下之，宜大承氣湯。第三十九。用前第二方

陽明少陽合病，必下利，脉滑而數，有宿食也，當下之，宜大承氣湯。第四十。用前第二方

病人無表裏證，發熱七八日，脉數，可下之。假令已下，不大便者，有瘀血，宜抵當湯。第四十一。用前第二十四方。下有二病證。

傷寒七八日，身黃如橘色，小便不利，茵蔯蒿湯主之。第四十二。用前第二十三方

傷寒身黃發熱，梔子蘗皮湯主之。第四十三。三味

傷寒瘀熱在裏，身必黃，麻黃連軺赤小豆湯主之。第四十四。八味

問曰：病有太陽陽明，有正陽陽明，有少陽陽明，何謂也？荅曰：太陽陽明者，脾約一云絡是也；正陽陽明者，胃家實是也；少陽陽明者，發汗利小便已，胃中燥煩實，大便難是也。

陽明之為病，胃家實一作寒是也。

問曰：何緣得陽明病？荅曰：太陽病，若發汗，若下，若利小便，此亡津液，胃中乾燥，因轉屬陽明。不更衣，內實，大便難者，此名陽明也。

問曰：陽明病外證云何？荅曰：身熱，汗自出，不惡寒，反惡熱也。

問曰：病有得之一日，不發熱而惡寒者，何也？荅曰：雖得之一日，惡寒將自罷，即自汗出而惡熱也。

問曰：惡寒何故自罷？荅曰：陽明居中，主土也，萬物所歸，無所復傳，始雖惡寒，二日自止，此為陽明病也。

本太陽初得病時發其汗汗先出不徹因轉屬陽明也傷寒發熱無汗嘔不能食而反汗出濈濈然者是轉屬陽明也

傷寒三日陽明脉大

傷寒脉浮而緩手足自温者是為繫在太陰太陰者身當發黃若小便自利者不能發黃至七八日大便鞕者為陽明病也

傷寒轉繫陽明者其人濈然微汗出也

陽明中風口苦咽乾腹滿微喘發熱惡寒脉浮而緊若下之則腹滿小便難也

陽明病若能食名中風不能食名中寒

陽明病若中寒者不能食小便不利手足濈然汗出此欲作固瘕必大便初鞕後溏所以然者以胃中冷水穀不別故也

陽明病初欲食小便反不利大便自調其人骨節疼翕翕如有熱狀奄然發狂濈然汗出而解者此水不勝穀氣與汗共并脉緊則愈

陽明病欲解時從申至戌上

陽明病不能食攻其熱必噦所以然者胃中虚冷故也以其人本虚攻其熱必噦

陽明病脉遲食難用飽飽則微煩頭眩必小便難此欲作穀癉雖下之腹滿如故所以然者脉遲故也

陽明病法多汗反無汗其身如蟲行皮中狀者此以久虚故也

陽明病反無汗而小便利二三日嘔而欬手足厥者必苦頭痛若不欬不嘔手足不厥者頭不痛（一云冬陽明）

陽明病但頭眩不惡寒故能食而欬其人咽必痛若不欬者咽不痛（一云冬陽明）

陽明病無汗小便不利心中懊憹者身必發黃

陽明病被火額上微汗出而小便不利者必發黃

陽明病脉浮而緊者必潮熱發作有時但浮者必盜汗出

陽明病口燥但欲漱水不欲嚥者此必衄

陽明病本自汗出醫更重發汗病已差尚微煩不了了者此必大便鞕故也以亡津液胃中乾燥故令大便鞕當問其小便日幾行若本小便日三四行今日再行故知大便不久出今為小便數少以津液當還入胃中故知不久必大便也

傷寒嘔多。雖有陽明證。不可攻之。

陽明病。心下鞕滿者。不可攻之。攻之利遂不止者死。利止者愈。

陽明病。面合色赤。不可攻之。必發熱色黃者。小便不利也。

陽明病。不吐不下。心煩者。可與調胃承氣湯。方一。

甘草二兩炙　芒消半升　大黃四兩清酒洗

右三味。切。以水三升。煑二物。至一升。去滓。內芒消。更上微火一二沸。溫頓服之。以調胃氣。

陽明病。脉遲。雖汗出。不惡寒者。其身必重。短氣。腹滿而喘。有潮熱者。此外欲解。可攻裏也。手足濈然汗出者。此大便已鞕也。大承氣湯主之。若汗多。微發熱惡寒者。外未解也。一法與桂枝湯。其熱不潮。未可與承氣湯。若腹大滿不通者。可與小承氣湯。微和胃氣。勿令至大泄下。大承氣湯。方二。

大黃四兩酒洗　厚朴半斤炙去皮　枳實五枚炙

芒消三合

右四味。以水一斗。先煑二物。取五升。去滓。內大黃。更煑取二升。去滓。內芒消。更上微火一兩沸。分溫再服。得下。餘勿服。

小承氣湯方

大黃四兩　厚朴二兩炙去皮　枳實三枚大者炙

右三味。以水四升。煑取一升二合。去滓。分溫二服。初服湯當更衣。不爾者。盡飲之。若更衣者。勿服之。

陽明病。潮熱。大便微鞕者。可與大承氣湯。不鞕者。不可與之。若不大便六七日。恐有燥屎。欲知之法。少與小承氣湯。湯入腹中。轉失氣者。此有燥屎也。乃可攻之。若不轉失氣者。此但初頭鞕。後必溏。不可攻之。攻之必脹滿不能食也。欲飲水者。與水則噦。其後發熱者。必大便復鞕而少也。以小承氣湯和之。不轉失氣者。慎不可攻也。小承氣湯。三。用前第二方。

夫實則譫語。虛則鄭聲。鄭聲者。重語也。直視譫語喘滿者。死。下利者。亦死。

發汗多。若重發汗者。亡其陽。譫語脉短者。死。脉自和者。不死。

傷寒若吐若下後。不解。不大便五六日。上至十餘日。日晡所發潮熱。不惡寒。獨語如見鬼狀。若劇者。發則不識人。循衣摸牀。惕而不安。一云順衣妄撮怵惕不安。微

喘直視，脉弦者生，濇者死。微者但發熱讝語者，大承氣湯主之。若一服利，則止後服。四（用前第一方）

陽明病，其人多汗，以津液外出，胃中燥，大便必鞕，鞕則讝語，小承氣湯主之。若一服讝語止者，更莫復服。五（用前第二方）

陽明病，讝語發潮熱，脉滑而疾者，小承氣湯主之。因與承氣湯一升，腹中轉氣者，更服一升；若不轉氣者，勿更與之。明日又不大便，脉反微濇者，裏虛也，為難治，不可更與承氣湯也。六（用前第二方）

陽明病，讝語有潮熱，反不能食者，胃中必有燥屎五六枚也；若能食者，但鞕耳，宜大承氣湯下之。七（用前第二方）

陽明病，下血讝語者，此為熱入血室，但頭汗出者，刺期門，隨其實而寫之，濈然汗出則愈。

汗（汗一作臥）出讝語者，以有燥屎在胃中，此為風也。須下者，過經乃可下之。下之若早，語言必亂，以表虛裏實故也。下之愈，宜大承氣湯。八（用前第二方。一云大柴胡湯）

傷寒四五日，脉沈而喘滿，沈為在裏，而反發其汗，津液越出，大便為難，表虛裏實，久則讝語。

三陽合病，腹滿身重，難以轉側，口不仁面垢（又作枯，一云向經），讝語遺尿。發汗則讝語，下之則額上生汗，手足逆冷。若自汗出者，白虎湯主之。方九。

知母（六兩） 石膏（一斤，碎） 甘草（二兩，炙）

粳米（六合）

右四味，以水一斗，煑米熟湯成，去滓，溫服一升，日三服。

二陽併病，太陽證罷，但發潮熱，手足漐漐汗出，大便難而讝語者，下之則愈，宜大承氣湯。十（用前第二方）

陽明病，脉浮而緊，咽燥口苦，腹滿而喘，發熱汗出，不惡寒反惡熱，身重。若發汗則躁，心憒憒（公對切）反讝語；若加溫針，必怵惕煩躁不得眠；若下之，則胃中空虛，客氣動膈，心中懊憹，舌上胎者，梔子豉湯主之。方十一。

肥梔子（十四枚，擘） 香豉（四合，綿裹）

右二味，以水四升，煑梔子取二升半，去滓，內豉，更煑取一升半，去滓，分二服。溫進一服，得快吐者，止後服。

若渴欲飲水，口乾舌燥者，白虎加人參湯主之。方十二。

知母（六兩） 石膏（一斤，碎） 甘草（二兩，炙）

粳米六合 人參三兩

右五味以水一斗煑米熟湯成去滓溫服一升日三服

若脉浮發熱渴欲飲水小便不利者猪苓湯主之方十三

猪苓去皮 茯苓 澤瀉 阿膠 滑石碎各一兩

右五味以水四升先煑四味取二升去滓內阿膠烊消溫服七合日三服

陽明病汗出多而渴者不可與猪苓湯以汗多胃中燥猪苓湯復利其小便故也

脉浮而遲表熱裏寒下利清穀者四逆湯主之方十四

甘草二兩炙 乾薑一兩半 附子一枚生用去皮破八片

右三味以水三升煑取一升二合去滓分溫二服強人可大附子一枚乾薑三兩

若胃中虛冷不能食者飲水則噦

脉浮發熱口乾鼻燥能食者則衄

陽明病下之其外有熱手足溫不結胷心中懊憹飢不能食但頭汗出者梔子豉湯主之十五用前第十一方

陽明病發潮熱大便溏小便自可胷脅滿不去者與小柴胡湯方十六

柴胡半斤 黃芩三兩 人參三兩 半夏半升洗 甘草三兩炙 生薑三兩切 大棗十二枚擘

右七味以水一斗二升煑取六升去滓再煎取三升溫服一升日三服

陽明病脅下鞕滿不大便而嘔舌上白胎者可與小柴胡湯上焦得通津液得下胃氣因和身濈然汗出而解十七用上方

陽明中風脉弦浮大而短氣腹都滿脅下及心痛久按之氣不通鼻乾不得汗嗜臥一身及目悉黃小便難有潮熱時時噦耳前後腫刺之小差外不解病過十日脉續浮者與小柴胡湯十八用上方

脉但浮無餘證者與麻黃湯若不尿腹滿加噦者不治麻黃湯方十九

麻黃三兩去節 桂枝二兩去皮 甘草一兩炙 杏仁七十箇去皮尖

右四味以水九升煑麻黃減二升去白沫內諸

藥。煑取二升半。去滓。溫服八合。覆取微似汗。

陽明病。自汗出。若發汗。小便自利者。此為津液內竭。雖鞕不可攻之。當須自欲大便。宜蜜煎導而通之。若土瓜根及大猪膽汁。皆可為導。二十。

蜜煎方

食蜜七合

右一味。於銅器內。微火煎。當須凝如飴狀。攪之勿令焦著。欲可丸。併手捻作挺。令頭銳。大如指。長二寸許。當熱時急作。冷則鞕。以內穀道中。以手急抱。欲大便時。乃去之。疑非仲景意。已試甚良。

又大猪膽一枚。瀉汁。和少許法醋。以灌穀道內。如一食頃。當大便出宿食惡物。甚效。

陽明病。脉遲。汗出多。微惡寒者。表未解也。可發汗。宜桂枝湯。二十一。

桂枝三兩去皮　芍藥三兩　生薑三兩

甘草二兩炙　大棗十二枚擘

右五味。以水七升。煑取三升。去滓。溫服一升。須臾啜熱稀粥一升。以助藥力。取汗。

陽明病。脉浮。無汗而喘者。發汗則愈。宜麻黃湯。二十二。用前第十九方

陽明病。發熱汗出者。此為熱越。不能發黃也。但頭汗出。身無汗。劑頸而還。小便不利。渴引水漿者。此為瘀熱在裏。身必發黃。茵蔯蒿湯主之。方二十三。

茵蔯蒿六兩　梔子十四枚擘　大黃二兩去皮

右三味。以水一斗二升。先煑茵蔯。減六升。內二味。煑取三升。去滓。分三服。小便當利。尿如皂莢汁狀。色正赤。一宿腹減。黃從小便去也。

陽明證。其人喜忘者。必有畜血。所以然者。本有久瘀血。故令喜忘。屎雖鞕。大便反易。其色必黑者。宜抵當湯下之。方二十四。

水蛭熬　虻蟲各三十箇去翅足熬　大黃三兩酒洗

桃仁二十箇去皮尖及兩人者

右四味。以水五升。煑取三升。去滓。溫服一升。不下。更服。

陽明病。下之。心中懊憹而煩。胃中有燥屎者。可攻。腹微滿。初頭鞕。後必溏。不可攻之。若有燥屎者。宜大承氣湯。二十五。用前第二方

病人不大便五六日。繞臍痛。煩躁。發作有時者。此有燥屎。故使不大便也。

病人煩熱，汗出則解，又如瘧狀，日晡所發熱者，屬陽明也。脉實者，宜下之；脉浮虛者，宜發汗。下之與大承氣湯，發汗宜桂枝湯。二十六。大承氣湯用前第二方，桂枝湯用前第二十一方。

大下後，六七日不大便，煩不解，腹滿痛者，此有燥屎也。所以然者，本有宿食故也，宜大承氣湯。二十七。用前第二方。

病人小便不利，大便乍難乍易，時有微熱，喘冒一作怫鬱不能臥者，有燥屎也，宜大承氣湯。二十八。用前第二方。

食穀欲嘔，屬陽明也，吳茱萸湯主之。得湯反劇者，屬上焦也。吳茱萸湯方。二十九。

吳茱萸一升，洗　人參三兩　生薑六兩，切　大棗十二枚，擘

右四味，以水七升，煮取二升，去滓，溫服七合，日三服。

太陽病，寸緩關浮尺弱，其人發熱汗出，復惡寒，不嘔，但心下痞者，此以醫下之也。如其不下者，病人不惡寒而渴者，此轉屬陽明也。小便數者，大便必鞕，不更衣十日無所苦也。渴欲飲水，少少與之，但以法救之。渴者，宜五苓散。方三十。

猪苓去皮　白朮　茯苓各十八銖　澤瀉一兩六銖　桂枝半兩，去皮

右五味，為散，白飲和服方寸匕，日三服。

脉陽微而汗出少者，為自和一作如也；汗出多者，為太過。陽脉實，因發其汗，出多者，亦為太過。太過者，為陽絕於裏，亡津液，大便因鞕也。

脉浮而芤，浮為陽，芤為陰，浮芤相搏，胃氣生熱，其陽則絕。

趺陽脉浮而濇，浮則胃氣強，濇則小便數，浮濇相搏，大便則鞕，其脾為約，麻子仁丸主之。方三十一。

麻子仁二升　芍藥半斤　枳實半斤，炙　大黃一斤，去皮　厚朴一尺，炙，去皮　杏仁一升，去皮尖，熬，別作脂

右六味，蜜和丸如梧桐子大，飲服十丸，日三服，漸加，以知為度。

太陽病三日，發汗不解，蒸蒸發熱者，屬胃也，調胃承氣湯主之。三十二。用前第一方。

傷寒吐後，腹脹滿者，與調胃承氣湯。三十三。用前第一方。

太陽病，若吐若下若發汗後，微煩，小便數，大便因

鞕者與小承氣湯和之愈三十四(用前第二方)
得病二三日脉弱無太陽柴胡證煩躁心下鞕至
四五日雖能食以小承氣湯少少與微和之令小
安至六日與承氣湯一升若不大便六七日小便
少者雖不受食(一云不大便)但初頭鞕後必溏未定成
鞕攻之必溏須小便利屎定鞕乃可攻之宜大承
氣湯三十五(用前第二方)
傷寒六七日目中不了了睛不和無表裏證大便
難身微熱者此為實也急下之宜大承氣湯三十
六(用前第二方)

陽明病發熱汗多者急下之宜大承氣湯三十七(用前第二方一云大柴胡湯)
發汗不解腹滿痛者急下之宜大承氣湯三十八(用前第二方)
腹滿不減減不足言當下之宜大承氣湯三十九(用前第二方)
陽明少陽合病必下利其脉不負者為順也負者
失也互相剋賊名為負也脉滑而數者有宿食也
當下之宜大承氣湯四十(用前第二方)
病人無表裏證發熱七八日雖脉浮數者可下之

假令已下脉數不解合熱則消穀喜飢至六七日
不大便者有瘀血宜抵當湯四十一(用前第二十四方)
若脉數不解而下不止必協熱便膿血也
傷寒發汗已身目為黃所以然者以寒濕(一作溫)在
裏不解故也以為不可下也於寒濕中求之
傷寒七八日身黃如橘子色小便不利腹微滿者
茵蔯蒿湯主之四十二(用前第二十三方)
傷寒身黃發熱梔子蘗皮湯主之方四十三
肥梔子(十五箇擘) 甘草(一兩炙) 黃蘗(二兩)
右三味以水四升煮取一升半去滓分溫再服

傷寒瘀熱在裏身必黃麻黃連軺赤小豆湯主之
方四十四
麻黃(二兩去節) 連軺(二兩連翹根是) 杏仁(四十箇去皮尖)
赤小豆(一升) 大棗(十二枚擘) 生梓白皮(切一升)
生薑(二兩切) 甘草(二兩炙)
右八味以潦水一斗先煮麻黃再沸去上沫內
諸藥煮取三升去滓分溫三服半日服盡
辨少陽病脉證并治第九(方一首并見三陽合病法)
太陽病不解轉入少陽者脇下鞕滿乾嘔不能食
往來寒熱尚未吐下脉沈緊者與小柴胡湯第

一。七味

少陽之為病。口苦咽乾目眩也。

少陽中風。兩耳無所聞。目赤。胷中滿而煩者。不可吐下。吐下則悸而驚。

傷寒。脉弦細。頭痛發熱者。屬少陽。少陽不可發汗。發汗則讝語。此屬胃。胃和則愈。胃不和。煩而悸。一云躁。

本太陽病不解。轉入少陽者。脅下鞕滿。乾嘔不能食。往来寒熱。尚未吐下。脉沉緊者。與小柴胡湯。方一。

柴胡八兩　人參三兩　黃芩三兩

甘草三兩炙　半夏半升洗　生薑三兩切

大棗十二枚擘

右七味。以水一斗二升。煮取六升。去滓。再煎取三升。溫服一升。日三服。

若已吐下發汗溫針。讝語。柴胡湯證罷。此為壞病。知犯何逆。以法治之。

三陽合病。脉浮大。上關上。但欲眠睡。目合則汗。

傷寒六七日。無大熱。其人躁煩者。此為陽去入陰故也。

傷寒三日。三陽為盡。三陰當受邪。其人反能食而不嘔。此為三陰不受邪也。

傷寒三日。少陽脉小者。欲已也。

少陽病欲解時。從寅至辰上。

傷寒論卷第六　　仲景全書第六

漢　張仲景述

晉　王叔和撰次

宋　林億校正

明　趙開美校刻

沈　琳仝校

辨太陰病脉證并治第十

辨少陰病脉證并治第十一

辨厥陰病脉證并治第十二 厥利嘔噦附

## 辨太陰病脉證并治第十 合三法。方三首。

太陰病，脉浮，可發汗，宜桂枝湯。第一。五味。前有太陰病三證。

自利不渴者，屬太陰，以其藏寒故也，宜服四逆輩。第二。下有利自止一證。

本太陽病，反下之，因腹滿痛，屬太陰，桂枝加芍藥湯主之；大實痛者，桂枝加大黃湯主之。第三。桂枝加芍藥湯五味。加大黃湯六味。減大黃芍藥法附。

太陰之為病，腹滿而吐，食不下，自利益甚，時腹自痛。若下之，必胸下結鞕。

太陰中風，四肢煩疼，陽微陰濇而長者，為欲愈。

太陰病欲解時，從亥至丑上。

太陰病，脉浮者，可發汗，宜桂枝湯。方一。

桂枝三兩，去皮　芍藥三兩　甘草二兩，炙　生薑三兩，切　大棗十二枚，擘

右五味，以水七升，煑取三升，去滓，溫服一升。須臾啜熱稀粥一升，以助藥力，溫覆取汗。

自利不渴者，屬太陰，以其藏有寒故也，當溫之，宜服四逆輩。二。

傷寒脉浮而緩，手足自溫者，繫在太陰。太陰當發身黃，若小便自利者，不能發黃。至七八日，雖暴煩下利日十餘行，必自止，以脾家實，腐穢當去故也。

本太陽病，醫反下之，因爾腹滿時痛者，屬太陰也，桂枝加芍藥湯主之；大實痛者，桂枝加大黃湯主之。三。

桂枝加芍藥湯方

桂枝三兩，去皮　芍藥六兩　甘草二兩，炙　大棗十二枚，擘　生薑三兩，切

右五味，以水七升，煑取三升，去滓，溫分三服。本云桂枝湯，今加芍藥。

桂枝加大黃湯方

桂枝三兩，去皮　大黃二兩　芍藥六兩

生薑三兩，切　甘草二兩，炙　大棗十二枚，擘
右六味，以水七升，煮取三升，去滓，溫服一升，日三服。
太陰為病，脈弱，其人續自便利，設當行大黃、芍藥者，宜減之，以其人胃氣弱，易動故也。下利者，先煎芍藥三沸。

辨少陰病脈證并治第十一 合二十三法，方一十九首

少陰病，始得之，發熱，脈沈者，麻黃細辛附子湯主之。第一。三味。前有少陰病二十證。
少陰病，二三日，麻黃附子甘草湯，微發汗。第二。三味。
少陰病，二三日以上，心煩，不得臥，黃連阿膠湯主之。第三。五味。
少陰病，一二日，口中和，其背惡寒，附子湯主之。第四。五味。
少陰病，身體痛，手足寒，骨節痛，脈沈者，附子湯主之。第五。用前第四方。
少陰病，下利便膿血者，桃花湯主之。第六。三味。
少陰病，二三日至四五日，腹痛，小便不利，便膿血者，桃花湯主之。第七。用前第六方。下有少陰病一證。
少陰病，吐利，手足逆冷，煩躁欲死者，吳茱萸湯主之。第八。四味。
少陰病，下利，咽痛，胷滿，心煩者，豬膚湯主之。第九。一味。
少陰病，二三日，咽痛，與甘草湯；不差，與桔梗湯。第十。甘草湯一味。桔梗湯二味。
少陰病，咽中生瘡，不能語言，聲不出者，苦酒湯主之。第十一。三味。
少陰病，咽痛，半夏散及湯主之。第十二。三味。
少陰病，下利，白通湯主之。第十三。三味。
少陰病，下利，脈微，與白通湯，利不止，厥逆無脈，乾嘔者，白通加豬膽汁湯主之。第十四。白通湯用前第十三方。加豬膽汁湯五味。
少陰病，至四五日，腹痛，小便不利，四肢沈重疼痛，自下利，真武湯主之。第十五。五味。加減法附。
少陰病，下利清穀，裏寒外熱，手足厥逆，脈微欲絕，惡寒，或利止，脈不出，通脈四逆湯主之。第十六。三味。加減法附。
少陰病，四逆，或欬，或悸，四逆散主之。第十七。四味。加減法附。
少陰病，下利六七日，欬而嘔，渴，煩不得眠，豬苓

湯主之第十八。（五味）

少陰病二三日口燥咽乾者宜大承氣湯第十九。（四味）

少陰病自利清水心下痛口乾者宜大承氣湯。第二十（用前第十九方）

少陰病六七日腹滿不大便宜大承氣湯。第二十一（用前第十九方）

少陰病脉沈者急溫之宜四逆湯第二十二。（三味）

少陰病食入則吐心中溫溫欲吐手足寒脉弦遲當溫之宜四逆湯第二十三。（用前第二十二方下有少陰病）

少陰之為病脉微細但欲寐也。

少陰病欲吐不吐心煩但欲寐五六日自利而渴者屬少陰也虛故引水自救若小便色白者少陰病形悉具小便白者以下焦虛有寒不能制水故令色白也。

病人脉陰陽俱緊反汗出者亡陽也此屬少陰法當咽痛而復吐利。

少陰病欬而下利讝語者被火氣劫故也小便必難以強責少陰汗也。

少陰病脉細沈數病為在裏不可發汗。

少陰病脉微不可發汗亡陽故也陽已虛尺脉弱濇者復不可下之。

少陰病脉緊至七八日自下利脉暴微手足反溫脉緊反去者為欲解也雖煩下利必自愈。

少陰病下利若利自止惡寒而踡臥手足溫者可治。

少陰病惡寒而踡時自煩欲去衣被者可治。

少陰中風脉陽微陰浮者為欲愈。

少陰病欲解時從子至寅上。

少陰病吐利手足不逆冷反發熱者不死脉不至者。（至一作足）灸少陰七壯。

少陰病八九日一身手足盡熱者以熱在膀胱必便血也。

少陰病但厥無汗而強發之必動其血未知從何道出或從口鼻或從目出者是名下厥上竭為難治。

少陰病惡寒身踡而利手足逆冷者不治。

少陰病吐利躁煩四逆者死。

少陰病下利止而頭眩時時自冒者死。

少陰病。四逆惡寒而身踡。脉不至。不煩而躁者。死。一作吐利而躁逆者死。

少陰病。六七日。息高者。死。

少陰病。脉微細沈。但欲卧。汗出不煩。自欲吐。至五六日自利。復煩躁。不得卧寐者。死。

少陰病。始得之。反發熱。脉沈者。麻黃細辛附子湯主之。方一。

麻黃二兩去節　細辛二兩　附子一枚炮去皮破八片

右三味。以水一斗。先煮麻黃。減二升。去上沫。內諸藥。煮取三升。去滓。温服一升。日三服。

少陰病。得之二三日。麻黃附子甘草湯。微發汗。以二三日無證。故微發汗也。方二。

麻黃二兩去節　甘草二兩炙　附子一枚炮去皮破八片

右三味。以水七升。先煮麻黃一兩沸。去上沫。內諸藥。煮取三升。去滓。温服一升。日三服。

少陰病。得之二三日以上。心中煩。不得卧。黃連阿膠湯主之。方三。

黃連四兩　黃芩二兩　芍藥二兩

雞子黃二枚　阿膠三兩一云三挺

右五味。以水六升。先煮三物。取二升。去滓。內膠烊盡。小冷。內雞子黃。攪令相得。温服七合。日三服。

少陰病。得之一二日。口中和。其背惡寒者。當灸之。附子湯主之。方四。

附子二枚炮去皮破八片　茯苓三兩　人參二兩

白术四兩　芍藥三兩

右五味。以水八升。煮取三升。去滓。温服一升。日三服。

少陰病。身體痛。手足寒。骨節痛。脉沈者。附子湯主之。五。用前第四方。

少陰病。下利便膿血者。桃花湯主之。方六。

赤石脂一斤一半全用一半篩末　乾薑一兩　粳米一升

右三味。以水七升。煮米令熟。去滓。温服七合。內赤石脂末方寸匕。日三服。若一服愈。餘勿服。

少陰病。二三日至四五日。腹痛。小便不利。下利不止。便膿血者。桃花湯主之。七。用前第六方。

少陰病。下利便膿血者。可刺。

少陰病。吐利。手足逆冷。煩躁欲死者。吴茱萸湯主之。方八。

吴茱萸一升　人參二兩　生薑六兩切

大棗十二枚擘

右四味以水七升煮取二升去滓温服七合日三服。

少陰病下利咽痛胷滿心煩猪膚湯主之方九。

猪膚一斤

右一味以水一斗煮取五升去滓加白蜜一升白粉五合熬香和令相得温分六服。

少陰病二三日咽痛者可與甘草湯不差與桔梗湯十。

甘草湯方

甘草二兩

右一味以水三升煮取一升半去滓温服七合日二服。

桔梗湯方

桔梗一兩　甘草二兩

右二味以水三升煮取一升去滓温分再服。

少陰病咽中傷生瘡不能語言聲不出者苦酒湯主之方十一。

半夏洗破如棗核十四枚　雞子一枚去黃內上苦酒着雞子殼中

右二味內半夏著苦酒中以雞子殼置刀環中安火上令三沸去滓少少含嚥之不差更作三劑。

少陰病咽中痛半夏散及湯主之方十二。

半夏洗　桂枝去皮　甘草炙

右三味等分各別擣篩已合治之白飲和服方寸匕日三服若不能散服者以水一升煎七沸內散兩方寸匕更煮三沸下火令小冷少少嚥之半夏有毒不當散服。

少陰病下利白通湯主之方十三。

葱白四莖　乾薑一兩　附子一枚生去皮破八片

右三味以水三升煮取一升去滓分温再服。

少陰病下利脉微者與白通湯利不止厥逆無脉乾嘔煩者白通加猪膽汁湯主之服湯脉暴出者死微續者生白通加猪膽湯方十四。白通湯用上方。

葱白四莖　乾薑一兩　附子一枚生去皮破八片

人尿五合　猪膽汁一合

右五味以水三升煮取一升去滓內膽汁人尿和令相得分温再服若無膽亦可用。

少陰病二三日不已至四五日腹痛小便不利四肢沈重疼痛自下利者此為有水氣其人或欬或

小便利或下利或嘔者真武湯主之方十五。

茯苓三兩 芍藥三兩 白朮二兩

生薑切三兩 附子一枚炮去皮破八片

右五味以水八升煮取三升去滓溫服七合日三服若欬者加五味子半升細辛一兩乾薑一兩若小便利者去茯苓若下利者去芍藥加乾薑二兩若嘔者去附子加生薑足前為半斤。

少陰病下利清穀裏寒外熱手足厥逆脉微欲絶身反不惡寒其人面色赤或腹痛或乾嘔或咽痛或利止脉不出者通脉四逆湯主之方十六。

甘草二兩炙 附子大者一枚生用去皮破八片

乾薑三兩強人可四兩

右三味以水三升煮取一升二合去滓分溫再服其脉即出者愈面色赤者加葱九莖腹中痛者去葱加芍藥二兩嘔者加生薑二兩咽痛者去芍藥加桔梗一兩利止脉不出者去桔梗加人參二兩病皆與方相應者乃服之。

少陰病四逆其人或欬或悸或小便不利或腹中痛或泄利下重者四逆散主之方十七。

甘草炙 枳實破水漬炙乾 柴胡 芍藥

右四味各十分擣篩白飲和服方寸匕日三服。欬者加五味子乾薑各五分并主下利悸者加桂枝五分小便不利者加茯苓五分腹中痛者加附子一枚炮令坼泄利下重者先以水五升煮薤白三升煮取三升去滓以散三方寸匕內湯中煮取一升半分溫再服。

少陰病下利六七日欬而嘔渴心煩不得眠者猪苓湯主之方十八。

猪苓去皮 茯苓 阿膠 澤瀉

滑石碎各一兩

右五味以水四升先煮四物取二升去滓內阿膠烊盡溫服七合日三服。

少陰病得之二三日口燥咽乾者急下之宜大承氣湯方十九。

枳實五枚炙 厚朴半斤去皮炙 大黃四兩酒洗

芒消三合

右四味以水一斗先煮二味取五升去滓內大黃更煮取二升去滓內芒消更上火令一兩沸分溫再服一服得利止後服。

少陰病自利清水色純青心下必痛口乾燥者可

下之宜大承氣湯二十。用前第十九方。一法用大柴胡。
少陰病六七日腹脹不大便者急下之宜大承氣
湯二十一。用前第十九方
少陰病脉沈者急溫之宜四逆湯方二十二。
甘草二兩炙　乾薑一兩半　附子一枚生用去皮破八片
右三味以水三升煑取一升二合去滓分溫再
服強人可大附子一枚乾薑三兩。
少陰病飲食入口則吐心中溫溫欲吐復不能吐
始得之手足寒脉弦遲者此胷中實不可下也當
吐之若膈上有寒飲乾嘔者不可吐也當溫之宜
四逆湯二十三。方依上法
少陰病下利脉微濇嘔而汗出必數更衣反少者。
當溫其上灸之。脉經云灸厥陰可五十壯
辨厥陰病脉證并治第十二 厥利嘔噦附合一十九法方一十六首。
傷寒病蚘厥靜而時煩為藏寒蚘上入膈故煩
得食而嘔吐蚘者烏梅丸主之第一。十味前後有厥陰病四證厥逆一十九證
傷寒脉滑而厥裏有熱白虎湯主之第二。四味
手足厥寒脉細欲絕者當歸四逆湯主之第三。七味
若內有寒者宜當歸四逆加吳茱萸生薑湯第
四。九味
大汗出熱不去內拘急四肢疼下利厥逆惡寒
者。四逆湯主之第五。三味
大汗若大下利而厥冷者四逆湯主之第六。用前第五方
病人手足厥冷脉乍緊心下滿而煩宜瓜蔕散
第七。三味
傷寒厥而心下悸宜先治水當服茯苓甘草湯
第八。四味
傷寒六七日大下後寸脉沈遲手足厥逆麻黃
升麻湯主之第九。十四味。下有欲自利一證。
傷寒本自寒下醫復吐下之若食入口即吐乾
薑黃芩黃連人參湯主之第十。四味。下有利一十病證。
下利清穀裏寒外熱汗出而厥者通脉四逆湯
主之第十一。三味
熱利下重者白頭翁湯主之第十二。四味
下利腹脹滿身疼痛者先溫裏乃攻表溫裏宜
四逆湯攻表宜桂枝湯第十三。四逆湯用前第五方。桂枝湯五

味

下利欲飲水者以有熱也白頭翁湯主之第十四用前第十二方

下利讝語者有燥屎也宜小承氣湯第十五三味

下利後更煩按之心下濡者虚煩也宜梔子豉湯第十六二味

嘔而脉弱小便利身有微熱見厥者難治四逆湯主之第十七用前第五方前有嘔膿一證

乾嘔吐涎沫頭痛者吳茱萸湯主之第十八四味

嘔而發熱者小柴胡湯主之第十九七味下有成二證

厥陰之為病消渴氣上撞心心中疼熱飢而不欲食食則吐蚘下之利不止

厥陰中風脉微浮為欲愈不浮為未愈

厥陰病欲解時從丑至卯上

厥陰病渴欲飲水者少少與之愈

諸四逆厥者不可下之虚家亦然

傷寒先厥後發熱而利者必自止見厥復利

傷寒始發熱六日厥反九日而利凡厥利者當不能食今反能食者恐為除中一云消中食以索餅不發熱者知胃氣尚在必愈恐暴熱來出而復去也後日脉之其熱續在者期之旦日夜半愈所以然者本發熱六日厥反九日復發熱三日并前六日亦為九日與厥相應故期之旦日夜半愈後三日脉之而脉數其熱不罷者此為熱氣有餘必發癰膿也

傷寒脉遲六七日而反與黃芩湯徹其熱脉遲為寒今與黃芩湯復除其熱腹中應冷當不能食今反能食此名除中必死

傷寒先厥後發熱下利必自止而反汗出咽中痛者其喉為痹發熱無汗而利必自止若不止必便膿血便膿血者其喉不痹

傷寒一二日至四五日厥者必發熱前熱者後必厥厥深者熱亦深厥微者熱亦微厥應下之而反發汗者必口傷爛赤

傷寒病厥五日熱亦五日設六日當復厥不厥者自愈厥終不過五日以熱五日故知自愈

凡厥者陰陽氣不相順接便為厥厥者手足逆冷者是也

傷寒脉微而厥至七八日膚冷其人躁無暫安時者此為藏厥非蚘厥也蚘厥者其人當吐蚘令病

者，静而復時煩者，此為藏寒，蚘上入其膈，故煩。須臾復止，得食而嘔，又煩者，蚘聞食臭出，其人常自吐蚘。蚘厥者，烏梅丸主之。又主久利。方一。

烏梅（三百枚） 細辛（六兩） 乾薑（十兩）
黃連（十六兩） 當歸（四兩） 附子（六兩，炮，去皮）
蜀椒（四兩，出汗） 桂枝（去皮，六兩） 人參（六兩）
黃蘗（六兩）

右十味，異擣篩，合治之。以苦酒漬烏梅一宿，去核，蒸之五斗米下，飯熟擣成泥，和藥令相得，内臼中，與蜜杵二千下，丸如梧桐子大。先食飲服十丸，日三服，稍加至二十丸。禁生冷、滑物、臭食等。

傷寒熱少微厥，指（一作稍）頭寒，嘿嘿不欲食，煩躁，數日小便利，色白者，此熱除也。欲得食，其病為愈。若厥而嘔，胷脅煩滿者，其後必便血。

病者手足厥冷，言我不結胷，小腹滿，按之痛者，此冷結在膀胱關元也。

傷寒發熱四日，厥反三日，復熱四日，厥少熱多者，其病當愈。四日至七日熱不除者，必便膿血。

傷寒厥四日，熱反三日，復厥五日，其病為進。寒多熱少，陽氣退，故為進也。

傷寒六七日，脉微，手足厥冷，煩躁，灸厥陰，厥不還者，死。

傷寒發熱，下利，厥逆，躁不得卧者，死。

傷寒發熱，下利至甚，厥不止者，死。

傷寒六七日不利，便發熱而利，其人汗出不止者，死。有陰無陽故也。

傷寒五六日，不結胷，腹濡，脉虚，復厥者，不可下。此亡血，下之死。

發熱而厥，七日下利者，為難治。

傷寒脉促，手足厥逆，可灸之。（促一作縱。）

傷寒脉滑而厥者，裏有熱，白虎湯主之。方二。

知母（六兩） 石膏（一斤，碎，綿裹） 甘草（二兩，炙）
粳米（六合）

右四味，以水一斗，煮米熟湯成，去滓，温服一升，日三服。

手足厥寒，脉細欲絶者，當歸四逆湯主之。方三。

當歸（三兩） 桂枝（三兩，去皮） 芍藥（三兩）
細辛（三兩） 甘草（二兩，炙） 通草（二兩）
大棗（二十五枚，擘。一法十二枚）

右七味，以水八升，煑取三升，去滓，温服一升，日三服。

若其人内有久寒者，宜當歸四逆加吳茱萸生薑湯。方四。

當歸三兩　芍藥三兩　甘草二兩炙
通草二兩　桂枝三兩去皮　細辛三兩
生薑半斤切　吳茱萸二升　大棗二十五枚擘

右九味，以水六升，清酒六升和，煑取五升，去滓，温分五服。一方水酒各四升。

大汗出，熱不去，内拘急，四肢疼，又下利厥逆而惡寒者，四逆湯主之。方五。

甘草二兩炙　乾薑一兩半　附子一枚，生用，去皮，破八片

右三味，以水三升，煑取一升二合，去滓，分温再服。若强人可用大附子一枚、乾薑三兩。

大汗，若大下利而厥冷者，四逆湯主之。六。用前第五方。

病人手足厥冷，脉乍緊者，邪結在胷中，心下滿而煩，飢不能食者，病在胷中，當須吐之，宜瓜蔕散。方七。

瓜蔕　赤小豆

右二味，各等分，異擣篩，合内臼中，更治之，别以香豉一合，用熱湯七合，煑作稀糜，去滓，取汁，和散一錢匕，温頓服之。不吐者，少少加，得快吐乃止。諸亡血虚家，不可與瓜蔕散。

傷寒厥而心下悸，宜先治水，當服茯苓甘草湯，却治其厥。不爾，水漬入胃，必作利也。茯苓甘草湯。方八。

茯苓二兩　甘草一兩炙　生薑三兩切
桂枝二兩去皮

右四味，以水四升，煑取二升，去滓，分温三服。

傷寒六七日，大下後，寸脉沈而遲，手足厥逆，下部脉不至，喉咽不利，唾膿血，泄利不止者，為難治，麻黄升麻湯主之。方九。

麻黄二兩半去節　升麻一兩一分　當歸一兩一分
知母十八銖　黄芩十八銖　萎蕤十八銖一作菖蒲
芍藥六銖　天門冬六銖去心　桂枝六銖去皮
茯苓六銖　甘草六銖炙　石膏六銖碎綿裹
白术六銖　乾薑六銖

右十四味，以水一斗，先煑麻黄一兩沸，去上沫，内諸藥，煑取三升，去滓，分温三服。相去如炊三斗米頃，令盡，汗出愈。

傷寒四五日腹中痛若轉氣下趣少腹者此欲自利也

傷寒本自寒下醫復吐下之寒格更逆吐下若食入口即吐乾薑黃芩黃連人參湯主之方十

乾薑　黃芩　黃連　人參各三兩

右四味以水六升煑取二升去滓分溫再服

下利有微熱而渴脈弱者今自愈

下利脈數有微熱汗出今自愈設復緊為未解一云設脈浮復緊

下利手足厥冷無脈者灸之不溫若脈不還反微喘者死少陰負趺陽者為順也

下利寸脈反浮數尺中自濇者必清膿血

下利清穀不可攻表汗出必脹滿

下利脈沈弦者下重也脈大者為未止脈微弱數者為欲自止雖發熱不死

下利脈沈而遲其人面少赤身有微熱下利清穀者必鬱冒汗出而解病人必微厥所以然者其面戴陽下虛故也

下利脈數而渴者今自愈設不差必清膿血以有熱故也

下利後脈絕手足厥冷晬時脈還手足溫者生脈不還者死

傷寒下利日十餘行脈反實者死

下利清穀裏寒外熱汗出而厥者通脈四逆湯主之方十一

甘草二兩炙　附子大者一枚生去皮破八片　乾薑三兩強人可四兩

右三味以水三升煑取一升二合去滓分溫再服其脈即出者愈

熱利下重者白頭翁湯主之方十二

白頭翁二兩　黃蘗三兩　黃連三兩　秦皮三兩

右四味以水七升煑取二升去滓溫服一升不愈更服一升

下利腹脹滿身體疼痛者先溫其裏乃攻其表溫裏宜四逆湯攻表宜桂枝湯十三四逆湯用前第五方

桂枝湯方

桂枝三兩去皮　芍藥三兩　甘草二兩炙

生薑三兩切　大棗十二枚擘

右五味以水七升煑取三升去滓溫服一升須臾啜熱稀粥一升以助藥力

下利欲飲水者，以有熱故也。白頭翁湯主之。十四。（用前第十二方）

下利讝語者，有燥屎也。宜小承氣湯。方十五。

大黃（四兩，酒洗） 枳實（三枚，炙） 厚朴（二兩，去皮，炙）

右三味，以水四升，煑取一升二合，去滓，分二服。初一服讝語止，若更衣者，停後服。不爾盡服之。

下利後更煩，按之心下濡者，為虛煩也。宜梔子豉湯。方十六。

肥梔子（十四箇，擘） 香豉（四合，綿裹）

右二味，以水四升，先煑梔子，取二升半，內豉，更煑取一升半，去滓，分再服。一服得吐，止後服。

嘔家有癰膿者，不可治嘔，膿盡自愈。

嘔而脉弱，小便復利，身有微熱，見厥者難治。四逆湯主之。十七。（用前第五方）

乾嘔，吐涎沫，頭痛者，吳茱萸湯主之。方十八。

吳茱萸（一升，湯洗七遍） 人參（三兩） 大棗（十二枚，擘） 生薑（六兩，切）

右四味，以水七升，煑取二升，去滓，溫服七合，日三服。

嘔而發熱者，小柴胡湯主之。方十九。

柴胡（八兩） 黃芩（三兩） 人參（三兩） 甘草（三兩，炙） 生薑（三兩，切） 半夏（半升，洗） 大棗（十二枚，擘）

右七味，以水一斗二升，煑取六升，去滓，更煎取三升，溫服一升，日三服。

傷寒大吐大下之，極虛，復極汗者，其人外氣怫鬱，復與之水，以發其汗，因得噦。所以然者，胃中寒冷故也。

傷寒噦而腹滿，視其前後，知何部不利，利之即愈。

# 傷寒論卷第七　　　　仲景全書第七

漢　張仲景述　晉　王叔和撰次
宋　林　億校正
明　趙開美校刻
沈　琳仝校



## 辨霍亂病脉證并治第十三　合六法。方六首。

惡寒脉微而利利止者亡血也。四逆加人參湯主之第一。四味。前有吐利三證。

霍亂頭痛發熱身疼熱多飲水者。五苓散主之。寒多不用水者。理中丸主之第二。五苓散五味。理中丸四味。作加減法附。

吐利止身痛不休宜桂枝湯小和之第三。五味

吐利汗出發熱惡寒四肢拘急手足厥冷者。四逆湯主之第四。三味

吐利小便利大汗出下利清穀内寒外熱脉微欲絶。四逆湯主之第五。用前第四方

吐已下斷汗出而厥四肢不解脉微絶通脉四逆加猪膽湯主之第六。四味。下有不勝穀氣一證。

問曰病有霍亂者何。荅曰嘔吐而利此名霍亂。

問曰病發熱頭痛身疼惡寒吐利者此屬何病。荅曰此名霍亂霍亂自吐下又利止復更發熱也。

傷寒其脉微濇者本是霍亂今是傷寒却四五日至陰經上轉入陰必利本嘔下利者不可治也欲似大便而反失氣仍不利者此屬陽明也便必鞕十三日愈所以然者經盡故也下利後當便鞕鞕則能食者愈今反不能食到後經中頗能食復過一經能食過之一日當愈不愈者不屬陽明也。

惡寒脉微緩一作而復利利止亡血也四逆加人參湯主之方一。

甘草二兩炙　附子一枚生去皮破八片　乾薑一兩半
人參一兩

右四味以水三升煑取一升二合去滓分溫再服。

霍亂頭痛發熱身疼痛熱多欲飲水者五苓散主之寒多不用水者理中丸主之二。

五苓散方

豬苓去皮　白朮　茯苓各十八銖
桂枝半兩去皮　澤瀉一兩六銖
右五味，為散，更治之，白飲和服方寸匕，日三服。多飲煖水，汗出愈。
理中丸方下有作湯加減法
人參　乾薑　甘草炙　白朮各三兩
右四味，擣篩，蜜和為丸，如雞子黃許大。以沸湯數合，和一丸，研碎，溫服之，日三四、夜二服。腹中未熱，益至三四丸，然不及湯。湯法：以四物依兩數切，用水八升，煮取三升，去滓，溫服一升，日三服。若臍上築者，腎氣動也，去朮加桂四兩；吐多者，去朮加生薑三兩；下多者，還用朮；悸者，加茯苓二兩；渴欲得水者，加朮，足前成四兩半；腹中痛者，加人參，足前成四兩半；寒者，加乾薑，足前成四兩半；腹滿者，去朮加附子一枚。服湯後，如食頃，飲熱粥一升許，微自溫，勿發揭衣被。
吐利止而身痛不休者，當消息和解其外，宜桂枝湯小和之。方三。
桂枝三兩去皮　芍藥三兩　生薑三兩
甘草二兩炙　大棗十二枚擘
右五味，以水七升，煮取三升，去滓，溫服一升。
吐利汗出，發熱惡寒，四肢拘急，手足厥冷者，四逆湯主之。方四。
甘草二兩炙　乾薑一兩半　附子一枚生去皮破八片
右三味，以水三升，煮取一升二合，去滓，分溫再服。強人可大附子一枚、乾薑三兩。
既吐且利，小便復利而大汗出，下利清穀，內寒外熱，脉微欲絕者，四逆湯主之。五。用前第四方。
吐已下斷，汗出而厥，四肢拘急不解，脉微欲絕者，通脉四逆加豬膽湯主之。方六。
甘草二兩炙　乾薑三兩強人可四兩　附子大者一枚生去皮破八片
豬膽汁半合
右四味，以水三升，煮取一升二合，去滓，內豬膽汁，分溫再服，其脉即來。無豬膽，以羊膽代之。
吐利發汗，脉平小煩者，以新虛不勝穀氣故也。

辨陰陽易差後勞復病脉證并治第十四合六法方六首。

傷寒陰易病，身重，少腹裏急，熱上衝胷，頭重不欲舉，眼中生花，燒褌散主之。第一。一味。
大病差後勞復者，枳實梔子湯主之。第二。三味。下有宿食加大黃法附。
傷寒差以後更發熱小柴胡湯主之第三。七味
大病差後從腰以下有水氣者牡蠣澤瀉散主
之第四。七味
大病差後喜唾久不了了胷上有寒當以丸藥
溫之宜理中丸第五。四味
傷寒解後虛羸少氣氣逆欲吐竹葉石膏湯主
之第六。七味下有病新差一證。
傷寒陰易之為病其人身體重少氣少腹裏急或
引陰中拘攣熱上衝胷頭重不欲舉眼中生花花一
作眵膝脛拘急者燒褌散主之方一。
婦人中褌近隱處取燒作灰。
右一味水服方寸匕日三服小便即利陰頭微
腫此為愈矣婦人病取男子褌燒服。
大病差後勞復者枳實梔子湯主之方二。
枳實三枚炙　梔子十四箇擘　豉一升綿裹
右三味以清漿水七升空煮取四升內枳實梔
子煮取二升下豉更煮五六沸去滓溫分再服
覆令微似汗若有宿食者內大黃如博碁子五
六枚服之愈。

傷寒差以後更發熱小柴胡湯主之脈浮者以汗
解之脈沈實（一作緊）者以下解之方三。
柴胡八兩　人參二兩　黃芩二兩
甘草二兩炙　生薑二兩　半夏半升洗
大棗十二枚擘
右七味以水一斗二升煮取六升去滓再煎取
三升溫服一升日三服。
大病差後從腰以下有水氣者牡蠣澤瀉散主之
方四。
牡蠣熬　澤瀉　蜀漆煖水洗去腥
葶藶子熬　商陸根熬　海藻洗去鹹
栝樓根各等分
右七味異擣下篩為散更於臼中治之白飲和
服方寸匕日三服小便利止後服。
大病差後喜唾久不了了胷上有寒當以丸藥溫
之宜理中丸方五。
人參　白朮　甘草炙　乾薑各三兩
右四味擣篩蜜和為丸如雞子黃許大以沸湯
數合和一丸研碎溫服之日三服。
傷寒解後虛羸少氣氣逆欲吐竹葉石膏湯主之

方六。

竹葉二把　石膏一斤　半夏半升，洗

麥門冬一升，去心　人參二兩　甘草二兩，炙

粳米半升

右七味，以水一斗，煮取六升，去滓，內粳米，煮米熟湯成，去米，溫服一升，日三服。

病人脉已解，而日暮微煩，以病新差，人强與穀，脾胃氣尚弱，不能消穀，故令微煩，損穀則愈。

辨不可發汗病脉證并治第十五 一法，方本闕

汗家不可發汗，發汗必恍惚心亂，小便已陰疼，宜禹餘粮丸。第一。方本闕。前後有二十九病證。

夫以為疾病至急，倉卒尋按，要者難得，故重集諸可與不可方治，比之三陰三陽篇中，此易見也。又時有不止是三陽三陰，出在諸可與不可中也。

少陰病，脉細沈數，病為在裏，不可發汗。

脉浮緊者，法當身疼痛，宜以汗解之。假令尺中遲者，不可發汗。何以知然？以榮氣不足，血少故也。

少陰病，脉微，不可發汗，亡陽故也。

脉濡而弱，弱反在關，濡反在巔，微反在上，濇反在下。微則陽氣不足，濇則無血。陽氣反微，中風汗出，而反躁煩；濇則無血，厥而且寒。陽微發汗，躁不得眠。

動氣在右，不可發汗。發汗則衄而渴，心苦煩，飲即吐水。

動氣在左，不可發汗。發汗則頭眩，汗不止，筋惕肉瞤。

動氣在上，不可發汗。發汗則氣上衝，正在心端。

動氣在下，不可發汗。發汗則無汗，心中大煩，骨節苦疼，目運惡寒，食則反吐，穀不得前。

咽中閉塞，不可發汗。發汗則吐血，氣微絕，手足厥冷，欲得踡臥，不能自溫。

諸脉得數動微弱者，不可發汗。發汗則大便難，腹中乾，一云小便難，胞中乾。胃躁而煩，其形相象，根本異源。

脉濡而弱，弱反在關，濡反在巔，弦反在上，微反在下。弦為陽運，微為陰寒，上實下虛，意欲得溫。微弦為虛，不可發汗。發汗則寒慄，不能自還。

欬者則劇，數吐涎沫，咽中必乾，小便不利，心中飢煩，晬時而發，其形似瘧，有寒無熱，虛而寒慄。欬而發汗，[illegible]而苦滿，腹中復堅。

厥，脉緊，不可發汗，發汗則聲亂，咽嘶，舌萎，聲不得

前。

諸逆發汗。病微者難差。劇者言亂目眩者死。一云譫言目眩睛亂者死。命将難全。

太陽病得之八九日。如瘧狀發熱惡寒。熱多寒少。其人不嘔清便續自可一日二三度發。脉微而惡寒者。此陰陽俱虛。不可更發汗也。

太陽病。發熱惡寒。熱多寒少。脉微弱者。無陽也。不可發汗。

咽喉乾燥者。不可發汗。

亡血不可發汗。發汗則寒慄而振。

衂家不可發汗。汗出必額上陷。脉急緊。直視不能眴。不得眠。音見上

汗家不可發汗。發汗必恍惚心亂。小便已陰疼。宜禹餘粮丸。一方本闕

淋家不可發汗。發汗必便血。

瘡家雖身疼痛。不可發汗。汗出則痓。

下利不可發汗。汗出必脹滿。

欬而小便利。若失小便者。不可發汗。汗出則四肢厥逆冷。

傷寒一二日至四五日厥者。必發熱。前厥者後必熱。厥深者熱亦深。厥微者熱亦微。厥應下之。而反發汗者。必口傷爛赤。

傷寒脉弦細頭痛發熱者。屬少陽。少陽不可發汗。

傷寒頭痛。翕翕發熱。形象中風。常微汗出。自嘔者。下之益煩。心懊憹如飢。發汗則致痓。身強難以伸屈。熏之則發黃。不得小便。久則發欬唾。

太陽與少陽併病。頭項強痛。或眩冒。時如結胷。心下痞鞕者。不可發汗。

太陽病發汗。因致痓。

少陰病。欬而下利。譫語者。此被火氣劫故也。小便必難。以強責少陰汗也。

少陰病。但厥無汗。而強發之。必動其血。未知從何道出。或從口鼻。或從目出者。是名下厥上竭。為難治。

辨可發汗病脉證并治第十六 合四十一法方一十四首

太陽病。外證未解。脉浮弱。當以汗解。宜桂枝湯。第一。五味。前有四法。

脉浮而數者。可發汗。屬桂枝湯證。第二。用前第一方。一法用麻黃湯。

陽明病。脉遲。汗出多。微惡寒。表未解也。屬桂枝

湯證第三用前第一方下有可汗二證

病人煩熱汗出解又如瘧狀脉浮虚者當發汗屬桂枝湯證第四用前第一方

病常自汗出此榮衛不和也發汗則愈屬桂枝湯證第五用前第一方

病人藏無他病時發熱汗出此衛氣不和也先其時發汗則愈屬桂枝湯證第六用前第一方

脉浮緊浮為風緊為寒風傷衛寒傷榮榮衛俱病骨節煩疼可發汗宜麻黄湯第七四味

太陽病不解熱結膀胱其人如狂血自下愈外未解者屬桂枝湯證第八用前第一方

太陽病下之微喘者表未解宜桂枝加厚朴杏子湯第九七味

傷寒脉浮緊不發汗因衂者屬麻黄湯證第十用前第七方

陽明病脉浮無汗而喘者發汗愈屬麻黄湯證第十一用前第七方

太陰病脉浮者可發汗屬桂枝湯證第十二用前第一方

太陽病脉浮緊無汗發熱身疼痛八九日表證在當發汗屬麻黄湯證第十三用前第七方

脉浮者病在表可發汗屬麻黄湯證第十四用前第七方一法用桂枝湯

傷寒不大便六七日頭痛有熱者與承氣湯其小便清者知不在裏續在表屬桂枝湯證第十五用前第一方

下利腹脹滿身疼痛者先温裏乃攻表温裏宜四逆湯攻表宜桂枝湯第十六四逆湯二味桂枝湯用前第一方

下利後身疼痛清便自調者急當救表宜桂枝湯第十七用前第一方

太陽病頭痛發熱汗出惡風寒者屬桂枝湯證第十八用前第一方

太陽中風陽浮陰弱熱發汗出惡寒惡風鼻鳴乾嘔者屬桂枝湯證第十九用前第一方

太陽病發熱汗出此為榮弱衛强屬桂枝湯證第二十用前第一方

太陽病下之氣上衝者屬桂枝湯證第二十一用前第一方

太陽病服桂枝湯反煩者先刺風池風府却與

桂枝湯。愈第二十二。(用前第一方)

燒針被寒針處核起者必發奔豚氣與桂枝加桂湯第二十三。(五味)

太陽病項背强几几汗出惡風者宜桂枝加葛根湯第二十四。(七味注見第二卷中)

太陽病項背强几几無汗惡風者屬葛根湯證。

第二十五。(用前方)

太陽陽明合病自利屬葛根湯證第二十六。(用前方。一云用後第二十八方。)

太陽陽明合病不利但嘔者屬葛根加半夏湯。第二十七。(八味)

太陽病桂枝證反下之利遂不止脈促者表未解也喘而汗出屬葛根黃芩黃連湯第二十八。(四味)

太陽病頭痛發熱身疼惡風無汗屬麻黃湯證。第二十九。(用前第七方)

太陽陽明合病喘而胷滿者不可下屬麻黃湯證第三十。(用前第七方)

太陽中風脈浮緊發熱惡寒身疼不汗而煩躁者大青龍湯主之第三十一。(七味。下有一病證。)

陽明中風脈弦浮大短氣腹滿脅下及心痛鼻乾不得汗嗜臥身黃小便難潮熱外不解過十日脈浮者與小柴胡湯脈但浮無餘證者與麻黃湯第三十二。(小柴胡湯七味。麻黃湯用前第七方。)

太陽病十日以去脈浮細嗜臥者外解也設胷滿脅痛者與小柴胡湯脈但浮與麻黃湯第三十三。(並用前方)

傷寒脈浮緩身不疼但重乍有輕時無少陰證可與大青龍湯發之第三十四。(用前第三十一方)

傷寒表不解心下有水氣乾嘔發熱而欬或渴或利或噎或小便不利或喘小青龍湯主之第三十五。(八味。加減法附。)

傷寒心下有水氣欬而微喘發熱不渴屬小青龍湯證第三十六。(用前方)

傷寒五六日中風往來寒熱胷脅苦滿不欲飲食心煩喜嘔者屬小柴胡湯證第三十七。(用前第三十二方)

傷寒四五日身熱惡風頸項强脅下滿手足溫而渴屬小柴胡湯證第三十八。(用前第三十二方)

傷寒六七日發熱微惡寒支節煩疼微嘔心下

支結，外證未去者，柴胡桂枝湯主之。第三十九。九味

少陰病，得之二三日，麻黃附子甘草湯微發汗。第四十。三味

脉浮，小便不利，微熱消渴者，與五苓散。第四十一。五味

大法，春夏宜發汗。

凡發汗，欲令手足俱周，時出似漐漐然，一時間許益佳，不可令如水流離。若病不解，當重發汗。汗多者必亡陽，陽虛不得重發汗也。

凡服湯發汗，中病便止，不必盡劑也。

凡云可發汗，無湯者，丸散亦可用，要以汗出為解，然不如湯隨證良驗。

太陽病，外證未解，脉浮弱者，當以汗解，宜桂枝湯。方一。

桂枝三兩，去皮　芍藥三兩　甘草二兩，炙

生薑三兩，切　大棗十二枚，擘

右五味，以水七升，煮取三升，去滓，溫服一升。啜粥，將息如初法。

脉浮而數者，可發汗，屬桂枝湯證二。用前第一方。一法用麻黃湯。

陽明病，脉遲，汗出多，微惡寒者，表未解也，可發汗，屬桂枝湯證三。用前第一方

夫病脉浮大，問病者，言但便鞕耳。設利者為大逆。鞕為實，汗出而解，何以故？脉浮當以汗解。

傷寒，其脉不弦緊而弱，弱者必渴，被火必譫語。弱者發熱脉浮，解之當汗出愈。

病人煩熱，汗出即解，又如瘧狀，日晡所發熱者，屬陽明也。脉浮虛者，當發汗，屬桂枝湯證四。用前第一方

病常自汗出者，此為榮氣和，榮氣和者，外不諧，以衞氣不共榮氣諧和故爾。以榮行脉中，衞行脉外，復發其汗，榮衞和則愈，屬桂枝湯證五。用前第一方

病人藏無他病，時發熱自汗出而不愈者，此衞氣不和也。先其時發汗則愈，屬桂枝湯證六。用前第一方

脉浮而緊，浮則為風，緊則為寒，風則傷衞，寒則傷榮，榮衞俱病，骨節煩疼，可發其汗，宜麻黃湯。方七。

麻黃三兩，去節　桂枝二兩　甘草一兩，炙

杏仁七十箇，去皮尖

右四味，以水八升，先煮麻黃，減二升，去上沫，內諸藥，煮取二升半，去滓，溫服八合，溫覆取微似

汗。不須啜粥，餘如桂枝將息。

太陽病不解，熱結膀胱，其人如狂，血自下，下者愈。其外未解者，尚未可攻，當先解其外。屬桂枝湯證八。用前第一方

太陽病，下之微喘者，表未解也。宜桂枝加厚朴杏子湯方九。

桂枝三兩，去皮　芍藥三兩　生薑三兩，切

甘草二兩，炙　厚朴二兩，炙，去皮　杏仁五十箇，去皮尖

大棗十二枚，擘

右七味，以水七升，煑取三升，去滓，溫服一升。

傷寒脉浮緊，不發汗，因致衄者，屬麻黃湯證十。用前第七方

陽明病，脉浮，無汗而喘者，發汗則愈，屬麻黃湯證十一。用前第七方

太陰病，脉浮者，可發汗，屬桂枝湯證十二。用前第一方

太陽病，脉浮緊，無汗，發熱，身疼痛，八九日不解，表證仍在，當復發汗，服湯已，微除，其人發煩，目瞑，劇者必衄，衄乃解。所以然者，陽氣重故也。屬麻黃湯證十三。用前第七方

脉浮者，病在表，可發汗，屬麻黃湯證十四。用前第七方

法用桂枝湯。

傷寒不大便六七日，頭痛有熱者，與承氣湯。其小便清者，一云大便青。知不在裏，續在表也，當須發汗。若頭痛者，必衄，屬桂枝湯證十五。用前第一方

下利，腹脹滿，身體疼痛者，先溫其裏，乃攻其表。溫裏宜四逆湯，攻表宜桂枝湯十六。用前第一方

四逆湯方

甘草二兩，炙　乾薑一兩半　附子一枚，生，去皮，破八片

右三味，以水三升，煑取一升二合，去滓，分溫再服。強人可大附子一枚，乾薑三兩。

下利後，身疼痛，清便自調者，急當救表，宜桂枝湯發汗十七。用前第一方

太陽病，頭痛，發熱，汗出，惡風寒者，屬桂枝湯證十八。用前第一方

太陽中風，陽浮而陰弱，陽浮者熱自發，陰弱者汗自出，嗇嗇惡寒，淅淅惡風，翕翕發熱，鼻鳴乾嘔者，屬桂枝湯證十九。用前第一方

太陽病，發熱汗出者，此為榮弱衛強，故使汗出。欲救邪風，屬桂枝湯證二十。用前第一方

太陽病，下之後，其氣上衝者，屬桂枝湯證二十一。

（用前第一方）

太陽病，初服桂枝湯，反煩不解者，先刺風池、風府，却與桂枝湯則愈。二十二。（用前第一方）

燒針令其汗，針處被寒，核起而赤者，必發奔豚。氣從少腹上撞心者，灸其核上各一壯，與桂枝加桂湯。方二十三。

桂枝五兩，去皮　甘草二兩，炙　大棗十二枚，擘

芍藥三兩　生薑三兩，切

右五味，以水七升，煮取三升，去滓，溫服一升。本云桂枝湯，今加桂滿五兩。所以加桂者，以能泄奔豚氣也。

太陽病，項背強几几，反汗出惡風者，宜桂枝加葛根湯。方二十四。

葛根四兩　麻黃三兩，去節　甘草二兩，炙

芍藥三兩　桂枝二兩　生薑三兩

大棗十二枚，擘

右七味，以水一斗，煮麻黃、葛根，減二升，去上沫，內諸藥，煮取三升，去滓，溫服一升，覆取微似汗，不須啜粥助藥力，餘將息依桂枝法。（注見第二卷中）

太陽病，項背強几几，無汗惡風者，屬葛根湯證。二十五。（用前第二十四方）

太陽與陽明合病，必自下利，不嘔者，屬葛根湯證。二十六。（用前方。一云用後第二十八方）

太陽與陽明合病，不下利，但嘔者，宜葛根加半夏湯。方二十七。

葛根四兩　半夏半升，洗　大棗十二枚，擘

桂枝二兩，去皮　芍藥二兩　甘草二兩，炙

麻黃三兩，去節　生薑三兩

右八味，以水一斗，先煮葛根、麻黃，減二升，去上沫，內諸藥，煮取三升，去滓，溫服一升，覆取微似汗。

太陽病，桂枝證，醫反下之，利遂不止，脉促者，表未解也；喘而汗出者，宜葛根黃芩黃連湯。方二十八。（促作縱）

葛根八兩　黃連三兩　黃芩三兩

甘草二兩，炙

右四味，以水八升，先煮葛根，減二升，內諸藥，煮取二升，去滓，分溫再服。

太陽病，頭痛發熱，身疼腰痛，骨節疼痛，惡風無汗而喘者，屬麻黃湯證。二十九。（用前第七方）

太陽與陽明合病。喘而胷滿者。不可下。屬麻黃湯。證三十。用前第七方。

太陽中風。脉浮緊。發熱惡寒。身疼痛。不汗出而煩躁者。大青龍湯主之。若脉微弱。汗出惡風者。不可服之。服之則厥逆。筋惕肉瞤。此為逆也。大青龍湯。方三十一。

麻黃六兩去節　桂枝二兩去皮　杏仁四十枚去皮尖
甘草二兩炙　石膏如雞子大碎　生薑三兩切
大棗十二枚擘

右七味。以水九升。先煮麻黃。減二升。去上沫。內諸藥。煮取三升。温服一升。覆取微似汗。汗出多者。温粉粉之。一服汗者。勿更服。若復服。汗出多者。亡陽遂逆一作虛。惡風煩躁。不得眠也。

陽明中風。脉弦浮大而短氣。腹都滿。脅下及心痛。久按之。氣不通。鼻乾不得汗。嗜臥。一身及目悉黃。小便難。有潮熱。時時噦。耳前後腫。刺之小差。外不解。過十日。脉續浮者。與小柴胡湯。脉但浮。無餘證者。與麻黃湯。用前第七方。不溺。腹滿。加噦者不治。三十二。

小柴胡湯方

柴胡八兩　黃芩三兩　人參三兩
甘草三兩炙　生薑三兩切　半夏半升洗
大棗十二枚擘

右七味。以水一斗二升。煮取六升。去滓。再煎取三升。温服一升。日三服。

太陽病。十日以去。脉浮而細。嗜臥者。外已解也。設胷滿脅痛者。與小柴胡湯。脉但浮者。與麻黃湯。三十三。並用前方。

傷寒脉浮緩。身不疼。但重。乍有輕時。無少陰證者。可與大青龍湯發之。三十四。用前第三十一方。

傷寒表不解。心下有水氣。乾嘔發熱而欬。或渴。或利。或噎。或小便不利。少腹滿。或喘者。宜小青龍湯。方三十五。

麻黃二兩去節　芍藥二兩　桂枝二兩去皮
甘草二兩炙　細辛二兩　五味子半升
半夏半升洗　乾薑三兩

右八味。以水一斗。先煮麻黃。減二升。去上沫。內諸藥。煮取三升。去滓。温服一升。若渴。去半夏。加栝樓根三兩。若微利。去麻黃。加蕘花如一雞子。熬令赤色。若噎。去麻黃。加附子一枚。炮。若小便不利，少腹滿，去麻黃，加茯苓四兩。若喘，去麻黃，加杏仁半升，去皮尖。且蕘花不治利，麻黃主喘，今此語反之，疑非仲景意。（注見第三卷中）

傷寒，心下有水氣，欬而微喘，發熱不渴，服湯已渴者，此寒去欲解也，屬小青龍湯證。三十六。（用前）

中風，往來寒熱，傷寒五六日以後，胷脇苦滿，嘿嘿不欲飲食，煩心喜嘔，或胷中煩而不嘔，或渴，或腹中痛，或脇下痞鞕，或心下悸，小便不利，或不渴，身有微熱，或欬者，屬小柴胡湯證。三十七。（用前第三十二方）

傷寒四五日，身熱惡風，頸項強，脇下滿，手足溫而渴者，屬小柴胡湯證。三十八。（用前第三十二方）

傷寒六七日，發熱微惡寒，支節煩疼，微嘔，心下支結，外證未去者，柴胡桂枝湯主之。方三十九。

柴胡（四兩）　黃芩（一兩半）　人參（一兩半）
桂枝（一兩半，去皮）　生薑（一兩半，切）　半夏（二合半，洗）
芍藥（一兩半）　大棗（六枚，擘）　甘草（一兩，炙）

右九味，以水六升，煮取三升，去滓，溫服一升，日三服。本云人參湯，作如桂枝法，加半夏、柴胡、黃芩，如柴胡法。今著人參，作半劑。

少陰病，得之二三日，麻黃附子甘草湯，微發汗，以二三日無證，故微發汗也。四十。

麻黃（二兩，去節）　甘草（二兩，炙）　附子（一枚，炮，去皮，破八片）

右三味，以水七升，先煮麻黃一二沸，去上沫，內諸藥，煮取二升半，去滓，溫服八合，日三服。

脉浮，小便不利，微熱消渴者，與五苓散，利小便，發汗。四十一。

猪苓（十八銖，去皮）　茯苓（十八銖）　白术（十八銖）
澤瀉（一兩六銖）　桂枝（半兩，去皮）

右五味，擣為散，以白飲和服方寸匕，日三服，多飲煖水，汗出愈。

傷寒論卷第八　　　仲景全書第八

漢　張仲景述　晉　王叔和撰次

宋　林億校正

明　趙開美校刻

沈　琳仝校

辨發汗後病脉證并治第十七

辨不可吐第十八　辨可吐第十九

辨發汗後病脉證并治第十七合二十五法方二十四首

太陽病發汗遂漏不止惡風小便難四肢急難
以屈伸者屬桂枝加附子湯第一六味前有八病證

太陽病服桂枝湯煩不解先刺風池風府却與
桂枝湯第二五味
服桂枝湯汗出脉洪大者與桂枝湯若形似瘧
一日再發者屬桂枝二麻黄一湯第三七味
服桂枝湯汗出後煩渴不解脉洪大者屬白虎
加人參湯第四五味
傷寒脉浮自汗出小便數心煩惡寒脚攣急與
桂枝攻表得之便厥咽乾煩躁吐逆作甘草乾
薑湯厥愈更作芍藥甘草湯其脚即伸若胃氣
不和與調胃承氣湯若重發汗加燒針者與四
逆湯第五甘草乾薑湯芍藥甘草湯並二味調胃承氣湯四逆湯並三味
太陽病脉浮緊無汗發熱身疼八九日不解服
湯已發煩必衄宜麻黄湯第六四味
傷寒發汗已解半日復煩脉浮數者屬桂枝湯
證第七用前第二方
發汗後身疼脉沈遲者屬桂枝加芍藥生薑各
一兩人參三兩新加湯第八六味
發汗後不可行桂枝湯汗出而喘無大熱者可
與麻黄杏子甘草石膏湯第九四味
發汗過多其人义手自冒心心下悸欲得按者

屬桂枝甘草湯第十二味
發汗後臍下悸欲作奔豚屬茯苓桂枝甘草大
棗湯第十一四味甘爛水法附
發汗後腹脹滿者屬厚朴生薑半夏甘草人參
湯第十二五味
發汗病不解反惡寒者虚也屬芍藥甘草附子
湯第十三三味
發汗後不惡寒但熱者實也當和胃氣屬調胃
承氣湯證第十四用前第五方
太陽病發汗後大汗出胃中乾煩躁不得眠若

脉浮小便不利渴者屬五苓散第十五。五味

發汗已脉浮數煩渴者屬五苓散證第十六。用前第十五方

傷寒汗出而渴者宜五苓散不渴者屬茯苓甘草湯第十七。四味

太陽病發汗不觧發熱心悸頭眩身瞤動欲擗一作僻地者屬真武湯第十八。五味

傷寒汗出觧之後胃中不和心下痞乾噫腹中雷鳴下利者屬生薑瀉心湯第十九。八味

傷寒汗出不觧心中痞嘔吐下利者屬大柴胡湯第二十。八味

陽明病自汗若發其汗小便自利雖鞕不可攻須自欲大便宜蜜煎若土瓜根豬膽汁為導第二十一。蜜煎一味豬膽方二味

太陽病三日發汗不觧蒸蒸發熱者屬調胃承氣湯證第二十二。用前第五方

大汗出熱不去內拘急四肢疼又下利厥逆惡寒者屬四逆湯證第二十三。用前第五方

發汗後不觧腹滿痛者急下之宜大承氣湯第二十四。四味

發汗多亡陽讝語者不可下與柴胡桂枝湯和其榮衛後自愈第二十五。九味

二陽併病太陽初得病時發其汗汗先出不徹因轉屬陽明續自微汗出不惡寒若太陽病證不罷者不可下下之為逆如此可小發汗設面色緣緣正赤者陽氣怫鬱在表當觧之熏之若發汗不徹不足言陽氣怫鬱不得越當汗不汗其人煩躁不知痛處乍在腹中乍在四肢按之不可得其人短氣但坐以汗出不徹故也更發汗則愈何以知汗出不徹以脉濇故知也。

未持脉時病人叉手自冒心師因教試令欬而不即欬者此必兩耳聾無聞也所以然者以重發汗虛故如此。

發汗後飲水多必喘以水灌之亦喘。

發汗後水藥不得入口為逆若更發汗必吐下不止。

陽明病本自汗出醫更重發汗病已差尚微煩不了了者必大便鞕故也以亡津液胃中乾燥故令大便鞕當問小便日幾行若本小便日三四行今日再行故知大便不久出今為小便數少以津液

當還入胃中。故知不久必大便也。

發汗多。若重發汗者。亡其陽。讝語。脉短者死。脉自和者不死。

傷寒發汗已。身目為黃。所以然者。以寒濕一作溫在裏不解故也。以為不可下也。於寒濕中求之。

病人有寒。復發汗。胃中冷。必吐蚘。

太陽病發汗。遂漏不止。其人惡風。小便難。四肢微急。難以屈伸者。屬桂枝加附子湯。方一。

桂枝三兩去皮 芍藥三兩 甘草二兩炙

生薑三兩切 大棗十二枚擘 附子一枚炮

右六味。以水七升。煮取三升。去滓。溫服一升。本云桂枝湯。今加附子。

太陽病。初服桂枝湯。反煩不解者。先刺風池風府。却與桂枝湯則愈。方二。

桂枝三兩去皮 芍藥三兩 生薑三兩切

甘草二兩炙 大棗十二枚擘

右五味。以水七升。煮取三升。去滓。溫服一升。須臾啜熱稀粥一升。以助藥力。

服桂枝湯。大汗出。脉洪大者。與桂枝湯。如前法。若形似瘧。一日再發者。汗出必解。屬桂枝二麻黃一湯。方三。

桂枝一兩十七銖 芍藥一兩六銖 麻黃十六銖去節

生薑一兩六銖 杏仁十六箇去皮尖 甘草一兩二銖炙

大棗五枚擘

右七味。以水五升。先煮麻黃一二沸。去上沫。內諸藥。煮取二升。去滓。溫服一升。日再服。本云桂枝湯二分。麻黃湯一分。合為二升。分再服。今合為一方。

服桂枝湯。大汗出後。大煩渴不解。脉洪大者。屬白虎加人參湯。方四。

知母六兩 石膏一斤碎綿裹 甘草二兩炙

粳米六合 人參二兩

右五味。以水一斗。煮米熟湯成。去滓。溫服一升。日三服。

傷寒脉浮。自汗出。小便數。心煩。微惡寒。脚攣急。反與桂枝。欲攻其表。此誤也。得之便厥。咽中乾。煩躁吐逆者。作甘草乾薑湯與之。以復其陽。若厥愈足溫者。更作芍藥甘草湯與之。其脚即伸。若胃氣不和讝語者。少與調胃承氣湯。若重發汗。復加燒針者。與四逆湯。方五。

甘草乾薑湯方

甘草四兩炙　乾薑二兩

右二味。以水三升。煮取一升五合。去滓。分溫再服。

芍藥甘草湯方

白芍藥四兩　甘草四兩炙

右二味。以水三升。煮取一升五合。去滓。分溫再服。

調胃承氣湯方

大黃四兩去皮清酒洗　甘草二兩炙　芒消半升

右三味。以水三升。煮取一升。去滓。內芒消。更上微火煮令沸。少少溫服之。

四逆湯方

甘草二兩炙　乾薑一兩半　附子一枚生用去皮破八片

右三味。以水三升。煮取一升二合。去滓。分溫再服。強人可大附子一枚。乾薑三兩。

太陽病。脉浮緊。無汗。發熱。身疼痛。八九日不解。表證仍在。此當復發汗。服湯已。微除。其人發煩目瞑。劇者必衄。衄乃解。所以然者。陽氣重故也。宜麻黃湯。方六。

麻黃三兩去節　桂枝二兩去皮　甘草一兩炙

杏仁七十箇去皮尖

右四味。以水九升。先煮麻黃。減二升。去上沫。內諸藥。煮取二升半。去滓。溫服八合。覆取微似汗。不須啜粥。

傷寒發汗已解。半日許復煩。脉浮數者。可更發汗。屬桂枝湯證。七。用前第二方。

發汗後。身疼痛。脉沈遲者。屬桂枝加芍藥生薑各一兩。人參三兩。新加湯。方八。

桂枝三兩去皮　芍藥四兩　生薑四兩

甘草二兩炙　人參三兩　大棗十二枚擘

右六味。以水一斗二升。煮取三升。去滓。溫服一升。本云桂枝湯。今加芍藥。生薑。人參。

發汗後。不可更行桂枝湯。汗出而喘。無大熱者。可與麻黃杏子甘草石膏湯。方九。

麻黃四兩去節　杏仁五十箇去皮尖　甘草二兩炙

石膏半斤碎

右四味。以水七升。先煮麻黃。減二升。去上沫。內諸藥。煮取二升。去滓。溫服一升。本云黃耳杯。

發汗過多。其人叉手自冒心。心下悸。欲得按者。屬桂枝甘草湯。方十。

桂枝 二兩去皮　甘草 二兩炙

右二味。以水三升。煑取一升。去滓。頓服。

發汗後。其人臍下悸者。欲作奔豚。屬茯苓桂枝甘草大棗湯。方十一。

茯苓 半斤　桂枝 四兩去皮　甘草 一兩炙

大棗 十五枚擘

右四味。以甘爛水一斗。先煑茯苓。減二升。內諸藥。煑取三升。去滓。溫服一升。日三服。

作甘爛水法。取水二斗。置大盆內。以杓揚之。水上有珠子五六千顆相逐。取用之。

發汗後。腹脹滿者。屬厚朴生薑半夏甘草人參湯。方十二。

厚朴 半斤炙　生薑 半斤　半夏 半升洗

甘草 二兩炙　人參 一兩

右五味。以水一斗。煑取三升。去滓。溫服一升。日三服。

發汗病不解。反惡寒者。虛故也。屬芍藥甘草附子湯。方十三。

芍藥 三兩　甘草 三兩　附子 一枚炮去皮破六片

右三味。以水三升。煑取一升二合。去滓。分溫三服。疑非仲景方。

發汗後。惡寒者。虛故也。不惡寒。但熱者。實也。當和胃氣。屬調胃承氣湯。證十四。用前第五方。一法用小承氣湯。

太陽病。發汗後。大汗出。胃中乾。煩躁不得眠。欲得飲水者。少少與飲之。令胃氣和則愈。若脉浮。小便不利。微熱消渴者。屬五苓散。方十五。

猪苓 十八銖去皮　澤瀉 一兩六銖　白朮 十八銖

茯苓 十八銖　桂枝 半兩去皮

右五味。擣為散。以白飲和服方寸匕。日三服。多飲煖水。汗出愈。

發汗已。脉浮數。煩渴者。屬五苓散。證十六。用前第十五方。

傷寒汗出而渴者。宜五苓散。不渴者。屬茯苓甘草湯。方十七。

茯苓 二兩　桂枝 二兩　甘草 一兩炙　生薑 一兩

右四味。以水四升。煑取二升。去滓。分溫三服。

太陽病。發汗。汗出不解。其人仍發熱。心下悸。頭眩身瞤動。振振欲擗一作僻地者。屬真武湯。方十八

茯苓 三兩　芍藥 三兩　生薑 三兩切

附子 一枚炮去皮破八片　白朮 二兩

右五味，以水八升，煮取三升，去滓，温服七合，日三服。

傷寒汗出解之後，胃中不和，心下痞鞕，乾噫食臭，脅下有水氣，腹中雷鳴下利者，屬生薑瀉心湯方十九。

生薑四兩 甘草三兩炙 人參三兩

乾薑一兩 黄芩三兩 半夏半升洗

黄連一兩 大棗十二枚擘

右八味，以水一斗，煮取六升，去滓，再煎取三升，温服一升，日三服。生薑瀉心湯，本云理中人參黄芩湯，去桂枝朮，加黄連，并瀉肝法。

傷寒發熱，汗出不解，心中痞鞕，嘔吐而下利者，屬大柴胡湯方二十。

柴胡半斤 枳實四枚炙 生薑五兩

黄芩三兩 芍藥三兩 半夏半升洗

大棗十二枚擘

右七味，以水一斗二升，煮取六升，去滓，再煎取三升，温服一升，日三服。一方加大黄二兩。若不加，恐不名大柴胡湯。

陽明病，自汗出，若發汗，小便自利者，此為津液內竭，雖鞕不可攻之，須自欲大便，宜蜜煎導而通之。若土瓜根及大豬膽汁，皆可為導。二十一。

蜜煎方

食蜜七合

右一味，於銅器內，微火煎，當須凝如飴狀，攪之勿令焦著，欲可丸，併手捻作挺，令頭銳，大如指，許長二寸。當熱時急作，冷則鞕。以內穀道中，以手急抱，欲大便時乃去之。疑非仲景意，已試甚良。

又大豬膽一枚，瀉汁，和少許法醋，以灌穀道內。如一食頃，當大便出宿食惡物，甚效。

太陽病三日，發汗不解，蒸蒸發熱者，屬胃也。屬調胃承氣湯證。二十二。用前第五方。

大汗出，熱不去，內拘急，四肢疼，又下利厥逆而惡寒者，屬四逆湯證。二十三。用前第五方。

發汗後不解，腹滿痛者，急下之，宜大承氣湯。方二十四。

大黄四兩酒洗 厚朴半斤炙 枳實五枚炙

芒消三合

右四味，以水一斗，先煮二物，取五升，內大黄，更

煑取二升去滓內芒消更一二沸分再服得利
者止後服
發汗多亡陽讝語者不可下與柴胡桂枝湯和其
榮衛以通津液後自愈方二十五
柴胡四兩　桂枝一兩半去皮　黃芩一兩半
芍藥一兩半　生薑一兩半　大棗六箇擘
人參一兩半　半夏二合半洗　甘草一兩炙
右九味以水六升煑取三升去滓溫服一升日
三服

## 辨不可吐第十八合四證

太陽病當惡寒發熱今自汗出反不惡寒發熱關
上脉細數者以醫吐之過也若得病一二日吐之
者腹中飢口不能食三四日吐之者不喜糜粥欲
食冷食朝食暮吐以醫吐之所致也此為小逆
太陽病吐之但太陽病當惡寒今反不惡寒不欲
近衣者此為吐之內煩也
少陰病飲食入口則吐心中溫溫欲吐復不能吐
始得之手足寒脉弦遲者此胷中實不可下也若
膈上有寒飲乾嘔者不可吐也當溫之
諸四逆厥者不可吐之虛家亦然

## 辨可吐第十九合二法五證

大法春宜吐
凡用吐湯中病便止不必盡劑也
病如桂枝證頭不痛項不强寸脉微浮胷中痞鞕
氣上撞咽喉不得息者此為有寒當吐之一云此以內有久痰宜吐之
病胷上諸實一作寒胷中鬱鬱而痛不能食欲使人
按之而反有涎唾下利日十餘行其脉反遲寸口
脉微滑此可吐之吐之利則止
少陰病飲食入口則吐心中溫溫欲吐復不能吐
者宜吐之
宿食在上管者當吐之
病手足逆冷脉乍結以客氣在胷中心下滿而煩
欲食不能食者病在胷中當吐之

卷第八

# 傷寒論卷第九



漢　張仲景述　　晉　王叔和撰
宋　林　億校正
明　趙開美校刻
沈　琳仝校



## 辨不可下病脉證并治第二十 合四法方六首

陽明病潮熱大便微鞕與大承氣湯若不大便六七日恐有燥屎與小承氣湯和之第一。大承氣四味小承氣三味。前有四十病證。

傷寒中風反下之心下痞醫復下之痞益甚屬甘草瀉心湯第二。六味

下利脉大者虛也以强下之也設脉浮革腸鳴者屬當歸四逆湯第三。七味。下有陽明病二證。

陽明病汗自出若發汗小便利津液内竭雖鞕不可攻須自大便宜蜜煎若土瓜根猪膽汁導之第四。蜜煎一味。猪膽汁二味。

脉濡而弱弱反在關濡反在巔微反在上濇反在下微則陽氣不足濇則無血陽氣反微中風汗出而反躁煩濇則無血厥而且寒陽微則不可下下之則心下痞鞕。

動氣在右不可下下之則津液内竭咽燥鼻乾頭眩心悸也。

動氣在左不可下下之則腹内拘急食不下動氣更劇雖有身熱臥則欲踡。

動氣在上不可下下之則掌握熱煩身上浮冷熱汗自泄欲得水自灌。

動氣在下不可下下之則腹脹滿卒起頭眩食則清穀心下痞也。

咽中閉塞不可下下之則上輕下重水漿不下臥則欲踡身急痛下利日數十行。

諸外實者不可下下之則發微熱亡脉厥者當齊握熱。

諸虛者不可下下之則大渴求水者易愈惡水者劇。

脉濡而弱弱反在關濡反在巔弦反在上微反在下弦為陽運微為陰寒上實下虛意欲得溫微弦為虛虛者不可下也微則為欬欬則吐涎下之則欬止而利因不休利不休則胷中如蟲齧粥入則

出小便不利兩脅拘急喘息為難頸背相引臂則不仁極寒反汗出身冷若氷眼睛不慧語言不休而穀氣多入此為除中（一云消中）口雖欲言舌不得前

脉濡而弱弱反在關濡反在巔浮反在上數反在下浮為陽虛數為無血浮為虛數生熱浮為虛自汗出而惡寒數為痛振而寒慄微弱在關胷下為急喘汗而不得呼吸呼吸之中痛在於脅振寒相搏形如瘧狀醫反下之故令脉數發熱狂走見鬼心下為痞小便淋瀝少腹甚鞕小便則尿血也

脉濡而緊濡則衛氣微緊則榮中寒陽微衛中風發熱而惡寒榮緊胃氣冷微嘔心內煩醫謂有大熱解肌而發汗亡陽虛煩躁心下苦痞堅表裏俱虛竭卒起而頭眩客熱在皮膚悵怏不得眠不知胃氣冷緊寒在關元技巧無所施汲水灌其身客熱應時罷慄慄而振寒重被而覆之汗出而冒巔體惕而又振小便為微難寒氣因水發清穀不容間嘔變反腸出顛倒不得安手足為微逆身冷而內煩遲欲從後救安可復追還

脉浮而大浮為氣實大為血虛血虛為無陰孤陽獨下陰部者小便當赤而難胞中當虛今反小便利而大汗出法應衛家當微今反更實津液四射榮竭血盡乾煩而不眠血薄肉消而成暴（一云黑）液醫復以毒藥攻其胃此為重虛客陽去有期必下如汗泥而死

脉浮而緊浮則為風緊則為寒風則傷衛寒則傷榮榮衛俱病骨節煩疼當發其汗而不可下也

趺陽脉遲而緩胃氣如經也趺陽脉浮而數浮則傷胃數則動脾此非本病醫特下之所為也榮衛內陷其數先微脉反但浮其人必大便鞕氣噫而除何以言之本以數脉動脾其數先微故知脾氣不治大便鞕氣噫而除今脉反浮其數改微邪氣獨留心中則飢邪熱不殺穀潮熱發渴數脉當遲緩脉因前後度數如法病者則飢數脉不時則生惡瘡也

脉數者久數不止止則邪結正氣不能復正氣却結於藏故邪氣浮之與皮毛相得脉數者不可下下之必煩利不止

少陰病脉微不可發汗亡陽故也陽已虛尺中弱濇者復不可下之

脉浮大應發汗醫反下之此為大逆也

脉浮而大心下反鞕有熱屬藏者攻之不令發汗屬府者不令溲數溲數則大便鞕汗多則熱愈汗少則便難脉遲尚未可攻

二陽併病太陽初得病時而發其汗汗先出不徹因轉屬陽明續自微汗出不惡寒若太陽證不罷者不可下下之為逆

結胷證脉浮大者不可下下之即死

太陽與陽明合病喘而胷滿者不可下

太陽與少陽合病者心下鞕頸項强而眩者不可下

諸四逆厥者不可下之虚家亦然

病欲吐者不可下

太陽病有外證未解不可下下之為逆

病發於陽而反下之熱入因作結胷病發於陰而反下之因作痞

病脉浮而緊而復下之緊反入裏則作痞

夫病陽多者熱下之則鞕

本虚攻其熱必噦

無陽陰强大便鞕者下之必清穀腹滿

太陰之為病腹滿而吐食不下自利益甚時腹自痛下之必胷下結鞕

厥陰之為病消渴氣上撞心心中疼熱飢而不欲食食則吐蚘下之利不止

少陰病飲食入口則吐心中温温欲吐復不能吐始得之手足寒脉弦遲者此胷中實不可下也

傷寒五六日不結胷腹濡脉虚復厥者不可下此亡血下之死

傷寒發熱頭痛微汗出發汗則不識人熏之則喘不得小便心腹滿下之則短氣小便難頭痛背强加温針則衄

傷寒脉陰陽俱緊惡寒發熱則脉欲厥厥者脉初来大漸漸小更来漸大是其候也如此者惡寒甚者翕翕汗出喉中痛若熱多者目赤脉多睛不慧醫復發之咽中則傷若復下之則兩目閉寒多便清穀熱多便膿血若熏之則身發黄若熨之則咽燥若小便利者可救之若小便難者為危殆

傷寒發熱口中勃勃氣出頭痛目黄衄不可制貪水者必嘔惡水者厥若下之咽中生瘡假令手足温者必下重便膿血頭痛目黄者若下之則目閉貪水者若下之其脉必厥其聲嚶咽喉塞若發汗

則戰慄陰陽俱虛惡水者若下之則裏冷不嗜食大便完穀出若發汗則口中傷舌上白胎煩躁脈數實不大便六七日後必便血若發汗則小便自利也

得病二三日脈弱無太陽柴胡證煩躁心下痞至四日雖能食以承氣湯少少與微和之令小安至六日與承氣湯一升若不大便六七日小便少雖不大便但頭鞕後必溏未定成鞕攻之必溏須小便利屎定鞕乃可攻之

藏結無陽證不往來寒熱其人反靜舌上胎滑者不可攻也

傷寒嘔多雖有陽明證不可攻之

陽明病潮熱大便微鞕者可與大承氣湯不鞕者不可與之若不大便六七日恐有燥屎欲知之法少與小承氣湯湯入腹中轉失氣者此有燥屎也乃可攻之若不轉失氣者此但初頭鞕後必溏不可攻之攻之必脹滿不能食也欲飲水者與水則噦其後發熱者大便必復鞕而少也宜小承氣湯和之不轉失氣者慎不可攻也大承氣湯方一

大黃四兩 厚朴炙八兩 枳實炙五枚 芒消三合

右四味以水一斗先煑二味取五升下大黃煑取二升去滓下芒消再煑一二沸分二服利則止後服

小承氣湯方

大黃酒洗四兩 厚朴去皮炙二兩 枳實炙三枚

右三味以水四升煑取一升二合去滓分溫再服

傷寒中風醫反下之其人下利日數十行穀不化腹中雷鳴心下痞鞕而滿乾嘔心煩不得安醫見心下痞謂病不盡復下之其痞益甚此非結熱但以胃中虛客氣上逆故使鞕也屬甘草瀉心湯方二

甘草炙四兩 黃芩三兩 乾薑三兩

大棗擘十二枚 半夏洗半升 黃連一兩

右六味以水一斗煑取六升去滓再煎取三升溫服一升日三服第四卷中有人參見

下利脈大者虛也以強下之故也設脈浮革因爾腸鳴者屬當歸四逆湯方三

當歸三兩 桂枝去皮三兩 細辛三兩

甘草炙二兩 通草二兩 芍藥三兩

大棗二十五枚擘

右七味以水八升煑取三升去滓温服一升半日三服

陽明病身合色赤不可攻之必發熱色黃者小便不利也

陽明病心下鞕滿者不可攻之攻之利遂不止者死利止者愈

陽明病自汗出若發汗小便自利者此為津液內竭雖鞕不可攻之須自欲大便宜蜜煎導而通之若土瓜根及猪膽汁皆可為導方四

食蜜七合

右一味於銅器內微火煎當須凝如飴狀攪之勿令焦著欲可丸併手捻作挺令頭銳大如指長二寸許當熱時急作冷則鞕以內穀道中以手急抱欲大便時乃去之疑非仲景意已試甚良又大猪膽一枚瀉汁和少許法醋以灌穀道內如一食頃當大便出宿食惡物甚效

辨可下病脉證并治第二十一（合四十四法 方一十一首）

陽明病汗多者急下之宜大柴胡湯第一（加大黃八味一法用小承氣湯前別有二法）

少陰病得之二三日口燥咽乾者急下之宜大承氣湯第二（四味）

少陰病六七日腹滿不大便者急下之宜大承氣湯第三（用前第二方）

少陰病下利清水心下痛口乾者可下之宜大柴胡大承氣湯第四（大柴胡湯用前第一方 大承氣湯用前第二方）

下利三部脉平心下鞕者急下之宜大承氣湯第五（用前第二方）

下利脉遲滑者內實也利未止當下之宜大承氣湯第六（用前第二方）

陽明少陽合病下利脉不負者順也脉滑數者有宿食當下之宜大承氣湯第七（用前第二方）

寸脉浮大反濇尺中微而濇故知有宿食當下之宜大承氣湯第八（用前第二方）

下利不欲食者以有宿食當下之宜大承氣湯第九（用前第二方）

下利差至其年月日時復發者以病不盡當下之宜大承氣湯第十（用前第二方）

病腹中滿痛此為實當下之宜大承氣大柴胡湯第十一（大承氣用前第二方 大柴胡用前第一方）

下利脉反滑當有所去下乃愈宜大承氣湯第十二用前第二方

腹滿不減減不足言當下之宜大柴胡大承氣湯第十三大柴胡用前第一方大承氣用前第二方

傷寒後脉沈沈者内實也下之解宜大柴胡湯第十四用前第一方

傷寒六七日目中不了了睛不和無表裏證大便難身微熱者實也急下之宜大承氣大柴胡湯第十五大柴胡用前第一方大承氣用前第二方

太陽病未解脉陰陽俱停先振慄汗出而解陰脉微者下之解宜大柴胡湯第十六用前第一方一法用調胃承氣湯

脉雙弦而遲者心下鞕脉大而緊者陽中有陰也可下之宜大承氣湯第十七用前第二方

結胷者項亦强如柔痓狀下之和第十八結胷門用大陷胷丸

病人無表裏證發熱七八日雖脉浮數者可下之宜大柴胡湯第十九用前第一方

太陽病表證仍在脉微而沈不結胷發狂少腹滿小便利下血愈宜下之以抵當湯第二十四味

太陽病身黄脉沈結少腹鞕小便自利其人如狂血證諦屬抵當湯證第二十一用前第二十方

傷寒有熱少腹滿應小便不利今反利為有血當下之宜抵當丸第二十二四味

陽明病但頭汗出小便不利身必發黄宜下之茵蔯蒿湯第二十三三味

陽明證其人喜忘必有畜血大便色黑宜抵當湯下之第二十四用前第二十方

汗出讝語以有燥屎過經可下之宜大柴胡大承氣湯第二十五大柴胡用前第一方大承氣用前第二方

病人煩熱汗出如瘧狀日晡發熱脉實者可下之宜大柴胡大承氣湯第二十六大柴胡用前第一方大承氣用前第二方

陽明病讝語潮熱不能食胃中有燥屎若能食但鞕耳屬大承氣湯證第二十七用前第二方

下利讝語者有燥屎也屬小承氣湯第二十八三味

得病二三日脉弱無太陽柴胡證煩躁心下痞小便利屎定鞕宜大承氣湯第二十九用前第二方一云大柴胡湯

太陽中風下利嘔逆表解乃可攻之屬十棗湯
第三十。二味
太陽病不解熱結膀胱其人如狂宜桃核承氣
湯第三十一。五味
傷寒七八日身黃如橘子色小便不利腹微滿
者屬茵蔯蒿湯證第三十二。用前第二十三方
傷寒發熱汗出不解心中痞鞕嘔吐下利者屬
大柴胡湯證第三十三。用前第一方
傷寒十餘日熱結在裏往來寒熱者屬大柴胡
湯證第三十四。用前第一方

但結胷無大熱水結在胷脅也頭微汗出者屬
大陷胷湯第三十五。三味
傷寒六七日結胷熱實脉沈緊心下痛者屬大
陷胷湯證第三十六。用前第三十五方
陽明病多汗津液外出胃中燥大便必鞕譫語
屬小承氣湯證第三十七。用前第二十八方
陽明病不吐下心煩者屬調胃承氣湯第三十
八。三味
陽明病脉遲雖汗出不惡寒身必重腹滿而喘
有潮熱大便鞕大承氣湯主之若汗出多微發

熱惡寒桂枝湯主之熱不潮腹大滿不通與小
承氣湯三十九。大承氣湯用前第二方小承氣湯用前第二十八方桂枝湯五
味。
陽明病潮熱大便微鞕與大承氣湯若不大便
六七日恐有燥屎與小承氣湯若不轉氣不可
攻之後發熱大便復鞕者宜以小承氣湯和之
第四十。並用前方
陽明病譫語潮熱脉滑疾者屬小承氣湯證第
四十一。用前第二十八方
二陽併病太陽證罷但發潮熱汗出大便難譫

語者下之愈宜大承氣湯第四十二。用前第二方
病人小便不利大便乍難乍易微熱喘冒者屬
大承氣湯證第四十三。用前第二方
大下六七日不大便煩不解腹滿痛者屬大承
氣湯證第四十四。用前第二方
大法秋宜下。
凡可下者用湯勝丸散中病便止不必盡劑也。
陽明病發熱汗多者急下之宜大柴胡湯方一。法一用小承氣湯
柴胡八兩　枳實四枚，炙　生薑五兩

黄芩三兩　芍藥三兩　大棗十二枚擘
半夏半升洗
右七味。以水一斗二升。煮取六升。去滓更煎取三升。温服一升。日三服。一方云加大黄二兩。若不加。恐不成大柴胡湯

少陰病。得之二三日。口燥咽乾者。急下之。宜大承氣湯。方二。

大黄四兩酒洗　厚朴半斤炙去皮　枳實五枚炙
芒消三合

右四味。以水一斗。先煮二物。取五升。内大黄。更煮取二升。去滓。内芒消。更上微火一兩沸。分温再服。得下。餘勿服。

少陰病六七日。腹滿不大便者。急下之。宜大承氣湯。三。用前第二方

少陰病。下利清水。色純青。心下必痛。口乾燥者。可下之。宜大柴胡大承氣湯。四。用前第二方

下利。三部脉皆平。按之心下鞕者。急下之。宜大承氣湯。五。用前第二方

下利。脉遲而滑者。内實也。利未欲止。當下之。宜大承氣湯。六。用前第二方

陽明少陽合病。必下利。其脉不負者。為順也。負者。失也。互相剋賊。名為負也。脉滑而數者。有宿食。當下之。宜大承氣湯。七。用前第二方

問曰。人病有宿食。何以別之。師曰。寸口脉浮而大。按之反濇。尺中亦微而濇。故知有宿食。當下之。宜大承氣湯。八。用前第二方

下利。不欲食者。以有宿食故也。當下之。宜大承氣湯。九。用前第二方

下利差。至其年月日時復發者。以病不盡故也。當下之。宜大承氣湯。十。用前第二方

病腹中滿痛者。此為實也。當下之。宜大承氣大柴胡湯。十一。用前第一第二方

下利。脉反滑。當有所去。下乃愈。宜大承氣湯。十二。用前第二方

腹滿不減。減不足言。當下之。宜大柴胡大承氣湯。十三。用前第一第二方

傷寒後脉沈。沈者。内實也。下之解。宜大柴胡湯。十四。用前第一方

傷寒六七日。目中不了了。睛不和。無表裏證。大便難。身微熱者。此為實也。急下之。宜大承氣大柴胡

湯十五。用前第一第二方

太陽病未解。脉陰陽俱停。一作微必先振慄汗出而解。但陰脉微一作尺脉實者。下之而解。宜大柴胡湯。十六。用前第一方。一法用調胃承氣湯。

脉雙弦而遲者。必心下鞕。脉大而緊者。陽中有陰也。可下之。宜大承氣湯。十七。用前第二方

結胷者。項亦強。如柔痓狀。下之則和。十八。結胷門用大陷胷丸。

病人無表裏證。發熱七八日。雖脉浮數者。可下之。宜大柴胡湯。十九。用前第一方

太陽病六七日。表證仍在。脉微而沉。反不結胷。其人發狂者。以熱在下焦。少腹當鞕滿。而小便自利者。下血乃愈。所以然者。以太陽隨經。瘀熱在裏故也。宜下之。以抵當湯。方二十。

水蛭三十枚熬　桃仁二十枚去皮尖　䖟蟲三十枚去翅足熬

大黃三兩去皮破六片

右四味。以水五升。煑取三升。去滓。溫服一升。不下者。更服。

太陽病。身黃。脉沉結。少腹鞕滿。小便不利者。為無血也。小便自利。其人如狂者。血證諦。屬抵當湯證。二十一。用前第二十方

傷寒有熱。少腹滿。應小便不利。今反利者。為有血也。當下之。宜抵當丸。方二十二。

大黃三兩　桃仁二十五箇去皮尖　䖟蟲去翅足熬

水蛭各二十箇熬

右四味。擣篩。為四丸。以水一升。煑一丸。取七合服之。晬時當下血。若不下者。更服。

陽明病。發熱汗出者。此為熱越。不能發黃也。但頭汗出。身無汗。劑頸而還。小便不利。渴引水漿者。以瘀熱在裏。身必發黃。宜下之。以茵蔯蒿湯。方二十三。

茵蔯蒿六兩　梔子十四箇擘　大黃二兩破

右三味。以水一斗二升。先煑茵蔯減六升。內二味。煑取三升。去滓。分溫三服。小便當利。尿如皂莢汁狀。色正赤。一宿腹減。黃從小便去也。

陽明證。其人喜忘者。必有畜血。所以然者。本有久瘀血。故令喜忘。屎雖鞕。大便反易。其色必黑。宜抵當湯下之。二十四。用前第二十方

汗一作卧出讝語者。以有燥屎在胃中。此為風也。須下者。過經乃可下之。下之若早者。語言必亂。以表

虛裏實故也。下之愈。宜大柴胡大承氣湯。二十五。用前第一第二方

病人煩熱。汗出則解。又如瘧狀。日晡所發熱者。屬陽明也。脉實者。可下之。宜大柴胡大承氣湯。二十六。用前第一第二方

陽明病。譫語有潮熱。反不能食者。胃中有燥屎五六枚也。若能食者。但鞕耳。屬大承氣湯證。二十七。用前第二方

下利譫語者。有燥屎也。屬小承氣湯。方二十八。

大黃四兩　厚朴二兩炙去皮　枳實三枚炙

右三味。以水四升。煑取一升二合。去滓。分溫再服。若更衣者。勿服之。

得病二三日。脉弱。無太陽柴胡證。煩躁。心下痞。至四五日。雖能食。以承氣湯少少與。微和之。令小安。至六日。與承氣湯一升。若不大便六七日。小便少者。雖不大便。但初頭鞕。後必溏。此未定成鞕也。攻之必溏。須小便利。屎定鞕。乃可攻之。宜大承氣湯。二十九。用前第二方。一云大柴胡湯。

太陽病中風。下利嘔逆。表解者。乃可攻之。其人漐漐汗出。發作有時。頭痛。心下痞鞕滿。引脅下痛。乾嘔則短氣。汗出不惡寒者。此表解裏未和也。屬十棗湯。方三十。

芫花熬赤　甘遂　大戟各等分

右三味。各異擣篩。秤已。合治之。以水一升半。煑大肥棗十枚。取八合。去棗。內藥末。强人服重一錢匕。羸人半錢。溫服之。平旦服。若下少。病不除者。明日更服。加半錢。得快下利後。糜粥自養。

太陽病不解。熱結膀胱。其人如狂。血自下。下者愈。其外未解者。尚未可攻。當先解其外。外解已。但少腹急結者。乃可攻之。宜桃核承氣湯。方三十一。

桃仁五十枚去皮尖　大黃四兩　甘草二兩炙

芒消二兩　桂枝二兩去皮

右五味。以水七升。煑四物。取二升半。去滓。內芒消。更上火煎微沸。先食溫服五合。日三服。當微利。

傷寒七八日。身黃如橘子色。小便不利。腹微滿者。屬茵蔯蒿湯證。三十二。用前第二十三方

傷寒發熱。汗出不解。心中痞鞕。嘔吐而下利者。屬大柴胡湯證。三十三。用前第一方

傷寒十餘日。熱結在裏。復往來寒熱者。屬大柴胡

湯證三十四。用前第一方

但結胸無大熱者，以水結在胸脅也，但頭微汗出者，屬大陷胸湯方三十五。

大黃六兩　芒消一升　甘遂末一錢七

右三味，以水六升，先煮大黃，取二升，去滓，內芒消，更煮一二沸，內甘遂末，溫服一升。

傷寒六七日，結胸熱實，脈沉而緊，心下痛，按之石鞕者，屬大陷胸湯證三十六。用前第三十五方

陽明病，其人多汗，以津液外出，胃中燥，大便必鞕，鞕則讝語，屬小承氣湯證三十七。用前第二十八方

陽明病，不吐，不下，心煩者，屬調胃承氣湯方三十八。

大黃四兩酒洗　甘草二兩炙　芒消半升

右三味，以水三升，煮取一升，去滓，內芒消，更上火微煮令沸，溫頓服之。

陽明病，脈遲，雖汗出，不惡寒者，其身必重，短氣，腹滿而喘，有潮熱者，此外欲解，可攻裏也。手足濈然汗出者，此大便已鞕也，大承氣湯主之。若汗出多，微發熱惡寒者，外未解也，桂枝湯主之。其熱不潮，未可與承氣湯。若腹大滿不通者，與小承氣湯微和胃氣，勿令至大泄下。三十九。大承氣湯用前第二方，小承氣用前第二十八方。

桂枝湯方

桂枝去皮　芍藥　生薑各三兩切　甘草二兩炙　大棗十二枚擘

右五味，以水七升，煮取三升，去滓，溫服一升。服湯後，飲熱稀粥一升餘，以助藥力，取微似汗。

陽明病，潮熱，大便微鞕者，可與大承氣湯。不鞕者，不可與之。若不大便六七日，恐有燥屎，欲知之法，少與小承氣湯，湯入腹中，轉失氣者，此有燥屎也，乃可攻之。若不轉失氣者，此但初頭鞕，後必溏，不可攻之，攻之必脹滿不能食也。欲飲水者，與水則噦。其後發熱者，大便必復鞕而少也，宜以小承氣湯和之。不轉失氣者，慎不可攻也。四十。並用前方

陽明病，讝語，發潮熱，脈滑而疾者，小承氣湯主之。因與承氣湯一升，腹中轉氣者，更服一升；若不轉氣者，勿更與之。明日又不大便，脈反微濇者，裏虛也，為難治，不可更與承氣湯。四十一。用前第二十八方

二陽併病，太陽證罷，但發潮熱，手足漐漐汗出，大便難而讝語者，下之則愈，宜大承氣湯。四十二。用前

第二方

病人小便不利，大便乍難乍易，時有微熱，喘冒不能臥者，有燥屎也，屬大承氣湯證四十三。（用前第二方）

大下後，六七日不大便，煩不解，腹滿痛者，此有燥屎也。所以然者，本有宿食故也，屬大承氣湯證四十四。（用前第二方）

傷寒論卷第九

世讓堂翻宋板

# 傷寒論卷第十

仲景全書第十

漢　張仲景述

晉　王叔和撰次

宋　林億校正

明　趙開美校刻

沈琳仝校

## 辨發汗吐下後病脉證并治第二十二（合四十八法，方三十九首）

太陽病，八九日如瘧狀，熱多寒少，不嘔，清便，脉微而惡寒者，不可更發汗吐下也。以其不得小汗，身必癢，屬桂枝麻黄各半湯第一。（七味，前有二十二病證）

服桂枝湯，或下之，仍頭項强痛，發熱無汗，心下滿痛，小便不利，屬桂枝去桂加茯苓白术湯第二。（六味）

太陽病，發汗不解，而下之，脉浮者，為在外，宜桂枝湯第三。（五味）

下之後，復發汗，晝日煩躁，夜安静，不嘔不渴，無表證，脉沈微者，屬乾薑附子湯第四。（二味）

傷寒若吐下後，心下逆滿，氣上衝胷，起則頭眩，脉沈緊，發汗則身為振摇者，屬茯苓桂枝白术

甘草湯第五。四味
發汗若下之。病不解。煩躁者。屬茯苓四逆湯第
六。五味
發汗吐下後。虛煩不眠。若劇者。反覆顛倒。心中
懊憹。屬梔子豉湯。少氣者。梔子甘草豉湯。嘔者。
梔子生薑豉湯第七。梔子豉湯二味。梔子甘草豉湯。梔子生薑豉湯並三
味
發汗下之。而煩熱。胸中窒者。屬梔子豉湯。證第
八。用上初方
太陽病。過經十餘日。心下欲吐。胸中痛。大便溏。
腹滿微煩。先此時極吐下者。與調胃承氣湯第
九。三味
太陽病。重發汗。復下之。不大便五六日。舌上燥
而渴。日晡潮熱。心腹鞕滿。痛不可近者。屬大陷
胸湯第十。三味
傷寒五六日。發汗。復下之。胸脅滿。微結。小便不
利。渴而不嘔。頭汗出。寒熱。心煩者。屬柴胡桂枝
乾薑湯第十一。七味
傷寒。發汗吐下解後。心下痞鞕。噫氣不除者。屬
旋復代赭湯第十二。七味

傷寒下之。復發汗。心下痞。惡寒。表未解也。表解
乃可攻痞。解表宜桂枝湯。攻痞宜大黃黃連瀉
心湯第十三。桂枝湯用前第三方。大黃瀉心湯二味。
傷寒吐下後。七八日不解。熱結在裏。表裏俱熱。
惡風。大渴。舌上燥而煩。欲飲水數升者。屬白虎
加人參湯第十四。五味
傷寒吐下後。不解。不大便。至十餘日。日晡發潮
熱。不惡寒。如見鬼狀。劇者不識人。循衣摸床。惕
而不安。微喘直視。發熱譫語者。屬大承氣湯第
十五。四味
三陽合病。腹滿身重。口不仁。面垢。譫語遺尿。發
汗則譫語。下之則額上汗。手足逆冷。自汗出者。
屬白虎湯第十六。四味
陽明病。脈浮緊。咽燥口苦。腹滿而喘。發熱汗出。
反惡熱。身重。若發汗則譫語。加溫針必怵惕煩
躁不眠。若下之則心中懊憹。舌上胎者。屬梔子
豉湯證第十七。用前第七方
陽明病。下之。心中懊憹而煩。胃中有燥屎。可攻。
宜大承氣湯第十八。用前第十五方
太陽病。吐下發汗後。微煩。小便數。大便鞕者。與

小承氣湯和之。第十九。三味
大汗大下而厥者。屬四逆湯。第二十。三味
太陽病。下之氣上衝者。與桂枝湯。第二十一。用前第三方
太陽病。下之後。脉促。胷滿者。屬桂枝去芍藥湯。第二十二。四味
若微寒者。屬桂枝去芍藥加附子湯。第二十三。五味
太陽桂枝證。反下之。利不止。脉促。喘而汗出者。屬葛根黄芩黄連湯。第二十四。四味

太陽病。下之。微喘者。表未解也。屬桂枝加厚朴杏子湯。第二十五。七味
傷寒不大便六七日。頭痛。有熱者。與承氣湯。小便清者。一云大便青。知不在裏。當發汗。宜桂枝湯。第二十六。用前第三方
傷寒五六日。下之後。身熱不去。心中結痛者。屬梔子豉湯。證第二十七。用前第七方
傷寒。下後。心煩腹滿。卧起不安。屬梔子厚朴湯。第二十八。三味
傷寒以丸藥下之。身熱不去。微煩者。屬梔子乾薑湯。第二十九。二味
傷寒下之。續得下利不止。身疼痛。急當救裏。後身疼痛。清便自調者。急當救表。救裏宜四逆湯。救表宜桂枝湯。第三十。並用前方
太陽病。過經十餘日。二三下之。柴胡證仍在。與小柴胡。嘔止小安。鬱鬱微煩者。可與大柴胡湯。第三十一。八味
傷寒十三日不解。胷脇滿而嘔。日晡發潮熱。微利。潮熱者。實也。先服小柴胡湯以解外。後以柴胡加芒消湯主之。第三十二。八味

傷寒十三日。過經。讝語。有熱也。若小便利。當大便鞕。而反利者。知以丸藥下之也。脉和者。內實也。屬調胃承氣湯。證第三十三。用前第九方
傷寒八九日。下之。胷滿煩驚。小便不利。讝語。身重不可轉側者。屬柴胡加龍骨牡蠣湯。第三十四。十二味
火逆下之。因燒針煩躁者。屬桂枝甘草龍骨牡蠣湯。第三十五。四味
太陽病。脉浮而動數。頭痛發熱。盜汗。惡寒。反下之。膈內拒痛。短氣躁煩。心中懊憹。心下因鞕。則

為結胸屬大陷胸湯證第三十六。用前第二方

傷寒五六日嘔而發熱者小柴胡湯證具以他藥下之柴胡證仍在者復與柴胡湯必蒸蒸而振却發熱汗出而解若心滿而鞕痛者此為結胸大陷胸湯主之但滿而不痛者為痞屬半夏瀉心湯第三十七。七味

本以下之故心下痞其人渴而口燥煩小便不利者屬五苓散第三十八。五味

傷寒中風下之其人下利日數十行腹中雷鳴心下痞鞕乾嘔心煩復下之其痞益甚屬甘草瀉心湯第三十九。六味

傷寒服藥下利不止心下痞鞕復下之利不止與理中利益甚屬赤石脂禹餘粮湯第四十。二味

太陽病外證未除數下之遂協熱而利利不止心下痞鞕表裏不解屬桂枝人參湯第四十一。五味

下後不可更行桂枝湯汗出而喘無大熱者屬麻黃杏子甘草石膏湯第四十二。四味

陽明病下之外有熱手足溫心中懊憹飢不能食但頭汗出屬梔子豉湯證第四十三。用前第七方

傷寒吐後腹脹滿者屬調胃承氣湯證第四十四。用前第九方

病人無表裏證發熱七八日脉雖浮數可下之假令已下脉數不解不大便者有瘀血屬抵當湯第四十五。四味

本太陽病反下之腹滿痛屬太陰也屬桂枝加芍藥湯第四十六。五味

傷寒六七日大下寸脉沈而遲手足厥下部脉不至喉咽不利唾膿血者屬麻黃升麻湯第四十七。十四味

傷寒本自寒下復吐下之食入口即吐屬乾薑黃芩黃連人參湯第四十八。四味

師曰病人脉微而濇者此為醫所病也大發其汗又數大下之其人亡血病當惡寒後乃發熱無休止時夏月盛熱欲著複衣冬月盛寒欲裸其身所以然者陽微則惡寒陰弱則發熱此醫發其汗使陽氣微又大下之令陰氣弱五月之時陽氣在表胃中虛冷以陽氣內微不能勝冷故欲著複衣十一月之時陽氣在裏胃中煩熱以陰氣內弱不能勝熱故欲裸其身又陰脉遲濇故知亡血也。

寸口脉浮大而醫反下之此為大逆浮則無血大則為寒寒氣相搏則為腸鳴醫乃不知而反飲冷水令汗大出水得寒氣冷必相搏其人則䭇

太陽病三日已發汗若吐若下若溫針仍不解者此為壞病桂枝不中與之也觀其脉證知犯何逆隨證治之。

脉浮數者法當汗出而愈若下之身重心悸者不可發汗當自汗出乃解所以然者尺中脉微此裏虛須表裏實津液和便自汗出愈

凡病若發汗若吐若下若亡血無津液陰陽脉自和者必自愈。

大下之後復發汗小便不利者亡津液故也勿治之得小便利必自愈。

下之後復發汗必振寒脉微細所以然者以內外俱虛故也。

本發汗而復下之此為逆也若先發汗治不為逆本先下之而反汗之為逆若先下之治不為逆。

太陽病先下而不愈因復發汗以此表裏俱虛其人因致冒冒家汗出自愈所以然者汗出表和故也得表和然後復下之。

得病六七日脉遲浮弱惡風寒手足溫醫二三下之不能食而脅下滿痛面目及身黃頸項強小便難者與柴胡湯後必下重本渴飲水而嘔者柴胡不中與也食穀者噦。

太陽病二三日不能臥但欲起心下必結脉微弱者此本有寒分也反下之若利止必作結胸未止者四日復下之此作協熱利也。

太陽病下之其脉促（一作縱）不結胸者此為欲解也脉浮者必結胸脉緊者必咽痛脉弦者必兩脅拘急脉細數者頭痛未止脉沈緊者必欲嘔脉沈滑者協熱利脉浮滑者必下血。

太陽少陽併病而反下之成結胸心下鞕下利不止水漿不下其人心煩。

脉浮而緊而復下之緊反入裏則作痞按之自濡但氣痞耳。

傷寒吐下發汗後虛煩脉甚微八九日心下痞鞕脅下痛氣上衝咽喉眩冒經脉動惕者久而成痿。

陽明病能食下之不解者其人不能食若攻其熱必噦所以然者胃中虛冷故也以其人本虛攻其熱必噦。

陽明病，脈遲，食難用飽，飽則發煩，頭眩，必小便難，此欲作穀疸。雖下之，腹滿如故。所以然者，脈遲故也。

夫病陽多者熱，下之則鞕；汗多，極發其汗，亦鞕。

太陽病，寸緩關浮尺弱，其人發熱汗出，復惡寒，不嘔，但心下痞者，此以醫下之也。

太陰之為病，腹滿而吐，食不下，自利益甚，時腹自痛。若下之，必胸下結鞕。

傷寒大吐大下之，極虛，復極汗者，其人外氣怫鬱，復與之水，以發其汗，因得噦。所以然者，胃中寒冷故也。

吐利發汗後，脈平，小煩者，以新虛不勝穀氣故也。

太陽病，醫發汗，遂發熱惡寒，因復下之，心下痞，表裏俱虛，陰陽氣並竭，無陽則陰獨，復加燒針，因胸煩，面色青黃，膚瞤者，難治；今色微黃，手足溫者，易愈。

太陽病，得之八九日，如瘧狀，發熱惡寒，熱多寒少，其人不嘔，清便欲自可，一日二三度發，脈微緩者，為欲愈也；脈微而惡寒者，此陰陽俱虛，不可更發汗、更下、更吐也；面色反有熱色者，未欲解也，以其不能得小汗出，身必癢，屬桂枝麻黃各半湯。方一。

桂枝一兩十六銖　芍藥一兩　生薑一兩，切
甘草一兩，炙　麻黃一兩，去節　大棗四枚，擘
杏仁二十四箇，湯浸，去皮尖及兩人者

右七味，以水五升，先煮麻黃一二沸，去上沫，內諸藥，煮取一升八合，去滓，溫服六合。本云桂枝湯三合，麻黃湯三合，併為六合，頓服。

服桂枝湯，或下之，仍頭項強痛，翕翕發熱，無汗，心下滿微痛，小便不利者，屬桂枝去桂加茯苓白朮湯。方二。

芍藥三兩　甘草二兩，炙　生薑三兩，切
白朮三兩　茯苓三兩　大棗十二枚，擘

右六味，以水八升，煮取三升，去滓，溫服一升，小便利則愈。本云桂枝湯，今去桂枝，加茯苓白朮。

太陽病，先發汗不解，而下之，脈浮者不愈。浮為在外，而反下之，故令不愈。今脈浮，故在外，當須解外則愈，宜桂枝湯。方三。

桂枝三兩，去皮　芍藥三兩　生薑三兩，切
甘草二兩，炙　大棗十二枚，擘

右五味，以水七升，煮取三升，去滓，溫服一升。須

臾啜熱稀粥一升以助藥力取汗。

下之後復發汗晝日煩躁不得眠夜而安靜不嘔不渴無表證脉沈微身無大熱者屬乾薑附子湯方四。

乾薑一兩　附子一枚生用去皮破八片

右二味以水三升煑取一升去滓頓服。

傷寒若吐若下後心下逆滿氣上衝胷起則頭眩脉沈緊發汗則動經身為振振搖者屬茯苓桂枝白朮甘草湯方五。

茯苓四兩　桂枝三兩去皮　白朮二兩　甘草二兩炙

右四味以水六升煑取三升去滓分温三服。

發汗若下之後病仍不解煩躁者屬茯苓四逆湯方六。

茯苓四兩　人參一兩　附子一枚生用去皮破八片

甘草二兩炙　乾薑一兩半

右五味以水五升煑取二升去滓温服七合日三服。

發汗吐下後虛煩不得眠若劇者必反覆顛倒心中懊憹屬梔子豉湯若少氣者梔子甘草豉湯若嘔者梔子生薑豉湯七。

肥梔子十四枚擘　香豉四合綿裹

右二味以水四升先煑梔子得二升半內豉煑取一升半去滓分為二服温進一服得吐者止後服。

梔子甘草豉湯方

肥梔子十四箇擘　甘草二兩炙　香豉四合綿裹

右三味以水四升先煑二味取二升半內豉煑取一升半去滓分二服温進一服得吐者止後服。

梔子生薑豉湯方

肥梔子十四箇擘　生薑五兩切　香豉四合綿裹

右三味以水四升先煑二味取二升半內豉煑取一升半去滓分二服温進一服得吐者止後服。

發汗若下之而煩熱胷中窒者屬梔子豉湯證八。用前初方。

太陽病過經十餘日心下温温欲吐而胷中痛大便反溏腹微滿鬱鬱微煩先此時極吐下者與調胃承氣湯若不爾者不可與但欲嘔胷中痛微溏者此非柴胡湯證以嘔故知極吐下也調胃承氣

湯方九。

大黃四兩酒洗　甘草二兩炙　芒消半升

右三味，以水三升，煮取一升，去滓，內芒消，更上火令沸，頓服之。

太陽病，重發汗而復下之，不大便五六日，舌上燥而渴，日晡所小有潮熱，一云日晡所發心胸大煩。從心下至少腹鞕滿而痛不可近者，屬大陷胸湯方十。

大黃六兩去皮酒洗　芒消一升　甘遂末一錢匕

右三味，以水六升，煮大黃取二升，去滓，內芒消，煮兩沸，內甘遂末，溫服一升，得快利，止後服。

傷寒五六日，已發汗而復下之，胸脅滿微結，小便不利，渴而不嘔，但頭汗出，往來寒熱，心煩者，此為未解也，屬柴胡桂枝乾薑湯方十一。

柴胡半斤　桂枝三兩去皮　乾薑二兩　栝樓根四兩　黃芩三兩　甘草二兩炙　牡蠣二兩熬

右七味，以水一斗二升，煮取六升，去滓，再煎取三升，溫服一升，日三服。初服微煩，後汗出便愈。

傷寒發汗，若吐若下，解後，心下痞鞕，噫氣不除者，屬旋復代赭湯方十二。

旋復花三兩　人參二兩　生薑五兩　代赭一兩　甘草三兩炙　半夏半升洗　大棗十二枚擘

右七味，以水一斗，煮取六升，去滓，再煎取三升，溫服一升，日三服。

傷寒大下之，復發汗，心下痞，惡寒者，表未解也，不可攻痞，當先解表，表解，乃攻痞。解表宜桂枝湯用前方；攻痞宜大黃黃連瀉心湯方十三。

大黃二兩酒洗　黃連一兩

右二味，以麻沸湯二升漬之，須臾，絞去滓，分溫再服。有黃芩，見第四卷中。

傷寒若吐下後，七八日不解，熱結在裏，表裏俱熱，時時惡風，大渴，舌上乾燥而煩，欲飲水數升者，屬白虎加人參湯方十四。

知母六兩　石膏一斤碎　甘草二兩炙　粳米六合　人參三兩

右五味，以水一斗，煮米熟湯成，去滓，溫服一升，日三服。

傷寒若吐若下後，不解，不大便五六日，上至十餘日，日晡所發潮熱，不惡寒，獨語如見鬼狀，若劇者，發則不識人，循衣摸牀，惕而不安。一云順衣妄撮，怵惕不安。微喘直視，脉弦者生，濇者死，微者但發熱讝語者，屬大承氣湯方十五。

大黃四兩，去皮，酒洗　厚朴半斤，炙　枳實五枚，炙

芒消三合

右四味，以水一斗，先煑二味，取五升，內大黃，煑取二升，去滓，內芒消，更煑令一沸，分温再服，得利者，止後服。

三陽合病，腹滿身重，難以轉側，口不仁，面垢，又作枯，一云向經。讝語遺尿。發汗則讝語，下之則額上生汗，若手足逆冷，自汗出者，屬白虎湯十六。

知母六兩　石膏一斤，碎　甘草二兩，炙

粳米六合

右四味，以水一斗，煑米熟湯成，去滓，温服一升，日三服。

陽明病，脉浮而緊，咽燥口苦，腹滿而喘，發熱汗出，不惡寒，反惡熱，身重。若發汗則躁，心憒憒而反讝語；若加温鍼，必怵惕，煩躁不得眠；若下之，則胃中空虚，客氣動膈，心中懊憹，舌上胎者，屬梔子豉湯方十七。用前第七方

陽明病，下之，心中懊憹而煩，胃中有燥屎者，可攻。腹微滿，初頭鞕，後必溏，不可攻之。若有燥屎者，宜大承氣湯第十八。用前第十五方

太陽病，若吐若下若發汗後，微煩，小便數，大便因鞕者，與小承氣湯和之愈方十九。

大黃四兩，酒洗　厚朴二兩，炙　枳實三枚，炙

右三味，以水四升，煑取一升二合，去滓，分温二服。

大汗，若大下而厥冷者，屬四逆湯方二十。

甘草二兩，炙　乾薑一兩半　附子一枚，生用，去皮，破八片

右三味，以水三升，煑取一升二合，去滓，分温再服。強人可大附子一枚、乾薑四兩。

太陽病，下之後，其氣上衝者，可與桂枝湯；若不上衝者，不得與之二十一。用前第三方

太陽病，下之後，脉促胷滿者，屬桂枝去芍藥湯方二十二。促，一作縱

桂枝三兩，去皮　甘草二兩，炙　生薑三兩

大棗十二枚，擘

右四味，以水七升，煑取三升，去滓，温服一升。本

云桂枝湯今去芍藥。
若微寒者。屬桂枝去芍藥加附子湯方二十三。
桂枝三兩去皮 甘草二兩炙 生薑三兩切
大棗十二枚擘 附子一枚炮
右五味。以水七升。煮取三升。去滓。溫服一升。本云桂枝湯今去芍藥加附子。
太陽病桂枝證。醫反下之。利遂不止。脉促者。表未解也。喘而汗出者。屬葛根黃芩黃連湯方二十四。促一作縱
葛根半斤 甘草二兩炙 黃芩三兩
黃連三兩
右四味。以水八升。先煮葛根。減二升。內諸藥。煮取二升。去滓。溫分再服。
太陽病。下之微喘者。表未解故也。屬桂枝加厚朴杏子湯方二十五。
桂枝三兩去皮 芍藥三兩 生薑三兩切
甘草二兩炙 厚朴二兩炙去皮 大棗十二枚擘
杏仁五十箇去皮尖
右七味。以水七升。煮取三升。去滓。溫服一升。
傷寒不大便六七日。頭痛有熱者。與承氣湯。其小便清者一云大便青。知不在裏。仍在表也。當須發汗。若頭痛者。必衄。宜桂枝湯。二十六。用前第三方
傷寒五六日。大下之後。身熱不去。心中結痛者。未欲解也。屬梔子豉湯證二十七。用前第七方
傷寒下後。心煩腹滿。臥起不安者。屬梔子厚朴湯。方二十八。
梔子十四枚擘 厚朴四兩炙 枳實四箇水浸炙令赤
右三味。以水三升半。煮取一升半。去滓。分二服。溫進一服。得吐者。止後服。
傷寒醫以丸藥大下之。身熱不去。微煩者。屬梔子乾薑湯方二十九。
梔子十四箇擘 乾薑二兩
右二味。以水三升半。煮取一升半。去滓。分二服。一服得吐者。止後服。
凡用梔子湯。病人舊微溏者。不可與服之。
傷寒醫下之。續得下利。清穀不止。身疼痛者。急當救裏。後身疼痛。清便自調者。急當救表。救裏宜四逆湯。救表宜桂枝湯。三十。並用前方
太陽病。過經十餘日。反二三下之。後四五日。柴胡證仍在者。先與小柴胡。嘔不止。心下急。一云嘔止小安。鬱

鬱微煩者。為未解也。可與大柴胡湯。下之則愈。方三十一。

柴胡半斤　黄芩三兩　芍藥三兩

半夏半升洗　生薑五兩　枳實四枚炙

大棗十二枚擘

右七味。以水一斗二升。煮取六升。去滓再煎取三升。温服一升。日三服。一方加大黄二兩。若不加。恐不為大柴胡湯。

傷寒十三日不解。胷脅滿而嘔。日晡所發潮熱。已而微利。此本柴胡下之不得利。今反利者。知醫以丸藥下之。此非其治也。潮熱者。實也。先服小柴胡湯以解外。後以柴胡加芒消湯主之。方三十二。

柴胡二兩十六銖　黄芩一兩　人參一兩

甘草一兩炙　生薑一兩　半夏二十銖舊云五枚洗

大棗四枚擘　芒消二兩

右八味。以水四升。煮取二升。去滓。内芒消。更煮微沸。温分再服。不解更作。

傷寒十三日。過經讝語者。以有熱也。當以湯下之。若小便利者。大便當鞕。而反下利。脉調和者。知醫以丸藥下之。非其治也。若自下利者。脉當微厥。今反和者。此為内實也。屬調胃承氣湯。證三十三。用前第九方。

傷寒八九日。下之。胷滿煩驚。小便不利。讝語。一身盡重。不可轉側者。屬柴胡加龍骨牡蠣湯。方三十四。

柴胡四兩　龍骨一兩半　黄芩一兩半

生薑一兩半切　鈆丹一兩半　人參一兩半

桂枝一兩半去皮　茯苓一兩半　半夏二合半洗

大黄二兩　牡蠣一兩半熬　大棗六枚擘

右十二味。以水八升。煮取四升。内大黄。切如碁子。更煮一兩沸。去滓。温服一升。本云柴胡湯。今加龍骨等。

火逆下之。因燒針煩躁者。屬桂枝甘草龍骨牡蠣湯。方三十五。

桂枝一兩去皮　甘草二兩炙　龍骨二兩

牡蠣二兩熬

右四味。以水五升。煮取二升半。去滓。温服八合。日三服。

太陽病。脉浮而動數。浮則為風。數則為熱。動則為痛。數則為虚。頭痛發熱。微盗汗出。而反惡寒者。表未解也，醫反下之，動數變遲，膈內拒痛，一云頭痛即眩。胃中空虛，客氣動膈，短氣躁煩，心中懊憹，陽氣內陷，心下因鞕，則為結胷，屬大陷胷湯證。若不結胷，但頭汗出，餘處無汗，劑頸而還，小便不利，身必發黃。

三十六。用前第十方。

傷寒五六日，嘔而發熱者，柴胡湯證具，而以他藥下之，柴胡證仍在者，復與柴胡湯。此雖已下之，不為逆，必蒸蒸而振，却發熱汗出而解。若心下滿而鞕痛者，此為結胷也，大陷胷湯主之，用前方。但滿而不痛者，此為痞，柴胡不中與之，屬半夏瀉心湯方三十七。

半夏半升，洗　黃芩三兩　乾薑三兩
人參三兩　甘草三兩，炙　黃連一兩
大棗十二枚，擘

右七味，以水一斗，煮取六升，去滓，再煎取三升，溫服一升，日三服。

本以下之，故心下痞，與瀉心湯。痞不解，其人渴而口燥煩，小便不利者，屬五苓散方三十八。一方云：忍之一日乃愈。

猪苓十八銖，去黑皮　白朮十八銖　茯苓十八銖

澤瀉一兩六銖　桂心半兩，去皮

右五味，為散，白飲和服方寸匕，日三服。多飲煖水，汗出愈。

傷寒中風，醫反下之，其人下利日數十行，穀不化，腹中雷鳴，心下痞鞕而滿，乾嘔，心煩不得安。醫見心下痞，謂病不盡，復下之，其痞益甚。此非結熱，但以胃中虛，客氣上逆，故使鞕也，屬甘草瀉心湯方三十九。

甘草四兩，炙　黃芩三兩　乾薑三兩
半夏半升，洗　大棗十二枚，擘　黃連一兩

右六味，以水一斗，煮取六升，去滓，再煎取三升，溫服一升，日三服。有人參，見第四卷中。

傷寒服湯藥，下利不止，心下痞鞕，服瀉心湯已，復以他藥下之，利不止，醫以理中與之，利益甚。理中，理中焦，此利在下焦，屬赤石脂禹餘粮湯。復不止者，當利其小便。方四十。

赤石脂一斤，碎　太一禹餘粮一斤，碎

右二味，以水六升，煮取二升，去滓，分溫三服。

太陽病，外證未除，而數下之，遂恊熱而利，利下不止，心下痞鞕，表裏不解者，屬桂枝人參湯。方四十

一。

桂枝四兩別切去皮　甘草四兩炙　白朮三兩

人參三兩　乾薑三兩

右五味，以水九升，先煮四味，取五升，內桂，更煮取三升，去滓，溫服一升，日再夜一服。

下後不可更行桂枝湯，汗出而喘，無大熱者，屬麻黃杏子甘草石膏湯方四十二。

麻黃四兩去節　杏仁五十箇去皮尖　甘草二兩炙

石膏半斤碎

右四味，以水七升，先煮麻黃，減二升，去上沫，內諸藥，煮取三升，去滓，溫服一升。本云黃耳杯。

陽明病，下之，其外有熱，手足溫，不結胸，心中懊憹，飢不能食，但頭汗出者，屬梔子豉湯證四十三。用前第七方

傷寒吐後，腹脹滿者，屬調胃承氣湯證四十四。用前第九方

病人無表裏證，發熱七八日，脈雖浮數者，可下之。假令已下，脈數不解，今熱則消穀善飢，至六七日不大便者，有瘀血，屬抵當湯方四十五。

大黃三兩酒洗　桃仁二十枚去皮尖　水蛭三十枚熬

蝱蟲去翅足三十枚熬

右四味，以水五升，煮取三升，去滓，溫服一升，不下更服。

本太陽病，醫反下之，因爾腹滿時痛者，屬太陰也。屬桂枝加芍藥湯方四十六。

桂枝三兩去皮　芍藥六兩　甘草二兩炙

大棗十二枚擘　生薑三兩切

右五味，以水七升，煮取三升，去滓，分溫三服。本云桂枝湯，今加芍藥。

傷寒六七日，大下，寸脈沉而遲，手足厥逆，下部脈不至，喉咽不利，唾膿血，泄利不止者，為難治，屬麻黃升麻湯方四十七。

麻黃二兩半去節　升麻一兩六銖　當歸一兩六銖

知母十八銖　黃芩十八銖　萎蕤十八銖一作菖蒲

芍藥六銖　天門冬六銖去心　桂枝六銖去皮

茯苓六銖　甘草六銖炙　石膏六銖碎綿裹

白朮六銖　乾薑六銖

右十四味，以水一斗，先煮麻黃一兩沸，去上沫，內諸藥，煮取三升，去滓，分溫三服，相去如炊三斗米頃，令盡，汗出愈。

傷寒本自寒下醫復吐下之寒格更逆吐下若食
入口即吐屬乾薑黃芩黃連人參湯方四十八
乾薑　黃芩　黃連　人參各三兩
右四味以水六升煑取二升去滓分溫再服

傷寒論卷第十

世讓堂翻宋板

長洲趙應期獨刻

# 傷寒論後序

夫治傷寒之法歷觀諸家方書得仲景之多者惟
孫思邈猶曰見大醫療傷寒惟大青知母等諸冷
物投之極與仲景本意相反又曰尋方之大意不
過三種一則桂枝二則麻黃三則青龍凡療傷寒
不出之也嗚呼是未知法之深者也奈何仲景之
意治病發於陽者以桂枝生薑大棗之類發於陰
者以乾薑甘草附子之類非謂全用溫熱藥蓋取
素問辛甘發散之說且風與寒非辛甘不能發散
之也而又中風自汗用桂枝傷寒無汗用麻黃中
風見寒脉傷寒見風脉用青龍若不知此欲治傷
寒者是未得其門矣然則此之三方春冬所宜用
之若夏秋之時病多中暍當行白虎也故陰陽大
論云脉盛身寒得之傷寒脉虛身熱得之傷暑又
云五月六月陽氣已盛為寒所折病熱則重別論
云太陽中熱暍是也其人汗出惡寒身熱而渴白
虎主之若誤服桂枝麻黃輩未有不黃發斑出脫
血而得生者此古人所未至故附于卷之末云